German AS | für AQA

Zeitgeist 1

OXFORD
UNIVERSITY PRESS

OXFORD
UNIVERSITY PRESS

Great Clarendon Street, Oxford OX2 6DP

Oxford University Press is a department of the University of Oxford.

It furthers the University's objective of excellence in research, scholarship, and education by publishing worldwide in

Oxford   New York   Auckland   Cape Town   Dar es Salaam
Hong Kong   Karachi   Kuala Lumpur   Madrid   Melbourne
Mexico City   Nairobi   New Delhi   Shanghai   Taipei   Toronto

With offices in

Argentina   Austria   Brazil   Chile   Czech Republic   France
Greece   Guatemala   Hungary   Italy   Japan   South Korea
Poland   Portugal   Singapore   Switzerland   Thailand
Turkey   Ukraine   Vietnam

Oxford is a registered trade mark of Oxford University Press
in the UK and in certain other countries

© Corinna Schiker, Ann Adler, Geoff Brammall, Maria Hunt, Morag McCrorie, Dagmar Sauer 2011

The moral rights of the author have been asserted

Database right Oxford University Press (maker)

First published 2011

British Library Cataloguing in Publication Data

Data available

ISBN 978 019 912916 4

10 9 8 7 6 5 4 3 2 1

Printed in Great Britain by Bell and Bain Ltd, Glasgow

Paper used in the production of this book is a natural, recyclable product made from wood grown in sustainable forests. The manufacturing process conforms to the environmental regulations of the country of origin.

MIX
Paper from
responsible sources
FSC® C007785
www.fsc.org

Acknowledgements

The publishers would like to thank the following for permission to reproduce photographs:

Cover Image: Paul Reid/Shutterstock; **p10**: Glen Allison/Getty Images; Peter M Wilson/Alamy; Japan Travel Bureau/Photolibrary; Edward Parker/Alamy; David Crossland/Alamy; Archivberlin Fotoagentur GmbH/Alamy; KT/Alamy; Stefan Schuetz/Getty Images; **p13**: Paul Maynall/Photographers Direct; **p19**: Mike Kemp/Rubberball/Getty Images; **p22**: Monkey Business Images Ltd/Oxford University Press; **p23**: Sebastian Arnoldt/Photographers Direct; Paul Maynall/Photographers Direct; **p24**: Kodiak Greenwood/Getty Images; **p28**: foodwatch.de; **p32**: RWE Aktiengesellschaft; **p43**: BUENA VISTA INTERNATIONAL FILM PRODUCTION [GERMANY]/FILMSTIFTUNG NORDRHEIN-WESTFALEN/Ronald Grant Archive; Archives du 7e Art/DR/Photo12.com; SONY PICTURES CLASSICS/Album/akg-images; **p44**: amana images inc./Alamy; Imagebroker/Alamy; Eddie Linssen/Alamy; Image Source/Alamy; **p45**: Medienboard Berlin-Brandenburg/Seven Picture/Warner Brothers/Album/akg-images; Castel Film Romania/Album/akg-images; **p46**: John Eder/The Image Bank/Getty Images; Nivek Neslo/Taxi/Getty Images; p47: imagebroker/Alamy; **p48**: Warner Bros. Pictures/Album/akg-images; Miramax/Album/akg-images; **p49**: Getty Images; **p53**: Willi Schneider/Rex Features; Ralf Juergens/Getty Images; **p55**: imagebroker/Alamy; **p56**: imagebroker/Alamy; **p57**: c.20thC.Fox/Everett/Rex Features; **p58**: Pando Hall/Getty Images; PictureNet Corporation/Alamy; Steve Skjold/Alamy; **p64**: Yuri Arcurs/Shutterstock; Eyecandy Images/Alamy; **p66**: Associated Press; **p72**: Blend Images/Alamy; **p73**: Thomas Stange/Istockphoto; **p74**: Aflo Foto Agency/Aflo Sports/Photolibrary; Aflo Foto Agency/Aflo Sports/Photolibrary; Roy Morsch/Flirt Collection/Photolibrary; Alysta/Shutterstock; Jim Cummins/Getty Images; Associated Press; **p77**: Jason Stitt/Bigstockphoto; **p78**: Aflo Foto Agency/Aflo Sports/Photolibrary; **p79**: David J. Green/Oxford University Press; Stockbyte/Oxford University Press; **p82**: Tony Karumba/AFP/Getty Images; **p87**: Helene Rogers/Artdirectors; PhotoCreate/Shutterstock; **p89**: Susan Barr/Getty Images; Milivoje Misa Maric/Alamy; Andres Rodriguez/Alamy; **p90**: Associated Press; **p94**: John Cumming/Getty Images; **p95**: Yuri Arcurs/Shutterstock; Marc Gilsdorf/Mauritius/Photolibrary; **p96**: giuseppe masci/Alamy; David Hiser/Stone/Getty Images; **p98**: Stephen Oliver/Alamy; Brian Summers/Photolibrary; Andres/Shutterstock; **p102**: AIRBUS S.A.S 2007; Associated Press; Urbanmyth/Alamy; **p106**: Magdalena Rehova/Alamy; David Fleetham/Alamy; **p107**: MaszaS/Bigstock; Yuri Arcurs/Shutterstock; BlueOrange Studio/Shutterstock; **p108**: Highstone/Bigstockphoto; Wesley Hitt/Alamy; **p110**: Tetra Images/Alamy; **p113**: Caro/Alamy; **p117**: Brownstock/Alamy; **p118**: Carlos Davila/Alamy; **p120**: imagebroker/Alamy; Gaertner/Alamy; Photodisc/Oxford University Press; Rob Melnychuk/Getty Images; **p122**: Fancy/Alamy; **p128**: Brian Summers/Getty Images; Sammy/Mauritius/Photolibrary; Edward Simons/Alamy; Fancy/Alamy; **p131**: Andres/Bigstockphoto; **p132**: PhotoAlto/Alamy; **p136**: Simone Brandt/Alamy; **p138**: Andia/Alamy; **p141**: Monkey Business Images/Rex Features; **p142**: DPA/Press Association Images; **p145**: Image Source/Alamy; Fancy/Alamy; **p146**: imagebroker/Alamy; **p147**: Peter Titmuss/Alamy; **p148**: Comstock/Creatas/Oxford University Press; **p149**: Ilene MacDonald/Alamy; Blend Images/JGI/Oxford University Press; **p151**: Image Source/Alamy; **p153**: Pictorium/Alamy.

Artwork by: Mark Draisey, Tim Kahane, Ben Swift, Theresa Tibbetts & Thomson Digital.

The authors and publishers would like to thank the following for their help and advice: Jackie Coe (series publisher); Harriette Lanzer (editor) and Angelika Libera (language consultant).

The authors and publishers would also like to thank everyone involved in the recordings for the *Zeitgeist 1* recordings: Boris Steinberg for sound production and all the speakers involved.

Although we have made every effort to trace and contact copyright holders before publication this has not been possible in all cases. If notified, the publisher will rectify any errors or omissions at the earliest opportunity.

German AS | für AQA

Zeitgeist 1

Corinna Schicker
Ann Adler
Geoff Brammall
Maria Hunt
Morag McCrorie
Dagmar Sauer

Welcome to Zeitgeist!

The following symbols will help you to get the most out of this book:

🎧 listen to the audio CD with this activity

👥 work with a partner

👥👥 work in a group

 an explanation and practice of an important aspect of German grammar

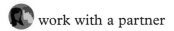 refer to this page in the grammar section at the back of the book

➡ W16 there are additional grammar practice activities on this page in the *Zeitgeist* Grammar Workbook

Hilfe useful expressions

Tipp practical ideas to help you learn more effectively

Ⓓ dictionary activities

We hope you enjoy learning with *Zeitgeist*. *Viel Spaß!*

Inhalt

By the end of this unit you will be able to:

- Talk about German-speaking countries
- Talk about German history
- Describe German towns and regions

- Use the present tense
- Understand and use the correct word order
- Understand and use gender and plurals
- Use a bilingual dictionary

1 Was lernt man in der Oberstufe? Sehen Sie sich Seite 4 und 5 an – welche Themen und Grammatik kennen Sie schon? Was ist neu? Machen Sie eine Liste.

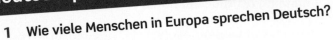

2 Was wissen Sie über die deutschsprachigen Länder?

1 Wie viele Menschen in Europa sprechen Deutsch?
  - a 40 Millionen
  - b 70 Millionen
  - c 100 Millionen
2 Welche Länder grenzen an Deutschland?
3 Wie heißt die Hauptstadt der Schweiz?
4 Richtig oder falsch? Es gibt deutschsprachige Minderheiten in Namibien, Brasilien, Russland und den Vereinigten Staaten.
5 Nennen Sie zwei deutsche Flüsse.
6 Nennen Sie drei Städte in Österreich.
7 Nennen Sie sechs berühmte Personen aus deutschsprachigen Ländern.
8 Welche anderen Sprachen spricht man in der Schweiz?
9 Wann ist die Berliner Mauer gefallen?
10 Welche Spezialitäten aus Deutschland, Österreich und der Schweiz kennen Sie?
11 Welche deutschen Produkte oder Firmen kennen Sie?
12 Welche Touristenattraktionen gibt es in Deutschland, Österreich und der Schweiz?

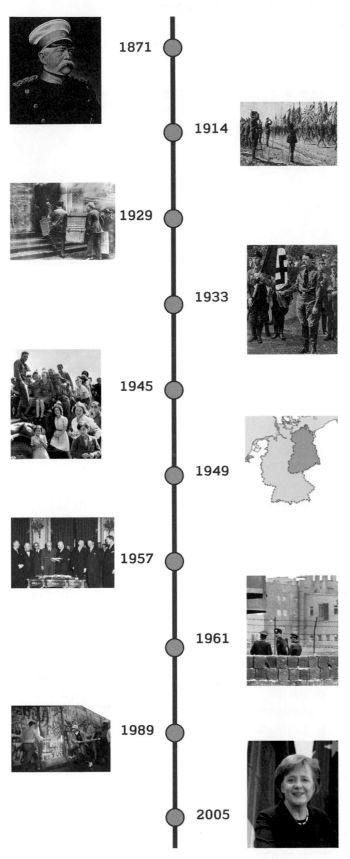

1871
1914
1929
1933
1945
1949
1957
1961
1989
2005

a Angela Merkel wird die erste deutsche Bundeskanzlerin.

b Hitler kommt an die Macht.

c Der preußische Premierminister Bismarck vereinigt Deutschland. Beginn des deutschen Kaiserreichs.

d Die Berliner Mauer fällt.

e Wirtschaftsdepression in Deutschland.

f Beginn des Ersten Weltkriegs.

g Jetzt gibt es zwei deutsche Staaten – die BRD und die DDR.

h Die Russen bauen die Berliner Mauer.

i Deutschland wird eines der ersten Mitglieder der EWG.

j Der Zweite Weltkrieg endet.

4 Hören Sie sich die sieben Aussagen an. Welches Ereignis wird beschrieben?

Tipp

Using a bilingual dictionary

A large bilingual dictionary is invaluable for your AS studies.

● Look at *fallen* in the dictionary. Reject the possibilities that make no sense in the context. The italicised words in brackets (*Hindernis*) help point to the correct meaning. In *Wann ist die Berliner Mauer gefallen?* the correct translation is 'to be removed'.

shows the gender

shows the genitive

the verb and noun are entered seperately

Each labelled section points to a different key meaning

tips in brackets give guidance

Falle /ˈfalə/ *die;* ~, ~n ① (auch fig.) trap; **in die** ~ **gehen** walk into the trap; **jmdm. eine** ~ **stellen** (fig.) set a trap for sb.; **jmdm. in die** ~ **gehen** (fig.) fall into sb.'s trap ② (salopp: Bett) **in die** ~ **gehen** turn in (coll.)

fallen *unr. itr. V.; mit sein* ① **fall**; **etw.** ~ **lassen** drop sth.; **sich ins Gras/Bett/Heu** ~ **lassen** fall on to the grass/into bed/into the hay; (fig.) **in Trümmer** ~: collapse in ruins; **in Schwermut** ~: be overcome by melancholy; **jmdn.** ~ **lassen** drop sb.; **eine Bemerkung** ~ **lassen** let fall a remark; **einen Hinweis** ~ **lassen** drop a hint; **einen Plan** ~ **lassen** abandon a plan ② (hin~, stürzen) fall [over]; **auf die Knie/in den Schmutz** ~: fall to one's knees/in the dirt; **über einen Stein** ~: trip over a stone ③ (sinken) ⟨*prices*⟩ fall; ⟨*temperature, water level*⟩ fall, drop; ⟨*fever*⟩ subside; **im Preis** ~: go down or fall in price ④ (an einen bestimmten Ort gelangen) ⟨*light, shadow, glance, choice, suspicion*⟩ fall; **die Wahl fiel auf ihn** the choice fell on him ⑤ (abgegeben werden) ⟨*shot*⟩ be fired; (Sport: erzielt werden) ⟨*goal*⟩ be scored; (geäußert werden) ⟨*word*⟩ be spoken; ⟨*remark*⟩ be made; (getroffen werden) ⟨*decision*⟩ be taken or made ⑥ (nach unten hängen) ⟨*hair*⟩ fall; **die Haare** ~ **ihr ins Gesicht/auf die Schulter** her hair falls over her face/to her shoulders ⑦ (im Kampf sterben) die; fall (literary); **im Krieg** ~: die in the war ⑧ (aufgehoben, beseitigt werden) ⟨*ban*⟩ be lifted; ⟨*tax*⟩ be abolished; ⟨*obstacle*⟩ be removed; ⟨*inhibition*⟩ be overcome ⑨ (zu einer bestimmten Zeit stattfinden) **in eine Zeit** ~: occur at a time; **mein Geburtstag fällt auf einen Samstag** my birthday falls on a Saturday ⑩ (zu einem Bereich gehören) **in/unter eine Kategorie** ~: fall into or within a category; **unter ein Gesetz/eine Bestimmung** ~: come under a law/a regulation ⑪ (zu~, zuteil werden) ⟨*inheritance, territory*⟩ fall ⟨an + Akk. to⟩; **jmdm. in die Hände** ~: fall into the hands of sb.

● When working from English to German, think about the meaning and context of the word and choose the translation which best fits.

3 Sehen Sie sich die Bilder an und lesen Sie die Sätze oben rechts. Ordnen Sie die Sätze den Bildern zu.

Hier spricht man Deutsch

▸ *Was wissen Sie über Deutschland, Österreich und die Schweiz?*

1a Hören Sie zu und füllen Sie die Tabelle mit Informationen über Deutschland aus.

Deutschland	
Hauptstadt	Berlin
Bevölkerung	
Fläche	
Flüsse	der Rhein,
Währung	
Industrie/Produkte	
Firmen	
Tourismus	

1b Hören Sie sich den zweiten Teil des Berichts an und schreiben Sie die Informationen über Österreich und die Schweiz auf.

Grammatik ➡165 ➡W49

The present tense

The present tense is used to say what you are doing right now or what you do on a regular basis.

● To form the present tense of weak (regular) verbs:

machen

ich mach**e**	wir mach**en**
du mach**st**	ihr mach**t**
er/sie/es mach**t**	sie/Sie mach**en**

● Strong verbs have the same endings as weak verbs, but often change their vowel in some way in the *du* and *er/sie/es* forms. For a list of strong verbs, see page 176.

sehen – er s**ie**ht

tragen – du tr**ä**gst

● The only verb which is irregular in all its forms is *sein* – see page 166 for a reminder.

Ⓐ Read the information you found in activity 1a and fill in the gaps with the correct form of the present tense of the verb in brackets.

a Berlin _____ (*sein*) die Hauptstadt von Deutschland.

b Deutschland _____ (*produzieren*) Autos und Elektrogeräte.

c 14 Millionen Touristen _____ (*besuchen*) Deutschland jedes Jahr.

d Firmen, wie BMW und Siemens, _____ (*kommen*) aus Deutschland.

e Die alte deutsche Währung _____ (*heißen*) D-Mark.

Ⓑ Write five similar sentences about Austria and Switzerland.

2a Welche Unterschiede gibt es zwischen den deutschsprachigen Ländern? Hören Sie zu und lesen Sie das Interview mit Alf.

anstatt – instead of	*ähnlich – similar*
unterschiedlich – different	*flach – flat*
verantwortlich für –	*der Feiertag (e) – public*
responsible for	*holiday*

Int.: *Also, Alf du kommst aus Österreich, wohnst aber seit drei Jahren in Norddeutschland, stimmt das?*

Alf: Ja, das ist richtig.

Int.: *Gibt es viele Unterschiede?*

Alf: Ja, jede Menge. Zuerst die Sprache. Wir sprechen zwar alle Deutsch, aber in Österreich ist der Akzent total anders. Wir haben auch einen eigenen Dialekt. Auch in Deutschland gibt es verschiedene Dialekte. Hier im Norden sprechen viele Plattdeutsch.

Int.: *Was ist denn Plattdeutsch? Kannst du mir ein Beispiel geben?*

Alf: Ja, zum Beispiel sagt man „ick" anstatt „ich". In Österreich dagegen sagt man „i'" und in anderen Regionen sagt man „isch". Es gibt aber viele unterschiedliche Akzente und Dialekte in Deutschland – Bayerisch, Sächsisch. Und in der Schweiz spricht man Schweizerdeutsch – das ist sehr schwierig zu verstehen.

Int.: *Bayern und Sachsen sind Bundesländer, nicht wahr? In welchem Bundesland wohnst du jetzt?*

Alf: Ich wohne in Niedersachsen.

Int.: *Was ist denn ein Bundesland?*

Alf: Ein Bundesland ist eine politische Region. Es gibt 16 Bundesländer in Deutschland. Jedes Bundesland hat einen Landtag, das ist ein Landesparlament. Jedes Bundesland ist für bestimmte Dinge verantwortlich, zum Beispiel das Schulwesen.

Int.: *Hat Österreich auch Bundesländer?*

Alf: Ja, und in der Schweiz gibt es Kantone. Ich glaube, das ist was Ähnliches.

Int.: *Gibt es weitere Unterschiede?*

Alf: Ja, die Landschaft natürlich. Da hat Süddeutschland gewisse Ähnlichkeiten mit Österreich und der Schweiz – Wälder, Berge, Seen und so weiter. Hier im Norden ist alles ziemlich flach. Und jedes Land hat auch seine eigenen Traditionen, Feiertage und Spezialitäten.

2b Hören Sie noch einmal zu. Schreiben Sie **R**, wenn die Aussage unten richtig ist, **F**, wenn die Aussage falsch ist, oder **NA** (nicht angegeben), wenn die Information nicht im Interview steht.

a Alf kommt aus Norddeutschland.

b Er arbeitet als Krankenpfleger.

c Deutschland und Österreich sind in Bundesländer aufgeteilt.

d Jedes Bundesland hat ein Parlament.

e Die Schweiz ist in Kantone aufgeteilt.

3 Hören Sie noch einmal zu und füllen Sie die Tabelle mit Informationen über die drei Länder aus.

	Deutschland	Österreich	die Schweiz
Sprache			
politische Organisation			
Landschaft			

4a Wählen Sie ein deutschsprachiges Land und sammeln Sie im Internet weitere Informationen über Sprache, Politik, Industrie, Tourismus usw.

4b Halten Sie dann einen kleinen Vortrag vor Ihrer Klasse. Benutzen Sie die Hilfe-Ausdrücke.

Hilfe

Ich habe das Land ... gewählt.
Zuerst möchte ich über ... sprechen.
Ich habe herausgefunden, dass ...
Ich finde es besonders interessant, dass ...
Touristen können ... besuchen.
Die Hauptindustrien sind ...

Was gibt es hier zu tun?

▶ *Was gibt es in den deutschsprachigen Ländern zu sehen und zu besuchen?*

1 Sehen Sie sich die Bilder an. Raten Sie! Welche Stadt ist das? Berlin, Köln, München oder Wien?

2a 🎧 Hören Sie zu und lesen Sie die Texte.

Berlin

40 Jahre lang geteilt, seit 1990 wieder die Hauptstadt Deutschlands. Und in den Jahren seit der Wende hat sich die Stadt sehr verändert. Wo die Mauer war, gibt es jetzt neue Wohnungen und Einkaufszentren. Selbst der Reichstag, seit 1999 wieder der Sitz des Parlaments und eine der beliebtesten Sehenswürdigkeiten Berlins, hat eine neue Glaskuppel. In Berlin ist die Geschichte überall, ob im Haus am Checkpoint Charlie, wo man alles über die Mauer erfahren kann, oder im Schloss Sanssouci in Potsdam. Aber Berlin ist zugleich eine moderne Stadt mit vielen Technologieparks und einer lebendigen Kunstszene.

München

Die schöne Stadt mit Alpenkulisse ist eine der reichsten Städte Deutschlands und Sitz der Autofirmen Audi und BMW. München liegt im Süden und man kann mühelos zum Skifahren oder Wandern in die Berge fahren. Die Stadt ist aber vor allem für das Oktoberfest berühmt. Jedes Jahr, vom dritten Samstag im Oktober bis zum ersten Samstag im September, kommen Millionen von Besuchern nach München, um aufs Oktoberfest zu gehen. Besucher können in großen Zelten sitzen und Bier genießen oder sich auf dem großen Rummelplatz mit Achterbahnen und Karussells vergnügen. Aber wer nicht zu viel trinken will, muss aufpassen. Das Bier wird in Maßkrügen serviert, das heißt, man bekommt einen ganzen Liter Bier!

Wien

Wien hält sich für die Welthauptstadt der Musik. In keiner anderen Stadt haben so viele weltberühmte Komponisten gelebt wie in Wien. Mozart, Schubert, Haydn und Beethoven haben alle in der Stadt gelebt und die Wiener Philharmonie ist heute noch eines der besten Orchester der Welt. Auch Künstler wie Gustav Klimt haben hier gearbeitet, und in Wien sind einige der wichtigsten Kunstsammlungen der Welt. Wien hat aber nicht nur Kultur zu bieten. Im Wiener Prater locken über 250 Attraktionen, vom berühmten Riesenrad bis zu Gokart-Bahnen, und dazu auch jede Menge Restaurants, Cafés und Biergärten.

Köln

Köln, die Römerstadt am Rhein, ist eine der ältesten Städte Deutschlands und heute die viertgrößte mit über einer Million Einwohner. Der Kölner Dom, Wahrzeichen der Stadt, ist über 750 Jahre alt, und eines der bekanntesten Monumente Deutschlands. Als Hauptstadt des Rheinlands ist Köln ein idealer Ausgangspunkt für Ausflüge in die Weinberge oder für eine Schifffahrt auf dem Rhein. Und in Köln gibt es auch den größten Karneval Deutschlands. Der Faschingskarneval findet in den letzten Tagen vor der Fastenzeit statt. Es gibt Umzüge, Feste und Tänze und die Leute verkleiden sich.

die Wende – German reunification	*die Glaskuppel* – glass dome
der Rummelplatz – funfair	*die Fastenzeit* – Lent
der Umzug – procession	*bieten* – to offer
sich verkleiden – to masquerade	*aufpassen* – to watch out

2b Sehen Sie sich Ihre Antworten zu Übung 1 noch einmal an. Haben Sie richtig geraten?

2c Finden Sie in den Texten ein Synonym für die unten angegebenen Wörter und Begriffe.

a sich amüsieren

b Während dieser Zeit soll man weniger essen und trinken.

c eine Party

d eine Maske oder seltsame Kleidung tragen

e Hier gibt es Achterbahnen und Karussells.

f viele

2d Schreiben Sie **R**, wenn die Aussage unten richtig ist, **F**, wenn die Aussage falsch ist, oder **NA** (nicht angegeben), wenn die Information nicht im Text steht.

a Berlin war schon immer die Hauptstadt Deutschlands.

b Man hat den Reichstag renoviert.

c Es gibt wenig Industrie in Berlin.

d München ist eine relativ arme Stadt.

e München liegt weit weg von den Bergen.

f Die meisten Besucher des Oktoberfestes kommen aus Amerika.

g Auf dem Oktoberfest kann man nichts anderes machen, außer Bier trinken.

h Wien ist vor allem für die Musik bekannt.

i Der Prater ist 100 Jahre alt.

j Köln existiert seit der Römerzeit.

k Von Köln aus kann man leicht ins Rheinland fahren.

l Man muss ein Kostüm tragen, wenn man auf ein Faschingsfest geht.

3 🎧 Hören Sie sich jetzt das Interview mit Christian an, der die Fastnacht und das Oktoberfest beschreibt, und beantworten Sie die Fragen.

a Was bekommen die Narren während der Fastnacht?

b Wer spielt die Rolle der Narren?

c Wie wird die Fastnacht gefeiert?

d Was passiert am Montag?

e Was findet Christian gut an der Fastnacht?

f Was hat Christian am Oktoberfest imponiert?

g Was hat ihm nicht so gut gefallen?

h Warum findet er sein eigenes Stadtfest besser?

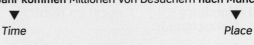

Grammatik ➡173 ➡W72

Word order

The **verb** should normally be the second idea in any sentence. If the <u>subject</u> is not the first idea, it moves to follow the verb, as in the second example.

<u>München</u> **ist** vor allem für das Oktoberfest berühmt.

Vor allem **ist** <u>München</u> für das Oktoberfest berühmt.

A Look at the texts on page 10 and find as many examples as possible where the subject follows the verb.

● Remember the rule of Time, Manner, Place (when, how and where).

Jedes Jahr kommen Millionen von Besuchern nach München.
▼   ▼
Time   *Place*

Man kann **mühelos** **in die Berge** fahren.
               ▼   ▼
            Manner   *Place*

B Make sentences from these words using the correct word order.

a eine Schifffahrt / in Köln / kann / machen / auf dem Rhein / man

b wir / heute / fahren / nach Berlin / mit dem Zug

c den Reichstag / schnell / besucht / ich / habe

d in die Berge / kann / man / ohne Problem / einen Ausflug / machen

4 👥 Suchen Sie im Internet mehr Informationen über die Fastnacht, das Oktoberfest oder ein anderes Fest. Sie können die folgenden Webseiten benutzen: <u>www.karneval.de</u>, <u>www.cityguide.de/koeln/karneval</u>, <u>www.oktoberfest.de</u>. Halten Sie dann einen Vortrag darüber vor Ihrer Klasse.

5 Stellen Sie sich vor, Sie waren entweder bei der Fastnacht oder auf dem Oktoberfest. Schreiben Sie einen Bericht darüber (150 Wörter).

Grammatik aktuell

1 The present tense

All verbs in German have the same endings apart from the verb *sein*. Strong verbs change in the *du* and *er/sie/es* forms and can be found in the list on page 176.

Ⓐ Fill in the gaps with the correct form of the verb in the present tense.

a Berlin _____ (*bieten*) viel für Touristen.

b Viele Besucher _____ (*kommen*) jedes Jahr nach München.

c Wir _____ (*fahren*) im Sommer in die Schweiz.

d Hamburg _____ (*liegen*) im Norden Deutschlands.

e Mein Vater _____ (*arbeiten*) bei der Deutschen Bank in England, _____ (*fahren*) aber oft auf Geschäftsreise nach Deutschland.

f Ich _____ (*lernen*) seit fünf Jahren Deutsch.

g In Hamburg _____ (*geben*) es einen großen Hafen.

h In der Schweiz _____ (*sprechen*) man Schweizerdeutsch.

i Seit wann _____ (*sind*) ihr in Wien?

j In welchem Bundesland _____ (*wohnen*) Sie?

2 Word order

The verb should normally be the second idea in any sentence. Remember the rule of Time, Manner, Place.

Ⓐ Write these sentences using the correct word order.

a das Mozarthaus / man / in Salzburg / besuchen / kann

b im Herbst / in München / ein / Bierfest / gibt / es / großes

c in Deutschland / es / eine Wirtschaftsdepression / gab / 1929

d das Parlament / in Berlin / jetzt / ist / wieder

e Albert Einstein / Mathematiker / schon in seiner Kindheit / war

3 Genders and plurals

Although there are some patterns to the gender and plurals of nouns, you have to learn many of them.

Ⓐ **Ⓓ** Work out whether each word is masculine, feminine or neuter.

a Hauptstadt
b Einwohner
c Haus
d Wahrzeichen
e Mauer
f Restaurant
g Musik
h Zelt
i Biergarten

Ⓑ **Ⓓ** Work out the gender and possible plural of each of these words from this unit and check your answer in the dictionary.

a Sehenswürdigkeit
b Komponist
c Künstler
d Parlament
e Spezialität
f Sprache
g Ähnlichkeit

Ⓒ **Ⓓ** Now use your dictionary to find the gender and plural of these nouns.

a Umzug
b Fest
c Wald
d Stadt
e Konzert
f Oper
g Besucher

1 TV total

By the end of this unit you will be able to:

- Talk and write about different kinds of TV programmes
- Discuss TV viewing habits
- Discuss the dangers and benefits of TV
- Talk and write about the future of TV
- Use articles and cases
- Use modal verbs
- Form questions
- Use statistics
- Express opinions
- Organize your work

1a Was gibt es jetzt im Fernsehen? Welche Beschreibung passt zu jedem Titel?

1b Was für Sendungen sind dies Ihrer Meinung nach?

1 Ich bin ein Star – holt mich hier raus!

2 Raus aus den Schulden!

3 Erlebnis Erde

4 Marienhof

5 Deutschland sucht den Superstar!

6 Der Landarzt

7 Der letzte Zeuge

a Durch den Klimawandel nehmen Hurrikane zu. Und die Karibik ist besonders bedroht.

b Zwei Frauen sind tot – aber was ist die Verbindung zwischen ihnen?

c Nur noch sieben Sänger zur Auswahl – und wer fliegt heute raus?

d Vera kümmert sich um einen Piloten mit Krebs.

e Das Team hilft einem Ehepaar, das 100.000 Euro Kreditkartenschulden hat.

f Axel gesteht Tanja, dass er sie liebt. Aber Tanja hat andere Probleme …

g Die letzten Ereignisse im Dschungelcamp.

1 Ein bisschen Fernsehen

▶ Welche Fernsehprogramme gibt es?
▶ Wie sind die Fernsehgewohnheiten der Deutschen?

1  Was verbinden Sie mit dem Begriff „Fernsehen"? Schreiben Sie Ihre Ideen als Diagramm und vergleichen Sie in der Klasse.

```
        Unterhaltung

Seifenoper
            ( Fernsehen )
```

2 Welche Fernsehgewohnheiten haben Sie? Diskutieren Sie Folgendes mit einem Partner/einer Partnerin.

- Wie viele Stunden sehen Sie pro Woche fern?
- Mit wem sehen Sie normalerweise fern?
- Warum sehen Sie gern fern?
- Welche Sendungen sehen Sie gern?

3a Die Zeitschrift „Junge Zeit" hat 1000 Jugendliche gefragt: „Was siehst du gern im Fernsehen?" Schauen Sie sich die Ergebnisse an.

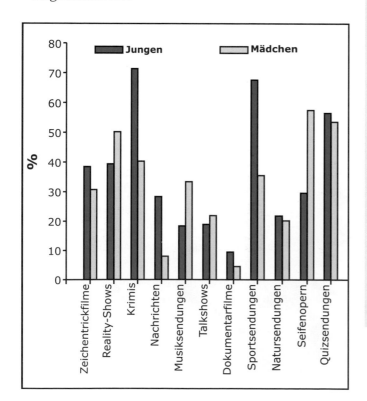

3b Schreiben Sie **R**, wenn die Aussage unten richtig ist, **F**, wenn die Aussage falsch ist, oder **NA** (nicht angegeben), wenn die Information nicht in der Zeitschrift steht.

a Fast doppelt so viele Jungen wie Mädchen sehen gern Sportsendungen.

b Ein Drittel der Mädchen sieht gern Reality-Shows.

c Fast genauso viele Mädchen wie Jungen sehen gern Natursendungen.

d Mehr als dreimal so viele Jungen sehen gern die Nachrichten.

e Zeichentrickfilme sind bei den Mädchen am beliebtesten.

f Dokumentarfilme sind nicht beliebt.

g Die meisten Seifenopern kommen aus den USA.

h Ein Viertel der Jungen sieht gern Krimis.

3c Schreiben Sie noch vier Sätze zu der Grafik.

Tipp

Using statistics
- Make sure you know what the figures refer to (numbers, percentages, rank order, etc.).
- Check the visual representation carefully.
- Try to be accurate: rather than saying more than or less than, use expressions such as twice as many. Make sure you know all your numbers in German, including large ones and decimals.

Ⓐ **Find the German for these expressions on this page.**
 a a quarter
 b over three times as many
 c twice as many
 d just as many
 e a third
 f half

14

Reality-Shows: Die neuen Fernsehhits

Was gibt's Neues im Fernsehen? In <u>den</u> letzten Jahren hat sich <u>ein</u> Fernsehformat fast explosionsartig verbreitet: <u>die</u> Reality-Show. Auch in Sachen Reality-Shows gibt es Varianten – Doku-Soaps wie „Frauentausch", Casting-Shows wie „Deutschland sucht den Superstar" oder Container-Shows wie „Big Brother". Aber eines haben sie gemeinsam: <u>der</u> Zuschauer kann sein voyeuristisches Interesse <u>am</u> Leben <u>anderer</u> befriedigen. Bei Casting- und Container-Shows kann man auch noch mitbestimmen, wer <u>den</u> großen Preis gewinnt.

Vor allem bei Casting-Shows greifen <u>die</u> Deutschen schnell zum Telefon, um für <u>ihren</u> Lieblingssänger zu stimmen. <u>Die</u> Show „Deutschland sucht <u>den</u> Superstar" ist schon bei <u>der</u> achten Staffel, und <u>das</u> Lied von Mark Medlock, dem bis jetzt erfolgreichsten Gewinner, ist sofort auf <u>den</u> ersten Platz <u>der</u> Hitparade geklettert. Fast zwei Millionen Deutsche hatten ihn zum Sieger gewählt. „Solche Shows sind erfolgreich, weil sie <u>einer</u> normalen Person <u>die</u> Chance geben, ihre Träume zu erfüllen", sagt Fernsehkritikerin Sonja Müller. „Dagegen finde ich, dass Container-Shows <u>die</u> Teilnehmer nur ausbeuten."

---

die Staffel - round, or series (as used here)
der Sieger - victor
erfüllen - to fulfil
ausbeuten - to exploit

---

4 Lesen Sie den Text. Welche Satzhälften passen zusammen?

1 In letzter Zeit sind Reality-Shows
2 Die Teilnehmer an Reality-Shows
3 Die Zuschauer entscheiden,
4 Der Gewinner einer Casting-Show
5 Zwei Millionen Deutsche

a wer gewinnt.
b hatte nachher viel Erfolg.
c haben für den Sieger einer Casting-Show gestimmt.
d sehr populär geworden.
e sind normale Menschen.

Grammatik
→ 154, 157 → W10

Articles and cases

The definite and indefinite **articles** (the words for 'the' and 'a') change depending on whether the noun is masculine, feminine or neuter:

m. der/ein Sänger	f. die/eine Sendung	n. das/ein Programm

Mein ('my') and **kein** ('not a/no') take the same endings as **ein**. For more information on definite and indefinite articles see page 154.

The article is also affected by the **case**.

All four German cases appear in this sentence:
Die Moderatorin der Show gab dem Sieger den Preis.

- The nominative is used for the subject of a sentence.
- The accusative is used for the direct object and after certain prepositions.
- The genitive is used to express possession/ belonging.
- The dative is used for the indirect object and after certain prepositions.

A Look at the underlined words in "Reality-Shows: Die neuen Fernsehhits" and decide which case each belongs to.

---

5 Was halten diese vier Jugendlichen von Reality-Shows? Hören Sie zu und entscheiden Sie, welche Meinung am besten zu welchem Jugendlichen passt.

a Teilnehmer an Container-Shows müssen damit rechnen, dass Journalisten sich für sie interessieren.
b Es gibt jetzt zu viele Reality-Shows.
c Sender wollen mit Reality-Shows finanziell von den Zuschauern profitieren.
d Casting-Shows geben Unbekannten eine Chance, berühmt zu werden.
e Container-Shows respektieren die Privatsphäre der Teilnehmer nicht.
f Teilnehmer an Container-Shows verzichten freiwillig auf eine Privatsphäre.

6a Was halten Sie von Reality-Shows und vom Fernsehangebot im Allgemeinen? Diskutieren Sie mit einem Partner/ einer Partnerin.

6b Fassen Sie Ihre Meinung in einem kurzen Abschnitt zusammen.

1 Fernsehen – nicht nur positiv

▶ *Welchen Einfluss hat das Fernsehen?*

1 Was sind die Vor- und Nachteile des Fernsehens? Stellen Sie eine Liste zusammen und vergleichen Sie diese mit einem Partner/einer Partnerin.

Fernsehgeneration

In Deutschland sitzen drei Viertel aller Kinder fast täglich vor dem Fernseher, und beinahe ein Drittel hat einen eigenen Fernsehapparat. Laut Psychologen ist es möglich, fernsehsüchtig zu werden. Also – Fernsehen als Droge?

Die Auswirkungen von übermäßigem Fernsehkonsum sind zahlreich – Kinder sind weniger aktiv, weniger erfinderisch und finden es schwieriger, Kontakte mit anderen aufzubauen. Das zunehmende Übergewicht bei Kindern und Jugendlichen ist nicht nur auf eine schlechte Ernährung zurückzuführen, sondern auch auf einen Lebensstil, bei dem man Fernsehen dem Sport vorzieht. Auch für den Erfolg in der Schule gibt es Konsequenzen. Studien haben gezeigt, dass Kinder, die im Alter von fünf bis 11 Jahren am wenigsten fernsehen, die größte Chance haben, in der Zukunft einen Universitätsabschluss zu machen. Dagegen schneiden Kinder, die vor ihrem dritten Lebensjahr viel ferngesehen haben, am schlechtesten bei Lesetests in der Schule ab.

Für Kinder mit einer besonders lebhaften Fantasie können sich die Grenzen zwischen Fernsehen und Realität manchmal verwischen. Sogar Kindersendungen oder Zeichentrickfilme zeigen Aggressionen und Gewaltszenen – kein Wunder also, dass Kinder dann Mord und Totschlag als Teil des Alltags betrachten. Daher ist es wichtig, auf den Inhalt der Sendungen zu achten und Kinder nicht alles wahllos anschauen zu lassen.

zahlreich – numerous
erfinderisch - imaginative
zunehmend - increasing
sich verwischen – become blurred
betrachten als – to regard as
wahllos – indiscriminately

2a Lesen Sie den Text „Fernsehgeneration" und suchen Sie im Text die entsprechenden deutschen Wörter oder Ausdrücke für Folgendes.

a according to

b the effects of watching too much TV

c obesity

d can be traced back to

e content

f as part of everyday life

2b Beantworten Sie die Fragen auf Deutsch.

a Wie viele Kinder in Deutschland haben einen eigenen Fernsehapparat?

b Was kann laut Psychologen passieren, wenn Kinder zu viel fernsehen?

c Welche anderen Konsequenzen gibt es für die Gesundheit?

d Wie beeinträchtigt das Fernsehen die Leistungen in der Schule?

e Was ist vor allem wichtig, wenn Kinder fernsehen?

3a Hören Sie den sechs Jugendlichen zu, die über das Fernsehen sprechen. Wer findet es sehr negativ und wer findet es nicht ganz so schlecht?

Julia Martin Katrin Josef Andreas Silke

3b Hören Sie noch einmal zu und entscheiden Sie, welche Meinung am besten zu welchem Jugendlichen passt.

a Gewalt wird oft verharmlost.

b Wir brauchen weniger, aber bessere Fernsehkanäle.

c Eltern sollen die Fernsehgewohnheiten ihrer Kinder genauer überprüfen.

d Das Fernsehen kann auch eine Bildungsfunktion haben.

e Das Fernsehen kann für ältere Leute unentbehrlich sein.

f Das Fernsehen unterhält und informiert uns.

4 Thema: Sollen wir Gewaltfilme verbieten? Lesen Sie den Text rechts und machen Sie eine Liste der Argumente dafür und dagegen. Diskutieren Sie mit einem Partner/einer Partnerin.

Tipp

Expressing opinions

To express your opinion in German:

- Meiner Meinung nach …
- Ich denke …
- Ich glaube (nicht) …
- Ich verstehe nicht, warum …
- Ich finde es normal/gut/schlecht/erschreckend/furchtbar/richtig …
- Ich bin dafür/dagegen …
- Ich bin überzeugt, dass …

A Write a letter to a TV station complaining about the amount of violence on TV. Use as many of the expressions from this box and the *Hilfe* box as possible.

Sollen wir Gewaltfilme verbieten?

Pro: In Filmen und Fernsehsendungen sehen wir Gewalt nicht mehr als eine Ausnahmesituation, sondern als einen Normalzustand und das hat ohne Zweifel einen Einfluss auf die ganze Gesellschaft. Die Statistiken weisen auf eine wachsende Kriminalität unter jungen Menschen hin — das hängt damit zusammen. Als ersten Schritt sollte man Filme wie "Rambo", die Gewalt verherrlichen, nicht im Fernsehen zeigen.

Contra: Gewalt ist eine Tatsache in der heutigen Gesellschaft, es wäre also unrealistisch, sie ganz aus dem Fernsehen zu verbannen. Es kommt darauf an, wie die Gewalt dargestellt wird. In Deutschland funktioniert der Jugendschutz gut. Filme, die Gewalt verherrlichen oder verharmlosen, werden bereits verboten. Filme, die Gewalt aus der Opferperspektive zeigen, können sogar die Aggressionsbereitschaft verringern, weil man mit dem Opfer Mitleid hat.

Hilfe

Ich bin regelmäßiger Zuschauer Ihres Fernsehkanals.
Ich mache mir Sorgen um …
Ich bin mit … gar nicht zufrieden.
Ich finde es erschreckend …
Es ist nicht nötig …
Ich interessiere mich nicht für …
Ich erwarte Sendungen von hoher Qualität.

1 Das digitale Zeitalter

▸ *Wie sieht die Zukunft des Fernsehens aus?*
▸ *Triple-Play: telefonieren, surfen und fernsehen*

Die Zukunft des Fernsehens

In Deutschland muss das Fernsehen rund um die Uhr laufen und mehr als 32 Millionen Familien sitzen tagtäglich drei Stunden vor dem Gerät. Durch das digitale Zeitalter können die Zuschauer jetzt zwischen Hunderten von Programmen wählen, aber jedes Jahr wollen immer mehr Deutsche mehr Kanäle: 2010 haben schon 20 Millionen Haushalte Satellitenfernsehen empfangen. Und die Möglichkeiten fernzusehen nehmen zu: Zuschauer können im Internet fernsehen, Podcasts herunterladen und in Kürze auch das Handy als Fernseher benutzen.

Aber kann es so weitergehen? Wo soll das enden? Laut Medienanalyst Günther Renz ist der Markt an neuen Kanälen fast gesättigt – was jetzt kommt, ist das „On-Demand"-Prinzip. „Bald muss niemand mehr traditionell zu festen Zeiten vor dem Fernseher sitzen. Zuschauer können fast alle Sendungen abrufen und ansehen, wenn sie Zeit und Lust haben."

Dass die Deutschen dann noch mehr Zeit vor der Glotze verbringen, glaubt Renz allerdings nicht. „Die Zuschauer wollen nur die Sendungen aussuchen und sehen, die sie wirklich interessieren. Für die Qualität des Angebots kann das nur gut sein."

| tagtäglich – *daily* | die Glotze – *the box (slang* |
| empfangen – *to receive* | *for TV)* |

1a Lesen Sie den Text und finden Sie diese Wörter oder Ausdrücke auf Deutsch im Text.

a around the clock
b viewers
c the digital age
d download
e saturated
f programmes
g the quality of what's on offer

1b Schreiben Sie **R**, wenn die Aussage unten richtig ist, **F**, wenn die Aussage falsch ist, oder **NA** (nicht angegeben), wenn die Information nicht im Artikel steht.

a In 32 Millionen deutschen Haushalten läuft der Fernseher ungefähr drei Stunden pro Tag.

b Die Auswahl an Fernsehkanälen ist in den letzten Jahren geringer geworden.

c Immer weniger Familien haben Satellitenfernsehen.

d Es gibt jetzt mehrere Methoden fernzusehen.

e Künftig wird man zu jeder Zeit die gewünschte Sendung sehen können.

f Die Deutschen werden in Zukunft wahrscheinlich mehr Zeit mit Fernsehen verbringen.

g Die Sendungen werden wahrscheinlich noch schlechter werden.

h Fernsehen in der Zukunft wird billiger sein.

Grammatik ➡165 ➡W46

Modal verbs
- Use modal verbs with the infinitive form of another verb.

können	*(ability) – to be able to/can*
wollen	*(intention) – to want to*
müssen	*(obligation) – to have to/must*
dürfen	*(permission) – to be allowed to/may*
sollen	*(advice) – to be supposed to/should*

Ⓐ Find examples of modal verbs in the text on this page. Note the position of the modal verb and the infinitive in the sentence.

Ⓑ Fill in the correct form of the modal verb.

a Kinder _____ *(sollen)* nicht zu viel fernsehen.

b Nicht jeder Zuschauer _____ *(können)* Satellitenfernsehen empfangen.

c Manche Fernsehsender _____ *(wollen)* nur Reality-Shows zeigen.

d Meine Tochter _____ *(dürfen)* nur eine Stunde pro Tag fernsehen.

Das deutsche Kabelfernsehen ist wieder im Kommen

Hunderte von TV-Programmen via Satellit oder digitaler Antennenempfang ohne Zusatzgebühren – wegen dieser Alternativen hatte das Kabelfernsehen viel an Attraktion verloren. Doch jetzt erlebt das einst von der Deutschen Bundespost geschaffene Kabelsystem einen kräftigen Aufschwung. Grund sind Kombi-Angebote aus Fernsehen, Telefon und schnellem Internet. Diese „Triple-Play"-Pakete von Kabel Deutschland (KDG) oder Unitymedia zeigen, dass trotz kostenloser Privatsender Kunden für TV-Angebote zahlen, wenn sie dafür eine zusätzliche Leistung wie etwa Internet und Telefon bekommen.

Davon kann der Bezahlsender Sky Deutschland nur träumen. Nur 7000 neue Sky-Abonnenten gab es im ersten Halbjahr 2010 – bei KDG sind es dagegen Millionen. Nun will Sky-Chef Brian Sullivan auch ein Stück vom großen Kabelkundenkuchen: „Wir sind in guten Gesprächen mit einer Reihe von Kabelkonzernen, darunter Kabel Deutschland und Unitymedia", sagte Sullivan dem *Handelsblatt* und erklärt die neue Strategie. „Wir wollen überall mit unseren Inhalten präsent sein. Die Kabelkonzerne sind daher die natürlichen Partner von Sky."

---

die Zusatzgebühr – extra cost
der Aufschwung – boom
die Leistung – service
natürlich – natural

---

1 Lesen Sie den Text und beantworten Sie die Fragen auf Deutsch.

a Warum war das Kabelfernsehen nicht mehr attraktiv?

b Was ist jetzt anders?

c Warum sind die neuen Kabelangebote so beliebt?

d Wie ist die Lage bei Sky Deutschland?

e Was will Sky Deutschland jetzt machen?

2a Hören Sie das Interview mit Marieke und Torben. Wer sagt das?

a Ich sehe nicht so viel fern.

b Ich nehme oft Programme auf.

c Wir Kinder wollen oft etwas anderes sehen.

d Ich schaue fern, wenn ich Zeit habe.

e Ich sitze sehr oft vor dem Computer.

f Ich sitze zu oft vor dem Fernseher.

g Ich sehe Filme auf meinem Computer.

h Die Bildqualität ist beim Computer schlechter.

2b Sehen Sie sich die Aussagen a–h noch einmal an. Welche treffen auch auf Sie zu? Vergleichen Sie mit einem Partner/einer Partnerin.

Tipp

Organizing your work

- Divide your folder into sections for different topics and skills.
- Check through corrected work carefully.
- Keep a checklist of targets set by your teacher on work which has been corrected. If you make them targets for action they should not appear on your checklist again.

Example: Week 2 – improve the accuracy of word order.

A Which of the above tips do you think would work best for you in your first term? Write them in order of importance. Then discuss your list with a partner.

Grammatik aktuell

1 Definite and indefinite articles

Every German noun has a gender – masculine, feminine or neuter. The definite and indefinite articles (the words for 'the' and 'a') depend on which gender the noun belongs to:

m. der/ein Mann	*f.* die/eine Frau	*n.* das/ein Kind

Ⓐ Write the correct definite and indefinite articles for each noun.

a Fernsehen   d Lehrerin

b CD   e Buch

c Hund   f Tisch

2 The cases

In order to speak and write German correctly, it is crucial to be able to use the cases accurately – getting it wrong can change the whole meaning of a sentence.

- The nominative is used for the subject of the sentence.
- The accusative is used for the object of the sentence.
- The dative is used for the indirect object of a sentence.
- The genitive is used to show possession.

Ⓐ Identify the case in each of the following sentences and translate them into English – this will help you think about how the cases confer meaning.

a Fast ein Drittel der Kinder in Deutschland hat einen eigenen Fernseher.

b Der Gewinner der Casting-Show hat einen großen Preis gewonnen.

c Die Nachrichten geben den Zuschauern Auskunft über aktuelle Ereignisse.

3 Modal verbs

Modal verbs are used a lot in everyday speech, and it is important to be able to use them correctly – remember that they send the second verb to the end of the sentence. Don't forget that *möchte* is a form of the modal verb *mögen*.

Ⓐ Answer the questions using modal verbs. Give two or three examples for each question.

a Was kann man mit einer Digitalbox machen?

b Warum wollen viele Jugendliche Programme herunterladen?

c Möchten Sie mehr fernsehen? Warum (nicht)?

d Was müssen Eltern machen, um ihre Kinder vor Gewalt im Fernsehen zu schützen?

e Wofür dürfen Sie Computer zu Hause benutzen?

f Warum sollen Eltern zusammen mit ihren Kindern fernsehen?

4 Asking questions

To make a statement into a question in German, invert the verb and the subject: *Haben Sie Kabelfernsehen?* 'Do you have cable TV?'

As well as inverting the verb and subject, you may also like to add a question word at the beginning: *Wo wohnen Sie?* 'Where do you live?'

Ⓐ Write down the questions which are likely to have generated the following answers. Each time, start with the question word (interrogative pronoun) given in brackets.

Example: Die Sportschau ist meine Lieblingssendung. (wie?)
Wie heißt Ihre Lieblingssendung?

a Es gibt seit 1996 Kabelfernsehen in Deutschland. (*seit wann?*)

b Der Fernseher ist im Wohnzimmer. (*wo?*)

c Ich sehe abends fern. (*wann?*)

d Man kann mehr als hundert Kabelsender empfangen. (*wie viele?*)

e Ich sehe am liebsten Quizshows. (*was?*)

f Kinder finden die Nachrichten langweilig. (*wie?*)

Ⓑ Join the sentence halves to form questions.

1 Wann	a	gibt es heute im Fernsehen?
2 Wo	b	finden Sie Reality-Shows super?
3 Was	c	Stunden sehen Sie täglich fern?
4 Welche	d	wohnen Sie?
5 Wie viele	e	kommt *Die Sportschau*?
6 Warum	f	Sendung sehen Sie am liebsten?

Ⓒ List all the interrogative pronouns (question words) from activities A and B and translate them into English.

Vokabeln

Ein bisschen Fernsehen — *pages 14–15*

die Casting-Show	*casting show*
der Dokumentarfilm	*documentary*
der Fernsehkanal	*TV channel*
das Handy	*mobile phone*
der Haushalt	*household*
der Krimi	*detective story*
die Nachrichten (pl.)	*news*
die Natursendung	*nature programme*
die Quizsendung	*quiz show*
die Reality-Show	*reality show*
das Satellitenfernsehen	*satellite TV*
die Sportsendung	*sports programme*
die Talkshow	*talk show*
der Zuschauer	*viewer*
abrufen	*to record, download*
herunterladen	*to download*
laufen	*to be switched on*
stimmen	*to vote*
steigend	*increasing*

Fernsehen – nicht nur positiv — *pages 16–17*

die Aggression	*aggression*
die Auswirkung	*consequence*
die Droge	*drug*
der Einfluss	*influence*
die Fantasie	*imagination*
die Gewalt	*violence*
die Kindersendung	*children's programme*
das Mitleid	*pity, compassion*
der Nachteil	*disadvantage*
das Opfer	*victim*
das Übergewicht	*obesity*
der Vorteil	*advantage*
der Zeichentrickfilm	*cartoon*
abschneiden	*to come off*
darstellen	*to show*
hinweisen	*to show*
verbieten	*to forbid, ban*
verharmlosen	*to play down*
verherrlichen	*to glorify*
verringern	*to reduce*
fernsehsüchtig	*addicted to watching TV*

Das digitale Zeitalter — *pages 18–19*

die Attraktion	*attraction*
der Bezahlsender	*pay-per-view channel*
die Bildqualität	*picture quality*
der Kabelkonzern	*cable company*
der Privatsender	*private channel*
bezahlen	*to pay*
erleben	*to experience*
schaffen	*to create*
speichern	*to store*
kostenlos	*free*
zusätzlich	*additional*

Sie sind dran!

A Ergänzen Sie die Sätze mit Wörtern aus den Vokabellisten.

a In Deutschland gibt es in jedem _____ mindestens einen Fernseher, und das Angebot an _____ ist auch sehr groß.

b Bei _____ können die _____ für den Sieger _____.

c Viele Filme _____ Gewalt und sogar _____ zeigen _____.

d Viele Kinder haben _____ , weil sie den ganzen Tag vor dem Fenseher sitzen.

e Kabelfernsehen hat in Deutschland an _____ verloren, weil es immer mehr _____ Sender gibt.

f Die _____ ist bei Filmen auf dem Computer nicht so gut, aber man braucht sie nicht zu _____.

B 🗣 Schreiben Sie weitere Lückensätze mit Wörtern aus den Vokabellisten. Tauschen Sie Ihre Sätze mit einem Partner/einer Partnerin und ergänzen Sie sie.

Fernsehen – die positiven Seiten

1 *Fernsehen hat auch positive Seiten! Das Fernsehen bringt uns die Welt ins Haus. Das ist vor allem wichtig für Menschen, die allein oder von der Außenwelt isoliert sind (durch Krankheit, Alter und/oder Armut, zum Beispiel). Durch das Fernsehen haben sie Kontakt nach „draußen".*

2 Das Fernsehen unterhält uns auch. Das Angebot ist dabei riesig: es gibt Spielfilme, Horrorfilme, Abenteuer-Serien, Krimis, Comedy-Serien, Quizprogramme, Reality-Shows, Unterhaltungs- und Musiksendungen – für jeden Geschmack ist etwas dabei.

3 *Fernsehen ist aber nicht nur Unterhaltung. Es verbessert das Allgemeinwissen durch Dokumentarfilme und Wissenssendungen und es übermittelt uns jeden Tag die wichtigsten Nachrichten aus der ganzen Welt. So gibt uns das Fernsehen täglich neue Denkanstöße. Es macht Politik durchschaubarer und es erweitert – in einer demokratischen Gesellschaft – die Meinungsfreiheit.*

4 Aber das Fernsehen hat nicht nur für Erwachsene positive Seiten. Kinder lernen mit dem Fernsehen neue Wörter, und sie lernen spielerisch Farben, Formen und Zahlen. Sie lernen mit Hilfe altersgerechter Sendungen, dass Konflikte auch mit Freundlichkeit und ohne Gewalt gelöst werden können. Das heißt: Kinder lernen die Wichtigkeit von Höflichkeit, Respekt und Teilen.

1 Lesen Sie den Blog-Artikel. Welche Überschrift passt zu welchem Absatz?

a Spaß für alle!

b Bildungsmedium Nummer eins

c Lehrer für die Kleinen

d Hilfe aus der Einsamkeit

2 Schreiben Sie **R**, wenn die Aussage unten richtig ist, **F**, wenn die Aussage falsch ist, oder **NA** (nicht angegeben), wenn die Information nicht im Blog-Artikel steht.

a Fernsehen kann für alte und kranke Menschen unentbehrlich sein.

b Man muss sich nicht alles ansehen – man kann das Fernsehen auch ausstellen.

c Das Fernsehen lehrt Erwachsenen Toleranz und zeigt Kindern, wie man sich am besten streitet.

d Das Fernsehen vermittelt Wissen und kann uns kritischer machen.

e Kinder sehen nicht genug fern.

f Das Fernsehen ist das Fenster zur Innenwelt.

g Kein anderes Medium bietet uns so viel Vergnügen.

3a Schreiben Sie eine kurze Zusammenfassung der positiven und negativen Aspekte des Fernsehens aus dem Blog. Gibt es noch andere positive oder negative Aspekte? Schreiben Sie zwei oder drei weitere auf (aus dieser Einheit, Ihrer eigenen Erfahrung oder dem Internet, zum Beispiel).

Hilfe

Im Blog geht es um ...
Auf der einen Seite ... auf der anderen Seite ...
Eine negative/positive Seite des Fernsehens ...
Ich habe auch herausgefunden ...
In meiner Erfahrung ...
Ich habe im Internet gelesen ...

3b Finden Sie das Fernsehen positiv oder negativ? Schreiben Sie einen Abschnitt (ungefähr 100 Wörter) über Ihre Meinung.

2 Die Werbung

1 Diskutieren Sie in Ihrer Klasse.

a Was haben Sie schon wegen Werbung gekauft?

b Was ist Ihr Lieblingswerbespot und warum?

2 Sehen Sie die zwei Anzeigen an. Diskutieren Sie in der Klasse:

a an wen sie sich richten (Männer? Frauen? Jugendliche?)

b womit das Produkt verbunden wird: mit Gesundheit – mit beruflichem Erfolg – mit Sexappeal – mit Qualität – mit Zuverlässigkeit – mit der Liebe – mit einem guten Lebensstil – mit der Familie.

3 Hören Sie sich die vier Werbespots an. Für welche Produkte wird hier geworben?

Hier erfahren Sie mehr – Porsche Online: Telefon 01805 356 · 911, Fax · 912 (EUR 0,12/min) oder www.porsche.com.

Es ist nicht wichtig, daß Sie vor dem Boxster andere Roadster fahren. Aber es ist sehr überzeugend.

Der Boxster S.

PORSCHE

23

Das muss ich haben!

▶ *Wie funktioniert Werbung?*
▶ *Wie wirkt sie auf uns?*

1a Lesen Sie die Werbesprüche.
Wie „funktionieren" sie – was ist ihre
Wirkung? Finden Sie die passenden Sätze.

1 Sie versprechen ein besseres Leben.

2 Sie bestätigen unsere Intelligenz.

3 Sie sind mit positiven Gefühlen verbunden.

A **Kleine Preise machen glücklich.**
Da bin ich mir sicher.
Freude am Fahren.

B **Jede Woche eine neue Welt.**
Spar dich reich!
Trinke Fanta. Lebe bunter!

C **Kenner trinken Würtemberger.**
Spiegel-Leser wissen mehr.
Kleidung clever kaufen bei Kik.

1b Hören Sie sich die zwei Werbespots an.
Was ist ihre Wirkung – was meinen Sie?

1c Welche Werbesprüche finden Sie
am wirkungsvollsten – und welche am
wenigsten? Diskutieren Sie mit einem
Partner/einer Partnerin.

2a Hören Sie sich das Interview mit dem
Werbewissenschaftler Dieter Bauer an.
Notieren Sie die vier Werbestrategien, die
er nennt.

2b Hören Sie sich das Interview noch
einmal an und beantworten Sie die
folgenden Detailfragen auf Deutsch.

a Wie machen Werbemacher ein Produkt positiv?

b Was erhoffen sie sich davon?

c Wie wirkt Musik auf die Kunden?

d Was sagt Herr Bauer über Licht?

e Warum riecht es in Kaufhäusern gut?

f Was machen Bäckereien, um mehr Kunden
anzulocken?

Tipp

Learning and recording vocabulary

You are only at the beginning of your course and
you have already met quite a lot of new vocabulary!
During the next year you will need to learn vocabulary
on a regular basis if you are to succeed in your studies.
Here are some tips on doing it successfully:

- Record all vocabulary accurately. Write down the
  genders and plurals of all nouns and learn them
  as you go along.

- Store all vocabulary in one place. Transfer all the
  vocabulary you have met in a week to cards in an
  index box. You may like to record it under topics.

- Learn vocabulary every day, even if only for
  fifteen minutes. Little and often is the key to
  successful learning.

- Use the look, cover, write, check method.

- Learn vocabulary both from German to English
  and English to German.

- Get someone to test you. If they ask you the words
  on your index card out of sequence it makes an
  amazing difference.

- Try to learn chunks of language and phrases in
  context.

A Try these methods to record the new
vocabulary you meet in this unit.

- vocabulary for talking about advertising
- useful vocabulary for giving opinions
- useful vocabulary for giving a speech or
  presentation.

You will add to these cards as you go through
the course!

B See how many words you can still remember
and which ones you need to learn again.

C Use the methods outlined above to learn
this vocabulary.

Werbung wirkt!

Kennen Sie das? Der Fernseher läuft, und ein neuer Werbespot kommt – und da ist es. Genau das, worauf Sie schon immer gewartet haben, das wirklich zu Ihnen passt – als wäre es für Sie gemacht. Was es genau ist? Keine Ahnung, das erfahren Sie erst am Ende des Spots.

So kann Werbung wirken, und so will sie auch wirken. Werbung gibt uns das Gefühl, etwas zu brauchen, was man zuvor vielleicht nicht einmal kannte, das jetzt aber urplötzlich zur Notwendigkeit oder zum dringenden Wunsch wird – luxuriöses Make-up oder unwiderstehliches Parfum, das leckere Fertiggericht, das in einer Minute fertig ist, richtig „gesunde" Süßigkeiten oder das Waschmittel für superweiße Kleidung, das für die „kluge Hausfrau" ein Muss ist. Das nennt man „Bedarf schaffen", und das ist das eigentliche Ziel der Werbung – nur so finden viele neue Produkte auf dem Markt einen erfolgreichen Absatz.

Gezielt nutzt die Werbung dabei psychologische Untersuchungen und arbeitet mit Schlüsselreizen, auf die wir bekanntermaßen reagieren, wie auf gut aussehende Models, süße Babys oder drollige Tiere. Und allgemein werden wir in der Werbung getäuscht. Überall sieht man Bilder von „perfekten" Schönheiten, deren makellose Gesichter mit dem Computer bearbeitet wurden. Die Werbe-Botschaft: auch Sie können so schön aussehen – aber nur, wenn Sie dieses Produkt kaufen! Werbung darf also lügen – und sie tut es auch, um „ihr" Produkt zu verkaufen ...

3a **Lesen Sie den Artikel. Schreiben Sie R, wenn die Aussage unten richtig ist, F, wenn die Aussage falsch ist, oder NA (nicht angegeben), wenn die Information nicht im Artikel steht.**

  a Werbung spielt mit unseren Gefühlen.

  b Werbung lässt uns glauben, dass wir ein neues Produkt unbedingt brauchen.

  c Die Strategie funktioniert aber nur bei schon bekannten Produkten.

  d Werbung muss teuer sein, um zu funktionieren.

  e Werbung benutzt keine psychologischen Tricks.

  f Kunden reagieren positiv auf Schönheit.

  g Werbung kann uns nicht täuschen.

3b **Suchen Sie im Artikel ein Synonym für diese Wörter und Ausdrücke.**

  a man weiß es nicht   **d** Verkauf

  b auf einmal   **e** mehr als attraktiv

  c man muss es haben   **f** nicht die Wahrheit sagen

4a **Wählen Sie eine Werbung (im Fernsehen oder in der Zeitung/Zeitschrift), die Ihnen gut gefällt. Wie funktioniert diese Werbung? Warum ist sie so wirkungsvoll? Schreiben Sie ein bis zwei Sätze zu den folgenden Punkten:**

- für welches Produkt geworben wird
- eine kurze Beschreibung der Handlung (Werbespot) oder des Bildes (Zeitung/Zeitschrift)
- wie der Werbespruch wirkt

- welche Werbestrategien verwendet werden
- welche Tricks/Täuschungen verwendet werden.

4b **Diskutieren Sie Ihre Wahl mit einem Partner/einer Partnerin.**

4c **Schreiben Sie Ihren eigenen Werbespot für ein Produkt. Dann machen Sie eine Mini-Präsentation für Ihre Klasse.**

Grammatik   ➡159 ➡W22

Adjectives

Where adjectives are placed before the noun they describe, their endings change depending on the gender and case of the noun. When adjectives are used after the noun they describe, often with the verb *sein*, they are in their basic form and have no ending. For tables of all adjective endings, see page 160.

Ⓐ **Find all the adjectives in the text in activity 3 and decide which case and gender they have.**

Ⓑ **Fill in the correct ending (or none).**

  a Eine gut___ Werbung zieht uns an.

  b Kunden reagieren besonders auf ein attraktiv___ Gesicht.

  c Werbung ist immer positiv___.

  d Der schlau___ Kunde lässt sich nicht täuschen.

  e Die Werbung nutzt psychologisch___ Untersuchungen.

2 Werbung – Vorteile und Nachteile

▸ *Was nützt die Werbung?*
▸ *Welche negativen Aspekte gibt es?*

1a Ist Werbung nötig? Und welchen Einfluss hat sie? Lesen Sie, was diese drei Jugendlichen dazu meinen.

Marianne: Ich glaube, Werbung kann schon nützlich sein. Ich habe mein Handy gekauft, nachdem ich es in einem Werbespot sah. Und mein Freund hat seinen Computer gekauft, weil er im Fernsehen sah, dass es ihn im Sonderangebot gab. So weit ist die Werbung eine gute Sache – sie informiert uns über neue Produkte oder über Preissenkungen. Aber ich finde, dass es zu viel **Werbung** gibt, **die sich an Kinder richtet**. Kinder sind besonders **leicht zu beeinflussen** und wollen dann sofort die Produkte, die ihre Eltern sich oft nicht leisten können. Man sollte Werbespots verbieten, wenn Kindersendungen laufen.

Jessica: Wenn ich fernsehe, will ich meine Ruhe haben, aber alle fünf Minuten kommt ein Werbspot! Ich glaube auch, dass Werbung für den **Konsumzwang** in unserer Gesellschaft verantwortlich ist. **Werbung verführt uns zum Kauf**, indem sie ein Produkt mit einem erstrebenswerten Lebensstil verknüpft. Sie ist nichts als Gehirnwäsche. Vor allem junge Leute sind davon betroffen. Meine jüngere Schwester will oft Spielsachen oder Süßigkeiten, die sie im Fernsehen gesehen hat.

Peter: Wir brauchen Werbung, damit Firmen uns auf ihre Produkte aufmerksam machen können. In unserer Konsumgesellschaft ist Werbung unentbehrlich. Wir sollten eher den Inhalt von Werbespots kontrollieren. Es gibt immer noch zu viele, die Stereotype **verfestigen** – beispielsweise Werbespots für Waschpulver.

---

sich leisten – to afford
verantwortlich – responsible
erstrebenswert – desirable
die Gehirnwäsche –
   brainwashing

aufmerksam machen auf
   (+ Akk.) – to make
   aware of

1b Ⓓ Was bedeuten die fett gedruckten Ausdrücke in den Texten oben auf Englisch?

1c Wer sagt Folgendes?

a Werbung ist eine Art Manipulation.
b Eine freie Marktwirtschaft braucht Werbung.
c Werbung informiert uns über neue Produkte.
d Wegen Werbung fühlen wir uns gezwungen, Produkte zu kaufen.
e Man sollte Kinder vor Werbung schützen.
f Werbung ist unrealistisch.

2 🎧 Hören Sie sich den Bericht über „gute" Werbung an und beantworten Sie folgende Fragen auf Deutsch.

a Was beabsichtigt die meiste Werbung?
b Was will dagegen „gute" Werbung?
c Was ist die Aufgabe ihrer Werbespots?
d Wer fördert diese Kampagnen?
e Was soll der kritische Zuschauer machen?

Tipp

Taking notes while listening

In listening exercises you may be asked general questions or simply to give a summary. You will need to take notes while you listen.

- Think about the vocabulary you might hear.
- Know your task. Do you have specific questions to answer? Or are you to give a general summary? (In activity 2 you have to answer questions in detail.)
- Try to make sense of what you are hearing and concentrate on the important information.
- Only write down key words (and – where appropriate – key figures).
- Go over your notes immediately after you have finished listening, while you have the passage still fresh in your mind, and fill in any gaps.

Gradually develop your own system for writing things down quickly and efficiently so that you can make sense of your notes afterwards.

3 Was sind die Vor- und Nachteile von Werbung? Benutzen Sie die Ideen von Übung 1 und 2 und fügen Sie Ihre eigenen Ideen hinzu.

Vorteile	Nachteile

4 👥 Diskutieren Sie die folgenden Aussagen in kleinen Gruppen. Tauschen Sie anschließend Ihre Meinung mit dem Rest der Klasse aus. Benutzen Sie die Vokabeln von Übung 1 sowie Ihre eigenen Ideen.

a Man sollte Werbung für Alkohol verbieten.

b Man sollte Werbespots zwischen Kindersendungen verbieten.

c Werbespots sollten realistischer sein.

d Man sollte den Anteil an Sex in Werbespots verringern.

e Werbekampagnen können einen wichtigen Einfluss auf die Gesellschaft haben.

5 Wählen Sie dann zwei von den Aussagen a–e oben und schreiben Sie je einen Abschnitt (70–80 Wörter), in dem Sie Ihre Meinung dazu äußern. Benutzen Sie den Tipp auf Seite 17 und die Hilfe-Ausdrücke.

Hilfe

Wir müssen … strenger kontrollieren.
Ich bin fest überzeugt, dass …
Werbung übt … Einfluss aus.
Die Werbung ermutigt uns, …
Die Werbung hat viele Vorteile/Nachteile.

Grammatik ➡159 ➡W20

Possessives

- Possessive adjectives show you who (or what) something belongs to. They are:

mein	unser
dein	euer
sein	ihr
ihr	Ihr

- They take the same endings as *ein*. For a full list see page 159.

Ⓐ Look at the texts on page 26 again and find any possessive adjectives.

Ⓑ Fill in the correct possessive adjectives.

a Durch Werbung kann eine Firma _____ Produkte verkaufen.

b Die meisten Eltern wollen nicht, dass _____ Kinder zu viel Werbung sehen.

c Werbung ist nötig für _____ Marktwirtschaft.

d Thomas hat _____ Handy aufgrund eines Werbespots gekauft.

e Hast du den neuen Werbespot für _____ Auto gesehen?

Werbung darf nicht alles!

▸ *Warum sind Kinder und Jugendliche so attraktiv für Werbemacher?*
▸ *Was darf Werbung nicht?*

Werbelügen!

Lecker soll unsere Nahrung sein und natürlich gesund, darauf legen vor allem die Mütter Wert. Darauf zielt auch die Werbung ab und preist viele Produkte als „gesund" an, auch wenn sie es eigentlich gar nicht sind.

„Gesunde Zwischenmahlzeit", ein „idealer Begleiter für Schule und Freizeit", so hat die bayerische Molkerei Zott für ihr Kindergetränk *Monte Drink* geworben. Dieses Produkt ist aber eine zuckersüße Kalorienbombe: acht Stück Würfelzucker sind drin, das ist mehr als in der gleichen Menge Cola. Deswegen ist der *Monte Drink* ganz bestimmt nicht gesund! Für diese dreiste Werbelüge hat Foodwatch der Molkerei Zott im April den „Goldenen Windbeutel 2010" verliehen. Wir gratulieren!

Foodwatch ist eine Verbraucherorganisation, die sich mit der Qualität von Nahrungsmitteln beschäftigt. Foodwatch verleiht jedes Jahr den „Goldenen Windbeutel" an Lebensmittel, deren gute Zutaten und gute Qualität beworben werden, bei denen ein Blick auf die Zutatenliste aber das Gegenteil beweist. Den „Goldenen Windbeutel" bekommt das Produkt, das in der Werbung am meisten versprochen und am wenigsten gehalten hat. Darüber können die Verbraucher im Internet abstimmen.

Dieses Getränk ist übrigens nicht das einzige Lebensmittel speziell für Kinder, das nicht zu empfehlen ist. Die Werbung für viele Kinderjoghurts, Müslis, Kindergetränke und Süßigkeiten wie Schokolade versprechen, besonders viel Milch und dadurch viel Kalzium oder viele Vitamine zu enthalten. Sehr oft sind solche Produkte noch dazu schön bunt verpackt oder es stecken kleine Geschenke wie Gutscheine oder Spielzeuge mit drin, um zum Kauf zu verführen. Die Molkerei Zott hat übrigens angekündigt, das Rezept von *Monte Drink* zu ändern. Super – denn genau das möchte Foodwatch mit diesem Preis erreichen!

1a Lesen Sie den Text und finden Sie die deutschen Begriffe für die folgenden Wörter.

  a to care about

  b calorie- and sugar-laden product

  c brazen

  d list of ingredients

  e consumers

  f to recommend

  g to entice

  h to announce

1b Beantworten Sie die Fragen auf Deutsch.

  a Wie beschreibt die Firma Zott den *Monte Drink*?

  b Was genau ist im *Monte Drink*?

  c Was ist Foodwatch?

  d Welches Produkt bekommt den „Goldenen Windbeutel"?

  e Womit preist die Werbung andere Produkte für Kinder an?

  f Welche andere Strategien werden auch benutzt?

  g Was will die Firma Zott jetzt machen?

2 Gibt es auch in Ihrem Land Lebensmittelprodukte, die den „Goldenen Windbeutel" verdienen? Recherchieren Sie (im Internet, zum Beispiel) und schreiben Sie einen Artikel (etwa 100 Wörter).

  ● Was für ein Produkt ist das?

  ● An welche Konsumentengruppe (Kinder, Frauen, ältere Leute) ist es gezielt?

  ● Was verspricht die Werbung?

  ● Was ist im Produkt (nicht) enthalten?

3 🎧 Hören Sie sich das Interview mit Carola Werner an, Inhaberin der Werbeagentur NOVA in Berlin. Füllen Sie die Lücken aus.

a _____ und _____ sind die attraktivsten Zielgruppen für Werbeagenturen.

b Sie haben pro Jahr _____ _____ Euro zur Verfügung.

c Die _____ und nicht die _____ verwalten dieses Geld.

d _____ investieren speziell in _____ für Jugendliche.

e Kinder und Jugendliche lassen sich von Werbung _____ beeinflussen.

f _____ Kinder sehen Werbespots nicht als Werbung, sondern als _____.

g Erst im Alter von _____ können Kinder Werbung durchschauen.

Werbung darf nicht alles. Der Staat schützt uns durch Gesetze vor täuschender Werbung. So muss Reklame deutlich gekennzeichnet sein: in Zeitschriften, im Internet und im Fernsehen soll klar sein, dass es sich um Werbung handelt. Werbepausen während des Fernsehprogramms müssen beispielsweise mit einem Hinweis deutlich vom übrigen Programm abgegrenzt sein. Außerdem ist es verboten, im Fernsehen Kinder- und Jugendsendungen zu unterbrechen, um Werbung auszustrahlen. Bei Anzeigen in Zeitschriften oder im Internet wird es jedoch schon schwieriger – oft muss man hier schon ganz genau hinsehen. Und nicht immer wird sich an Verbote gehalten. Zum Beispiel kommt es nicht selten vor, dass im Internet ein Werbefenster aufgeht, das sich nicht wieder schließen lässt – im Gegenteil, klickt man auf „Schließen", öffnet sich stattdessen ein neues Fenster. Und rund ums Handy gibt es zurzeit viele irreführende Werbeangebote: Klingeltöne und Logos werden oft zu überhöhten Preisen angeboten, oder man hat mit der Bestellung eines Klingeltons, – oft ohne, dass man es weiß – gleich ein Abo geordert und muss jeden Monat für neue Klingeltöne bezahlen.

4a Worum geht es in diesem Artikel?

a Werbung in Europa und Amerika

b Werbung speziell für Kinder und Jugendliche

c Werbungsverbote in Deutschland und Europa

4b Korrigieren Sie diese falschen Sätze.

a Der Staat kann uns nicht vor Werbung schützen.

b Reklame muss nicht deutlich gekennzeichnet sein.

c Werbespots darf es immer und überall geben.

d Im Kinderfernsehen darf überhaupt keine Werbung gezeigt werden.

e Werbung im Internet ist deutlich gekennzeichnet.

f Reklame für Handys ist gut gemacht.

5 🎧 Hören Sie sich den Bericht über Alkohol- und Tabakwerbung an und machen Sie Notizen.

1974:	Werbung für Zigaretten im Radio und Fernsehen wird verboten (Deutschland)
2003:	
2006:	
2009:	
2009:	
2010:	

6 👥 Diskutieren Sie Folgendes mit einem Partner/einer Partnerin.

- Gibt es genug Schutz (durch Gesetze, zum Beispiel) vor Werbung?
- Warum (nicht)?

Grammatik   ➡165 ➡W44

Separable and inseparable verbs

- Many verbs are made up of a basic verb (such as *brechen* or *bieten*) and a prefix (such as *unter-* or *an-*). Some prefixes are separable and some are not. Separable verbs such as **anbieten** split into two parts:

| anbieten | Die Werbung **bietet** Produkte **an**. |
| unterbrechen | Die Sender **unterbrechen** Programme für Werbung. |

- In the past participle of separable verbs, *-ge-* is inserted between the prefix and the stem:

Die Werbung hat neue Produkte **an**ge**boten**.

- For inseparable verbs, the *-ge-* should be left out completely in the past participle:

Man hat die Sendung **unterbrochen**.

Ⓐ **Find these separable verbs in the text in activity 4.**

  a to mark out   **d** to look

  b to happen   **e** to open

  c to show (on TV)   **f** to offer

Ⓑ **Write two sentences using each of the verbs in activity A, one in the present tense and one in the perfect tense. Try to use the language you have learnt in this unit.**

Grammatik aktuell

1 Adjectives

Using different adjectives is a way of making your language more varied and interesting. You should aim to expand the range of adjectives you are able to use.

Adjectives in German change according to case and gender if they are placed before the noun.

Example: eine **neue** Werbung

Adjectives in German do not change if they come after the noun they are describing.

Example: Die Werbung ist **neu**.

Ⓐ **Look back through the unit and find these adjectives in the various texts.**

- a ma _ _ _ l_ s
- b g_s _ _ d
- c un _ _d _ r _ _ _ _ l _ _h
- d a _ _ r_ k _ _ v
- e p_s_t_v
- f sp_ _ i _ _l
- g sc_ _ n
- h t _ _ _r

Ⓑ **Write sentences on the topic of advertising, using each of the adjectives in activity A.**

2 Possessive adjectives

Possessive adjectives are words like 'my', 'your', etc. which show who something belongs to. Often if you are answering questions about a text, you need to change the possessive adjective.

Example:

Sandra sagt: „Ich habe **mein** Handy aufgrund von Werbung gekauft".

Sandra hat **ihr** Handy aufgrund von Werbung gekauft.

Ⓐ **Identify the case of each possessive adjective in the sentences from activity B.**

Ⓑ **Change the sentences as in the example.**

- a Jutta sagt: „Mein Handy ist sehr gut".

  Jutta findet _____ Handy sehr gut.
- b Meine Eltern sagen: „Unsere Zeitung ist voll von Reklame".

  Meine Eltern finden _____ Zeitung nicht gut.
- c Meine Mutter sagt: „Ich achte sehr auf die Qualität meiner Lebensmittel".

  Meine Mutter achtet sehr auf die Qualität _____ Lebensmittel.

3 Separable and inseparable verbs

Remember that not all verbs which have prefixes are separable verbs. Verbs beginning with *be-, emp-, ent-, ver-, unter-* or *über-* are not separable.

Ⓐ **Write the jumbled-up sentences correctly.**

- a Fernseher aus schalte ich den
- b an das kostenlose Internet bietet Spiele
- c strahlt dieser Programme aus Sender viele
- d dem rufe Handy ich an Mutter meine mit
- e viele Internet herunter ich lade dem Spiele aus

Ⓑ **Match these German separable verbs to their English translations. Then write two sentences for each verb: one in the present and one in the perfect tense.**

a	teilnehmen	1	*to shop*
b	auswählen	2	*to participate*
c	anziehen	3	*to listen*
d	herunterladen	4	*to choose*
e	einkaufen	5	*to attract*
f	zuhören	6	*to download*

Vokabeln

Das muss ich haben! *pages 24–25*

der Bedarf	*need*
das Gefühl	*feeling*
der Schlüsselreiz	*key stimulus*
die Strategie	*strategy*
der Werbespot	*publicity spot*
der Werbespruch	*advertising slogan*
die Werbung	*advertising*
das Ziel	*target*
anlocken	*to entice*
auswählen	*to choose*
funktionieren	*to work*
lügen	*to lie*
verbinden	*to combine*
verkaufen	*to sell*
wirken	*to be effective*
bekanntermaßen	*to be known*
dringend	*pressing*

Werbung – Vorteile und Nachteile *pages 26–27*

der Auftrag	*mission*
die Kampagne	*campaign*
die Konsumgesellschaft	*consumer society*
der Konsumzwang	*pressure to buy*
der Zweck	*purpose*
beabsichtigen	*to intend*
betroffen	*affected*
bewegen	*to move*
dienen	*to serve*
richten	*to be directed*
verbieten	*to forbid, ban*
verführen	*to seduce*
aufmerksam	*alert*
gezielt	*focused*
nützlich	*useful*
unentbehrlich	*indispensable*
wohltätig	*charitable*

Werbung darf nicht alles! *pages 28–29*

die Verbraucherorganisation	*consumer organization*
der Wert	*worth*
die Zielgruppe	*target group*
abhaben	*to have a share of*
anpreisen	*to praise, plug*
beschäftigen	*to deal with*
bestimmen	*to decide*
enthalten	*to contain*
orientieren	*to be guided*
verleihen	*to award*
verwalten	*to manage*

Sie sind dran!

A Ergänzen Sie die Sätze mit Wörtern aus den Vokabellisten.

a Die _____ will uns Produkte _____, die wir gar nicht brauchen.

b Schlüsselreize _____ positiv auf die Kunden.

c Werbung _____ den Firmen, um auf ihre Produkte _____ zu machen.

d Werbung, die sich _____ an Kinder _____, sollte _____ werden.

e Kinder sind eine wichtige _____ für die Werbemacher, denn sie _____ selbst über ihr Geld.

f Die _____ Foodwatch hat gezeigt, dass viele Lebensmittel zu viel Zucker _____.

B Schreiben Sie weitere Lückensätze mit Wörtern aus den Vokabellisten. Tauschen Sie Ihre Sätze mit einem Partner/einer Partnerin und ergänzen Sie sie.

Wie Unternehmen sich ein „grünes" Image geben

„Grün" ist in! Produkte verkaufen sich besser, wenn sie umweltfreundlich, d.h. ökologisch, biologisch oder klimafreundlich sind. Aber wer prüft das nach? Kann ein „grünes" Image nicht auch nur ein grünes Mäntelchen sein, das man sich umhängt? *Greenwashing* nennt man so etwas.

Greenpeace und die Verbraucherzentrale (VZ) spüren solche „Grünfärber" systematisch auf: „Wir schauen uns Werbung an, die mit Umwelt- oder Klima-Argumenten um Kunden wirbt. Und die Realität sieht da oft ganz anders aus", sagt Immo Terborg von der VZ Hamburg.

Die Elektrizitätsfirma RWE wirbt zum Beispiel in einem Werbefilm mit einem freundlichen Riesen, der vor allem aus erneuerbaren Energien Strom erzeugt. Das kritisiert Greenpeace, denn „die erneuerbare Energie macht nur zwei Prozent der gesamten Stromerzeugung bei RWE aus".

Und Mercedes warb in einer Broschüre der Hamburger Stadtreinigung mit ihren E-Klasse-Modellen als Beitrag für ein sauberes Hamburg. Aber „nicht alle Modelle der neuen E-Klasse schneiden hinsichtlich der Emissionen gut ab", urteilte die VZ. „Das ist Irreführung durch unwahre Behauptung. Und wir zweifeln überhaupt daran, dass Autofahren etwas Gutes für die Umwelt sein kann."

Verschiedene Firmen werben auch in ihren Anzeigen für 100 Prozent FCKW-freie Produkte. Von Kühlschränken über Sprays bis zu Matratzen. „Das ist Werbung mit einer Selbstverständlichkeit", so Terborg, „schließlich ist FCKW seit 1995 verboten."

Martina Hoffhaus von der Öko-Kommunikationsagentur messagepool warnt Unternehmen davor, die Konsumenten zu unterschätzen. „Wir haben einen neuen kritischen Verbraucher. Der ist aufgeklärt und lässt sich nicht für dumm verkaufen. Wer also nur so tut, als sei er grün, geht ein hohes Risiko ein – das Unternehmen kann Kunden verlieren." Der Grund – das Internet. In Foren und Blogs spricht sich *Greenwashing* herum. „Da werden Missstände aufgedeckt, nichts bleibt ungesühnt. Die Unternehmen haben gar keine andere Wahl, als sich der Thematik zu stellen", meint Hoffhaus.

1 Lesen Sie die Überschrift des Artikels. Was meinen Sie – worum geht es in diesem Text? Wählen Sie die passende Beschreibung.

   a Es geht um sehr umweltfreundliche Unternehmen.

   b Es geht um Unternehmen im Grünen (zum Beispiel auf dem Land).

   c Es geht um Unternehmen, die gar nicht umweltfreundlich sind.

2 Lesen Sie den Artikel. Dann lesen Sie die Sätze und ergänzen Sie sie.

   a Kunden und Verbraucher finden Produkte am besten, die …

   b Es gibt Verbraucherorganisationen, die den Verbrauchern …

   c Auch bei einem Strom-Werbespot hat ein Unternehmen …

   d Die Autoindustrie täuscht den Verbrauchern auch vor, …

   e Viele Unternehmen werben mit umweltfreundlichen Produkten, die …

   f Es gibt immer mehr kritische Verbraucher, die …

3 Gibt es auch in Ihrem Land „Grünfärberei"? Finden Sie Informationen und schreiben Sie einen Artikel (etwa 100 Wörter).

3

Die Welt der Kommunikation

By the end of this unit you will be able to:

- Discuss the benefits and dangers of mobile phones
- Talk about how you use the internet
- Discuss the dangers of the internet and its future development

- Use *seit* with the present tense
- Use the perfect tense
- Use the future tense
- Read for gist
- Use interesting adjectives
- Infer meaning

1a Welcher Titel passt zu welchem Bild?

   a Kinder ziehen Computerspiele dem Lesen vor.

   b Neun von zehn Jugendlichen haben heute schon ein Handy.

   c Die Gefahren des Chatrooms – die meisten Eltern haben keine Ahnung.

   d Computer in der Schule – helfen sie wirklich?

   e Musik gibt's fast nur noch digital.

1b Wählen Sie ein Bild und beschreiben Sie es. Worum handelt es sich? Was wissen Sie bereits über dieses Thema?

Ich rufe gleich zurück

▶ *Wie wichtig sind Handys für Jugendliche?*

1a 🗣 **Diskutieren Sie die folgenden Fragen mit einem Partner/einer Partnerin.**

- Haben Sie ein Handy?
- Seit wann haben Sie ein Handy?
- Wie viel Geld geben Sie dafür im Monat aus?
- Wozu benutzen Sie das Handy? (a. Telefonate; b. SMS schicken; c. als MP3-Spieler; d. als Fotoapparat; e. als Internetanschluss; f. alle)

1b 🗣 **Muss man ein Handy haben? Warum? Haben Handys auch Nachteile? Diskutieren Sie mit einem Partner/einer Partnerin.**

2a Lesen Sie den Text unten und finden Sie den Titel, der am besten zum Text passt.

- **a** Der Modeartikel des Jahres? Ein Handy!
- **b** Die zahlreichen Nutzen des Handys
- **c** Handys: die neue Lebensnotwendigkeit

2b Wählen Sie die richtige Antwort und ergänzen Sie jeden Satz.

- **a** In seinem Leben wird jeder Mensch sehr viel Geld für Handy-Gebühren _____ . (ausgeben/sparen/stehlen)
- **b** Es stimmt nicht, dass Kinder, die ein Handy besitzen, _____ auf den Straßen sind. (sozialer/sicherer/gefährlicher)
- **c** Jugendliche benutzen ihre Handys, um _____ zu organisieren. (ihre Freizeit/ihre Hausaufgaben/ihre Familien)
- **d** Man kann mit dem Handy _____ telefonieren. (ausschließlich/nur/unter anderem)
- **e** _____ Jugendliche filmen Gewalttaten mit dem Handy. (Immer mehr/Immer weniger/Nicht sehr viele)

2c Beantworten Sie die Fragen auf Deutsch.

- **a** In welchem Alter bekommen Kinder im Durchschnitt ihr erstes Handy?
- **b** Wozu benutzen Jugendliche ihre Handys?
- **c** Was kann man alles mit dem Handy machen?
- **d** Wie viele Jugendliche kennen jemanden, der Gewaltszenen auf dem Handy gespeichert hat?

die Gebühren – charges kommunizieren – to communicate	der Notdienst – emergency services überfallen – to attack die Tatsache – fact

Einer deutschen Studie zufolge bekommen Jugendliche ihr erstes Handy bereits mit acht Jahren. Neun von zehn Jugendlichen haben ein Handy: für die heutige Jugend ist das Handy wichtiger als Schokoriegel. Man schätzt, dass junge Leute über einen Zeitraum von mehreren Jahren hinweg über 20.000 Euro für Handyrechnungen ausgeben.

Warum sind Handys bei Jugendlichen so beliebt? Wozu brauchen sie Handys? Es ist einfacher zu verstehen, warum Erwachsene so etwas brauchen: man kann den Notdienst anrufen, wenn man eine Panne hat, ankündigen, dass man zu spät kommt – aber bei Schülern? Manche Eltern wollen, dass ihre Kinder aus Sicherheitsgründen ein Handy haben, dies trotz der Tatsache, dass Kinder mit Handys eher überfallen werden. Aber die meisten Jugendlichen benutzen ihre

Handys ausschließlich, um mit ihren Freunden zu kommunizieren. Es ist nicht mehr nötig, die Eltern zu fragen, ob man telefonieren darf. Jugendliche können Freunde einfach so anrufen oder ihnen eine SMS schicken. Und seit Neuestem sind Handys nicht nur zum Telefonieren da: sie dienen auch als Fotoapparate, Computer und MP3-Spieler.

Handys also als harmlose Modeartikel für Jugendliche? Nicht ganz. Jetzt kann man sogar Gewaltfilme vom Internet aufs Handy herunterladen oder sogar eigene Gewaltfilme mit dem Handy aufnehmen. In den letzten Jahren hat das Filmen von Gewalttaten mit der Handy-Kamera zugenommen – jeder dritte Jugendliche kennt jemanden, der Gewaltvideos auf seinem Handy gespeichert hat. Es geht hier nun deutlich weniger um junge Mode als um Jugendschutz.

Tipp

Reading for gist

A Re-read the text on page 34 and identify the key words from the list below.

beliebt	Gewaltfilme
aus Sicherheitsgründen	in den letzten Jahren
harmlos	überfallen
trotz der Tatsache	Jugendschutz

B Write a sentence in English to convey the idea of each paragraph in the text on page 34.

3a Hören Sie sich das Interview mit Markus und Sabine an. Wer sagt Folgendes?

a Ich habe seit fünf Jahren ein Handy.

b Ich wollte ein Handy, weil das in Mode war.

c Meine Eltern finanzieren mein Handy.

d Meine Eltern wollten nicht, dass ich ein Handy bekomme.

e Ich habe mir mein eigenes Handy gekauft.

f Meine Eltern wollten aus Sicherheitsgründen, dass ich ein Handy habe.

g Ich höre auch Musik auf dem Handy.

h Ich benutze mein Handy, um mein Privatleben zu organisieren.

i Ich finde es gut, dass ich mein eigenes Telefon habe.

j Nur eine Minderheit filmt Gewaltszenen mit dem Handy.

3b Sehen Sie sich die Aussagen von Übung 3a noch einmal an. Welche treffen auch auf Sie zu? Vergleichen Sie mit einem Partner/ einer Partnerin.

4a Lesen Sie die zwei Texte rechts und fassen Sie das Hauptargument jedes Textes in einem Satz auf Deutsch zusammen.

4b Machen Sie nun eine Liste von allen Vor- und Nachteilen von Handys. Vergleichen Sie Ihre Ideen mit einem Partner/ einer Partnerin.

Grammatik   ➡166 ➡W50

Using *seit* with the present tense

seit (+ dat)	=	since (a point in time)
	=	since (a length of time)

● In German, you use **seit** with the present tense to say how long you have been doing something.

Ich habe **seit** fünf Jahren ein Handy.
*I have had a mobile **for** five years.*

Ich habe **seit** 2006 ein Handy.
*I have had a mobile **since** 2006.*

A Write five sentences of your own using *seit* to say how long you have been doing or have done certain things.

4c Bereiten Sie eine kurze Präsentation über die Vor- und Nachteile von Handys vor und tragen Sie diese einer Gruppe von zwei bis drei Mitschülern vor.

4d Formulieren Sie schriftlich Ihre eigene Meinung zum Thema „Handy" (etwa 100 Wörter). Vergleichen Sie Ihre Ideen mit einem Partner/einer Partnerin.

Handys – machen sie Schüler dümmer oder klüger?

Frau Emmerlich, Deutschlehrerin
Dümmer! Schüler schicken die ganze Zeit SMS oder E-Mails voller Chatsprache – das heißt Abkürzungen oder erfundene Wörter. Und dann schreiben sie genauso in der Schule. Sie können kein richtiges Deutsch mehr.

Herr Rothman, Informatiklehrer
Klüger! Das Web breitet sich zunehmend auf dem Handy aus. Schüler können also das Handy benutzen, um Recherchen im Internet zu machen. Das ist vor allem gut für diejenigen, die sich keinen richtigen Computer leisten können.

Der Sieg des www.

▶ *Welche Rolle spielt das Internet in Ihrem Leben?*

1 👥 **Machen Sie eine Umfrage in der Klasse.**

a Wer hat zu Hause Internet?

b Wer in Ihrer Familie/Ihrem Haushalt benutzt regelmäßig das Internet?

c Wozu?

2 🎧 **Hören Sie sich an, was diese vier Personen sagen. Wozu benutzen sie das Internet? Was halten sie davon?**

Name	Wozu benutzt er/sie das Internet?	Meinung
Gerd		
Carola		
Sebastian		
Ute		

3a **Lesen Sie den Text rechts und finden Sie die deutschen Begriffe für die folgenden Wörter.**

a information

b screen

c to order

d office hours

e choice

f to make a choice

g to find out

3b **Korrigieren Sie diese Sätze.**

a Man muss die Adresse der Webseite in den Computer eintippen und nach einiger Zeit erscheint die Auskunft.

b E-Commerce hilft vor allem Reisebüros.

c Christoph hat entdeckt, dass es einfacher ist zu telefonieren, als die Reise im Internet zu organisieren.

d Im Internet ist das Angebot an Informationen geringer als in traditionellen Prospekten.

Der Sieg des www.

Radio hören, Zeitung lesen, den Kontostand überprüfen – egal was man machen will, man muss nur noch die Adresse in den Computer eintippen und sofort taucht die gewünschte Auskunft auf dem Bildschirm auf. Man hat nur noch wenig Grund, aus dem Haus zu gehen – alles, was man braucht, kann man per Internet bestellen, vom Auto bis zu Lebensmitteln. Im Bereich Tourismus kann E-Commerce den Kunden besonders viele Vorteile bringen. Christoph Marschollek hat seine Reise nach London über Internet organisiert – er hat den Flug, die Hotelreservierung, den Reiseführer und sogar die Karten für die Oper online bestellt und mit Kreditkarte bezahlt. „Das war viel einfacher als überall anzurufen", meint er. „Erstens ist es oft schwierig, die gewünschte Telefonnummer zu finden, dann kann man oft nur zu Geschäftszeiten anrufen, wenn ich selbst arbeite. Auch hat man im Internet viel mehr Auswahl – es gibt Fotos von Hotels mit Beschreibungen von den Zimmern. Man ist dann besser in der Lage, eine Wahl zu treffen. Die Bestellung der Opernkarten war besonders praktisch – wo kann man sonst herausfinden, was in London im Theater läuft?"

Internet Video Converter 1.40 - by Anh NGUYEN

3c **Füllen Sie die Lücken mit der richtigen Form eines Verbs aus der Liste unten aus.**

a Man kann seine Finanzen per Internet _____.

b Durch das Internet kann man zu Hause bleiben und _____.

c Christoph hat Opernkarten im Internet _____.

d Christoph hat es nicht einfach gefunden, während des Arbeitstags zu _____.

e Per Internet hat Christoph Auskunft über Veranstaltungen in London _____.

> einkaufen   telefonieren   bekommen
>
> organisieren   kontrollieren   kaufen

4 👤 **Sehen Sie sich die Antworten für Übungen 2 und 3 an. Sind Sie der Meinung, dass das Internet etwas Positives ist? Machen Sie eine Liste und vergleichen Sie diese mit einem Partner/einer Partnerin.**

Das Internet gehört mir!

1 Was Jugendliche am Internet so reizvoll finden, ist vor allem, dass sie selbst mitmachen können. Jeder hat Zugang zu einem Chatroom, kann ein Blog schreiben oder sogar eine eigene Webseite haben.

2 Anna-Lena hat ein Jahr in England als Austauschschülerin verbracht, wollte aber den Kontakt zu ihren Freunden in Deutschland nicht verlieren. So hat sie sich bei mytagebuch.de angemeldet und ihr Tagebuch online geschrieben. So konnten Freunde, Familie und auch Fremde lesen, wie es war, als Deutsche auf eine englische Schule zu gehen – und konnten auch ihre Kommentare dazu abgeben. Für Anna war es ideal: „Ich habe schon immer ein Tagebuch geschrieben", sagt sie, „und durch das Blog konnte ich meine Erfahrungen mit anderen teilen. Natürlich habe ich nichts Privates in meinem Blog geschrieben." Das macht nicht jeder – manche benutzen Blogs, um ihre innersten Gefühle mitzuteilen, weil man im Internet anonym bleiben kann. Aber für andere sind Blogs eine Methode, mit der Welt zu kommunizieren – beispielsweise das berühmte Blog eines jungen Irakers, der über den Zustand in seinem Land während des Kriegs berichtete.

3 Alexandra ist etwas weitergegangen. Da ihr ein Blog zu wenig war, stellte sie die Webseite „Lizzynet" zusammen – und gewann damit mehrere Preise für die Gestaltung der Seite. „Lizzynet" ist eine Seite für Mädchen zwischen 14 und 19, auf der sie Ideen austauschen und ihre Meinungen mitteilen können. In der LizzyPresse schreiben die Mädchen, was sie erlebt haben, welche Filme und Bücher sie gut gefunden haben und was sie von den neuesten Ereignissen in der Welt halten – es geht also nicht nur um Diäten und Schminktipps. Alexandra ist stolz auf ihre Webseite: „Fast 15.000 haben sich angemeldet", sagt sie, „und ich habe dadurch auch eine Menge Leute kennen gelernt".

die Erfahrung – experience	gründen – to found
veröffentlichen – to publish	das Ereignis – event

5a Lesen Sie den Text oben. Welche Überschrift passt zu welchem Absatz?

  a Erlebnisse auf der Webseite mitteilen

  b Junge Leute haben meistens Zugang zum Internet

  c Neuigkeiten und Gefühle mitteilen

5b Beantworten Sie die Fragen auf Deutsch.

  a Warum finden Jugendliche das Internet so reizvoll?

  b Warum hat Anna-Lena angefangen, ein Blog zu schreiben?

  c Worüber hat sie in ihrem Blog geschrieben?

  d Was hat sie im Vergleich zu anderen Bloggern nicht geschrieben?

  e Wozu benutzen manche Leute Weblogs?

  f Was hat Alexandra gemacht?

  g Wer sind die Mitglieder vom „Lizzynet"?

  h Worüber schreiben die Mädchen?

6 Diskutieren Sie Folgendes mit einem Partner/einer Partnerin.

  • Was er/sie alles in der letzten Woche im Internet gemacht hat.

  • Ob er/sie je ein Blog geschrieben hat.

  • Welche Webseiten er/sie sich regelmäßig anschaut und warum.

7 Schreiben Sie einen kurzen Artikel darüber, wozu Sie das Internet in letzter Zeit benutzt haben und was Sie vom Internet halten.

Grammatik ➡166 ➡W50

The perfect tense

To talk about the past, we often use the perfect tense. It is formed from:

  auxiliary verb (*haben/sein*) + past participle

• The auxiliary verb comes in the normal verb position and changes according to the subject of the sentence. The past participle goes to the end of the sentence.

• Most verbs take *haben* as their auxiliary verb. A few, mostly verbs of movement such as *gehen, fahren, fliegen*, take *sein*.

  Sie **haben** auf dem Land **gelebt**.

  Er **ist** mit dem Rad **gefahren**.

• The past participle of a weak verb:

  leben   ge- + leb + -t

• Past participles of strong verbs often have a change of vowel and sometimes consonant in the stem.

  bleiben   ge- + blieb + -en

For a list of strong verbs, see page 176.

A Look at the text above and note all the verbs in the perfect tense.

Internet außer Kontrolle?

▸ *Welche Gefahren bringt das Internet?*
▸ *Wie sieht die Zukunft des Internets aus?*

1 Im Internet lernen Kinder einander kennen – aber nicht nur Kinder melden sich in Chatrooms an. Auch Erwachsene sind dabei, Kriminelle, die Kinder dazu verführen wollen, sich vor einer Web-Kamera auszuziehen – oder noch Schlimmeres zu tun. Die meisten Eltern haben keine Ahnung, mit wem ihre Kinder chatten. Laut Jugendschutzorganisationen sollen sie strenger kontrollieren, mit wem ihre Kinder im Internet kommunizieren.

2 Es gibt Webseiten, auf denen man seine eigenen Videos heraufladen kann. Für junge Regisseure ist es eine einfache Methode, ihre kreativen Kunstwerke zu veröffentlichen – aber einige Schüler haben Prügelszenen heraufgeladen, die sie mit dem Handy aufgenommen haben. Die Benutzer haben selbst Kontrolle über die Webseite – wer etwas Unpassendes findet, kann sich beklagen, und das Video wird innerhalb von 24 Stunden entfernt. Aber bis dahin können bereits Tausende die Szenen gesehen haben.

3 80% aller Weblogs beeinhalten Pornomeldungen, behaupten Anbieter von Filtersoftware. Eltern müssen sich also einen guten Filter besorgen, wenn sie sichergehen wollen, dass ihre Kinder solche Texte oder Bilder nicht sehen können.

4 Es ist für kriminelle Computerhacker nicht schwierig, persönliche Daten und Informationen im Internet zu stehlen. Im schlimmsten Fall können sie Geld stehlen, indem sie eine gestohlene Kreditkarte benutzen oder Geld aus einem Internetkonto auf ihr eigenes überweisen. Ganz schlaue Hacker können sogar die ganze Identität eines anderen Internetbenutzers stehlen!

1a **Lesen Sie die vier Texte. Welche Überschrift passt zu welchem Text?**

  a Internet-Diebstahl

  b Tagebücher oder Pornoseiten?

  c Wovor Eltern ihre Kinder schützen müssen

  d Gewalt im Internet

1b **In welchem Abschnitt liest man Folgendes?**

  a Schlaue Hacker können Daten und Geld stehlen.

  b Viele Eltern wissen nicht, mit wem ihre Kinder im Internet Kontakt haben.

  c Auf manchen Webseiten sind selbst gedrehte Gewaltvideos zu finden.

  d Eltern müssen Maßnahmen treffen, um unerwünschten Inhalt zu blockieren.

2a Hören Sie sich dieses Interview mit Elke Pfeil von „Reporter ohne Grenzen" und Haralk Roth vom deutschen Jugendschutz e.V. an. Notieren Sie Folgendes auf Englisch.

  ● What they think about censoring the internet.

  ● Why they are of this opinion.

  ● Any other advice they give.

2b Hören Sie sich das Interview noch einmal an und beantworten Sie die folgenden Detailfragen.

  a Warum ist es laut Frau Pfeil nicht möglich, das Internet zu kontrollieren?

  b Warum ist das Internet so wichtig für manche Journalisten?

  c Was macht „Reporter ohne Grenzen", um Online-Dissidenten zu unterstützen?

  d Was sollen Eltern laut Herrn Roth machen?

  e Wie können Eltern das machen?

  f Was sollen die Besitzer von manchen Webseiten zusätzlich tun?

Tipp

Using interesting adjectives

Using a wide variety of adjectives will make your spoken and written language more interesting – and will help you gain a better grade! Aim to expand the range of adjectives you are able to use:

● If you learn a new adjective, find a synonym – word with the same meaning – in your dictionary (*schwierig = problematisch*) and learn it as well.

● Look up the opposite of any new adjectives (*modern – altmodisch*).

● Remember to use your new adjectives whenever you speak or write. Don't always say *Das ist gut*, but be more specific: *Das ist großartig/ausgezeichnet*.

A **Find all the adjectives on this page, look up a synonym for each and learn them.**

Die Zukunft des Internets

Im Jahr 2025 wird es weltweit etwa fünf Milliarden Internetnutzer geben. Was wird sich bis dahin im World Wide Web ändern? Was wird besser sein – und was schlechter? Diese Frage beschäftigt schon seit Jahren Forscher und Wissenschaftler – mit unterschiedlichen Prognosen. Nur eines ist klar: „Nichts bleibt, wie es ist – so wenig wie es ist, was es einmal war." Das sagt Tim Berners-Lee, Erfinder des World Wide Web.

Berners-Lee Zukunftsprognose Nummer eins: „Das World Wide Web wird sich auch weiterhin ständig weiterentwickeln. Keiner versteht richtig, wie es funktioniert – und das vielleicht für immer. Denn bevor wir es je im heutigen Zustand verstehen werden, hat es sich längst überlebt."

Seine zweite Zukunftsprognose: „Die digitale Zukunft ist das mobile Internet, das Internetzugang über Handys, Smartphones, iPads, usw. bietet. Nur dies wird Zugang zu Wissen für jeden schaffen – überall." Das heißt für ihn, dass in Zukunft 100 Prozent der Menschen im Netz unterwegs sein werden (heute sind es 80 Prozent).

Und schließlich die Zukunftsprognose Nummer drei: „Es wird eine neue ‚semantische' Generation der Suchmaschinen geben. Die Computer werden den Suchraum strukturieren und werden die Suchtreffer automatisch Kategorien zuordnen. Der Suchende wird die Treffer viel schneller eingrenzen, und er wird das Gewünschte schneller finden als in einer langen Liste."

3a Lesen Sie den Text über die Zukunft des Internets. Schreiben Sie **R**, wenn die Aussage unten richtig ist, **F**, wenn die Aussage falsch ist, oder **NA** (nicht angegeben), wenn die Information nicht im Artikel steht.

a Heute gibt es ca. 5 Milliarden Internetnutzer.
b Niemand weiß genau, wie die Zukunft des Internets aussehen wird.
c Die meisten Internetnutzer wohnen in den USA.
d Das World Wide Web wird es in Zukunft nicht mehr geben.
e Die ganze Welt wird mit Mobiltelefonen Zugang zum Internet haben.
f Es wird verbesserte Suchmaschinen geben, die genauer arbeiten werden.

3b Finden Sie diese Wörter oder Ausdrücke auf Deutsch.

a varying
b to develop further
c to survive
d access
e to be on the move
f search hit

Grammatik → 168 → W57

The future tense
The future tense in German is formed by using the present tense of *werden* + **the infinitive of the main verb**.
Man **wird** im Internet **surfen**.
For the full paradigm of the verb *werden* see page 166.

A Find all the sentences in the future tense in the text *Die Zukunft des Internets*.

B Write these sentences in the future tense.
a Viele Kinder haben ihre eigenen Webseiten.
b Es gibt mehr Werbe-Links.
c Wir haben überall Internetzugang.
d Der Benutzer findet schneller Suchtreffer.
e Alle Jugendlichen haben ein Mobiltelefon.
f Jeder Chatroom ist für alle zugänglich.

4a Soll man den Inhalt des Internets strenger kontrollieren? Diskutieren Sie mit einem Partner/einer Partnerin.

4b Sie nehmen an einer Blog Diskussion zum Thema „Sollte man das Internet strenger kontrollieren?" teil. Schreiben Sie Ihre Ideen auf (etwa 100 Wörter) und tauschen Sie Ihre Meinung mit anderen in der Klasse aus.

Grammatik aktuell

1 Using *seit* with the present tense

Remember that you use the present tense + *seit* to say how long or since when you have been doing something.

Ⓐ Answer these questions in German using *seit*.

a Seit wann hast du ein Handy?

b Seit wann kannst du einen Computer benutzen?

c Seit wann lernst du Deutsch?

d Seit wann hast du eine E-Mail-Adresse?

Ⓑ Translate these sentences into German using *seit* + present tense.

a I have been living in Berlin for three years.

b I've had an iPod for a year.

c I've been buying CDs for 20 years.

d I've been working in Bremen for six months.

2 The perfect tense

This is the most common past tense used in spoken German and in everyday writing. You need to be clear about:

* which verbs take *haben* and *sein*
* the past participles of irregular verbs.

Remember also that verbs which begin with *be-, emp-, ent-, ver-* or *über-*, or which end in *-ieren*, do not form the past participle with *ge-*.

Ⓐ Fill in the gaps in the sentences using the perfect tense of the verb in brackets.

a Ich _____ vor fünf Jahren meinen ersten Computer _____ . (*kaufen*)

b Wir _____ Recherchen für Schulprojekte _____. (*machen*)

c Anna-Lena _____ ihr Tagebuch online _____. (*schreiben*)

d Alexandra _____ ihre eigene Webseite _____. (*gründen*)

e Manche _____ in Blogs über politische Ereignisse _____. (*berichten*)

f In den letzten fünf Jahren _____ Kinder zunehmend Zeit vor dem Computer _____. (*verbringen*)

g Kinder in Deutschland _____ in den letzten Jahren dicker _____. (*werden*)

h Wie lange _____ du letzte Woche im Internet _____? (*surfen*)

3 The future tense

The future tense is used:

* if you want to be precise about future plans or intentions
* if you want to give a particular emphasis to the future aspect of a statement.

The future tense in German is formed by using the present tense of *werden* + the infinitive of the main verb:

Ich **werde** einen neuen Computer **kaufen**.

For the full paradigm of the verb *werden*, see page **166**.

Ⓐ Fill in the gaps with the correct form of *werden*.

a Das Internet _____ immer größer werden.

b Ich _____ Informatik studieren.

c Meine Eltern _____ keinen Computer kaufen.

d Wir _____ einen Computerkurs machen.

e _____ du einen neuen MP3-Spieler kaufen?

f Ihr _____ keinen billigeren Laptop finden.

Ⓑ Translate these sentences into German.

a The internet will become faster.

b I will upload videos onto Facebook.

c My mother will have a new television.

d We will visit Hamburg.

e You will be a computer expert.

f CDs will become cheaper.

Vokabeln

Ich rufe gleich zurück	pages 34–35

der Gewaltfilm	violent film
das Handy	mobile phone
der Sicherheitsgrund	safety reason
das Telefonat	phone call
der Zweck	purpose
sich leisten	to afford
überfallen	to be attacked
ausschließlich	only
dumm	stupid
harmlos	harmless
klug	clever
nötig	necessary

Der Sieg des www.	pages 36–37

die Auskunft	information
die Auswahl	choice
die Erfahrung	experience
die Geschäftszeiten (pl.)	office hours
die Wahl	choice
ausdrücken	to express
bestellen	to order
gründen	to found
herausfinden	to find out
mitteilen	to inform, communicate
weitergehen	to pass on
reizvoll	enticing

Internet außer Kontrolle?	pages 38–39

die Identität	identity
die Kenntnis	knowledge
der Kriminelle	criminal
die Mühe	effort
die Prügelszene	fight scene
der Suchtreffer	search hit
der Zugang	access
aufpassen	to be careful
heraufladen	to upload
stehlen	to steal
überleben	to survive
überweisen	to transfer
unterstützen	to support
verführen	to seduce
weiterentwickeln	to develop further
verschieden	varying

Sie sind dran!

A Ergänzen Sie die Sätze mit Wörtern aus den Vokabellisten.

a Die meisten Jugendlichen nutzen ihre Handys _____ zur Kommunikation.

b Handys sind nicht immer _____, denn man kann mit ihnen _____ herunterladen oder sogar selbst filmen.

c Im Internet hat man mehr _____, wenn man Artikel _____ und kaufen will.

d Viele Jugendliche finden es _____, im Internet ihre innersten Gefühle _____.

e _____ können im Internet Daten und Informationen stehlen.

f Das Internet wird sich immer _____, und es wird freien _____ zu Wissen für alle schaffen.

B Schreiben Sie weitere Lückensätze mit Wörtern aus den Vokabellisten. Tauschen Sie Ihre Sätze mit einem Partner/einer Partnerin und ergänzen Sie sie.

Null Blog

98 Prozent aller 12- bis 19-Jährigen haben Zugang zum Internet, und sie verbringen damit im Durchschnitt 134 Minuten pro Tag – nur noch drei Minuten weniger als mit dem Fernsehen.

Aber was tun die „Cyberkids", wenn sie online sind? **Die überraschende Antwort: sie unterscheiden sich wenig von früheren Jugendgenerationen, denn das Internet ist vor allem für die Freundschaftspflege da**. Fast schon die Hälfte der Zeit verbringen sie damit. E-Mail, Chat und soziale Netzwerke von Facebook bis SchülerVZ machen zusammen den größten Einzelposten in der Nutzungsstatistik aus.

Ob die Verbindung jeweils über das Internet hergestellt wird oder nicht, ist ziemlich egal. Es kommt nicht auf die Medien oder die Geräte an; es zählt nur, wofür sie gut sind – mal als Telefon, dann wieder als eine Art besserer Fernseher.

Die Unterhaltung ist darum auch der zweitgrößte Posten in der Nutzungsstatistik. Inzwischen hören mehr Jugendliche ihre Musik bei Abspielstationen im Internet (wie YouTube) als im Radio.

Auch gibt es weiterhin noch ein Leben fern von Bildschirmen aller Art. Bei neun von zehn Teenagern steht laut einer Studie das Treffen mit Freunden ganz oben auf der Liste der Freizeitaktivitäten jenseits der Medien. Noch bemerkenswerter: 72 Prozent der Jungendlichen treiben mehrmals pro Woche Sport.

Und wie passt das alles in einen Tag? Wer einfach nur Nutzungszeiten addiert, bekommt ein falsches Bild. Die meisten Jugendlichen können nämlich problemlos gleichzeitig telefonieren, bei Facebook stöbern und nebenher Musik hören.

Die angeblich so virtuosen Netzbürger sind nicht einmal besonders geschickt darin, ihr Medium auszureizen. „Fummeln können sie", sagt der Hamburger Bildungsforscher Rolf Schulmeister. „Sie bringen jedes Programm zum Laufen, und sie wissen, wo sie sich Musik und Filme besorgen können. Aber wirklich gut darin ist auch nur eine Minderheit." **Obendrein gibt es nach wie vor viele Jugendliche, denen der ganze Online-Rummel egal ist. Immerhin 31 Prozent nutzen die sozialen Netzwerke selten oder nie**.

1a Finden Sie die Informationen im Artikel.

a Sie tauschen sich mit Freunden aus.

b Sie benutzen das Internet am Tag.

c Sie machen Sport.

d Sie können das Internet benutzen.

e Sie interessieren sich nicht für Facebook.

f Sie schauen fern.

1b Schreiben Sie R, wenn die Aussage unten richtig ist, F, wenn die Aussage falsch ist, oder NA (nicht angegeben), wenn die Information nicht im Artikel steht.

a Deutsche Jugendliche benutzen selten soziale Netzwerke.

b Sie wechseln zwischen verschiedenen Medien und Geräten, um Freunde zu kontaktieren.

c Die meisten Jugendlichen hören deutsche Musik im Internet.

d Die Jugendlichen treffen sich kaum noch mit ihren Freunden.

e Die Jugendlichen benutzen verschiedene Medien und Geräte zur selben Zeit.

f Viele Jugendliche benutzen das Internet, um CDs oder Computerspiele zu kaufen.

2a 🎧 **Wie wichtig ist das Internet für Sie? Diskutieren Sie mit einem Partner/einer Partnerin.**

2b Schreiben Sie einen Abschnitt (etwa 100 Wörter) über Ihre Meinung.

Tipp

Inferring meaning

To gain an A or A* grade, as well as understanding the main points and details in a text, you need to be able to **infer meaning**. To do this, you need to understand attitudes and work out points of view when they are not stated explicitly.

In this unit, you have already practised reading an article for gist. The text on this page is more challenging, but you can use the same techniques.

- Use the heading: What is the article about?
- Spot the key words which keep coming up.
- Focus on understanding the overall meaning of each paragraph in turn.

🅐 **Write a sentence in English summarizing the main argument in each paragraph.**

- To infer meaning, you need to look more closely at individual sentences.

🅑 **Translate the two sentences in bold into English. What do they indicate about the writer's opinion of young internet users?**

🅒 **Explain the sentences in italic. What is the writer saying about young people and their internet skills?**

4 Kinoabend

barfuss

Goodbye Lenin

Wickie

1a Lesen Sie die Beschreibungen von verschiedenen Filmarten (a–f) und finden Sie die passenden Wörter (1–10). Vorsicht, es gibt vier Wörter zu viel!

a Das kann zum Beispiel ein außergewöhnliches Naturspektakel sein, oder man kann etwas über ein bestimmtes Ereignis oder eine spezielle Epoche in der Geschichte lernen.

b Das ist nichts für Angsthasen – das ist Grusel pur! Oft wird auch sehr viel Gewalt gezeigt, und deshalb sind diese Filme für Kinder verboten.

c Hier können Sie lachen – laut und leise, denn nicht immer muss es Slapstick-Humor sein – manchmal wird eine Situation mit leisem Humor beschrieben.

d Es geht um die Liebe und das Leben, und es gibt Sentimentalität, Emotionen und Romantik. Und „Ende, gut, alles gut" ist nicht immer garantiert.

e Hier können sich Klein und Groß entspannen. Die Technik wird immer eindrucksvoller, und immer mehr dieser Filme werden ausschließlich am Computer produziert.

f Es erwarten Sie 90 Minuten lang Spannung und Action. Aber am wichtigsten ist, dass der Held (und es ist fast immer ein Mann) am Ende gewinnt.

1 ein Abenteuerfilm

2 ein Musical

3 ein Horrorfilm

4 ein Zeichentrickfilm

5 ein Science-Fiction-Film

6 ein Liebesfilm

7 eine Komödie

8 ein Jugendfilm

9 ein Dokumentarfilm

10 ein Western

1b Schreiben Sie ähnliche Beschreibungen für die anderen vier Filmarten in Übung 1a.

43

Filmkritik

▶ *Was ist Ihr Lieblingsfilm? Wovon handelt er?*

Mein Lieblingsfilm ist *Die Wilden Hühner*. Das ist ein Film über vier Freundinnen, die viel erleben. Er handelt von Freundschaft und Liebe, obwohl er nicht romantisch ist. Der Film gefällt mir, weil er lustig ist. Ich finde auch gut, dass die Mädchen nicht perfekt sind, denn das ist so wie im richtigen Leben – ich könnte mir vorstellen, Freundinnen wie die „wilden Hühner" zu haben!
Hanna (16)

Mein Lieblingsfilm ist *Das weiße Band*. Der Film spielt zu Beginn des Ersten Weltkrieges in einem Dorf in Norddeutschland. Ich finde den Film total super, denn die Geschichte ist sehr unheimlich. Die Atmosphäre ist total dunkel, und ich hatte bei einigen Szenen wirklich Angst gehabt! Er gefällt mir auch gut, weil er sehr spannend ist. Und das Ende ist total überraschend.
Lars (17)

Ich mag Musikfilme, weil sie unterhaltsam sind. Mein Lieblingsfilm ist deshalb *Rock It!* Das ist ein deutsches Musical und mir gefällt, dass die Musik total prima ist – so richtig zum Mittanzen! Die jungen Schauspieler finde ich auch gut, denn sie können alle gut singen und sie sehen gut aus. Klar, die Handlung ist nichts Neues, obwohl das Thema „Junge trifft Mädchen" ziemlich originell behandelt wird.
Katja (17)

Mein Lieblingsfilm? Das ist *Die Legende der Wächter*. Das ist ein Fantasyfilm mit viel Action! Ich sehe am liebsten solche Filme, weil sie gut gemacht sind. Die Spezialeffekte und die Animation gefallen mir am besten, denn sie sind atemberaubend! Die Geschichte ist super, obwohl sie auch traurig ist. Und Spannung war auch immer vorhanden, so dass die Zuschauer auf ihren Sitzen klebten!
Daniel (16)

1a Vier Jugendliche beschreiben ihre Lieblingsfilme. Lesen Sie die Texte und beantworten Sie die Fragen.

  a Worum geht es in *Die Wilden Hühner*?

  b Warum findet Hanna den Film gut?

  c Wann und wo spielt *Das weiße Band*?

  d Warum ist das Lars' Lieblingsfilm?

  e Was für ein Film ist *Rock It*?

  f Warum gefällt Katja der Film?

  g Warum mag Daniel *Die Legende der Wächter*?

  h Was gefällt ihm am besten?

1b Lesen Sie noch einmal die Texte. Wie sagt man das auf Deutsch?

  a to experience

  b like in real life

  c to imagine

  d spooky

  e entertaining

  f to treat the topic

  g special effects

  h breathtaking

  i to be glued to their seats

2a Schreiben Sie Antworten zu den folgenden Fragen.

  ● Welche Art von Filmen mögen Sie am liebsten?

  ● Was ist Ihr Lieblingsfilm?

  ● Wie heißt er und wovon handelt er?

  ● Warum mögen Sie diesen Film?

2b Vergleichen Sie Ihre Antworten mit einem Partner/einer Partnerin.

Grammatik ➡175 ➡W75

Subordinating conjunctions

● Subordinating conjunctions connect a main clause with a subordinate clause:

Ich mag den Film, **weil** er lustig ist.

● The most common subordinating conjunctions are:

als	*when (single occasion in the past)*
damit	*so that, in order that*
dass	*that*
nachdem	*after*
obwohl	*although*
sodass	*so that*
während	*while*
weil	*because*
wenn	*when, whenever, if*

For a fuller list see page 175.

● If a sentence starts with a subordinate clause, that whole clause is the first idea and the main verb in the main clause comes straight after it.

Wenn ein Film gruselig ist, **habe** ich Angst.

Ⓐ Find the sentences in the texts on page 44 which contain a subordinating conjunction. Where are the verbs in each clause?

Ⓑ Fill in the correct conjunctions.

a Ich gehe oft ins Kino, _____ ich Filme mag.

b Ich finde es gut, _____ es so viele Musicals gibt.

c Ich mag keine Dokumentarfilme, _____ sie langweilig sind.

d Ich gehe nicht oft ins Kino, _____ ich Filme mag.

e Ich beschreibe jeden Film in meinem Blog, _____ ich im Kino war.

Ⓒ Translate the following subordinate clauses into German.

a Wolfgang Petersen became famous when he went to the USA.

b I download films while I do my homework.

c I work so that I can save money for a DVD player.

d I don't like the fact that so many films are from the USA.

e I have fun when I go to the cinema.

f I like action films because they are exciting.

3 🎧 Zwei Jugendliche beschreiben die Filme, die sie gerade gesehen haben. Hören Sie gut zu und schreiben Sie den passenden Namen (Vanessa oder Ben) zu jeder Aussage unten.

a Ich habe einen Fantasyfilm mit viel Action gesehen.

b Ich habe eine Komödie aus Deutschland gesehen.

c Der Film handelt von einem jungen Zauberer.

d Der Film handelt von der Liebe.

e Ich fand den Film schlecht.

f Der Film hat mir sehr gut gefallen.

g Der Film hatte viele dunkle Szenen.

h Der Film war nicht kurz.

Zweiohrküken

Krabat

4 Beschreiben Sie einen Film, den Sie neulich gesehen haben (etwa 150 Wörter). Schreiben Sie:

● woher der Film kommt

● wovon der Film handelt

● ob er Ihnen gefallen hat oder nicht.

Film im 21. Jahrhundert

▸ *Kino – oder Filme auf Video, DVD oder dem Computer?*
▸ *Gibt es einen Trendwandel im Kino?*

1 Arbeiten Sie mit einem Partner/einer Partnerin. Vergleichen Sie Ihre Antworten zu den folgenden Fragen.

- Wie oft gehen Sie ins Kino?
- Wann waren Sie zum letzten Mal im Kino?
- Welchen Film haben Sie gesehen?

Ich gehe so oft ins Kino, wie es geht. Ich gehe meist mit meinen Freundinnen, und wir sehen am liebsten Komödien und Liebesfilme. Ich gehe ins Kino, um Spaß zu haben. Ich finde die Atmosphäre im Kino einfach besser, weil jeder Besuch ein richtiges Ereignis ist. Man kann auch besser sehen – und hören, weil es lauter ist! Aber ich würde öfter ins Kino gehen, wenn es nicht so teuer wäre. Eine Kinokarte für Jugendliche kostet acht Euro, aber ich bekomme nur 20 Euro Taschengeld im Monat. Darum kann ich meistens nur einmal pro Monat gehen – leider!

Lola, 17

Ich sehe lieber DVDs zu Hause – entweder aus der Videothek oder ich leihe sie von Freunden aus. Das ist viel billiger – eine DVD kostet pro Tag 1,50 Euro und die von Freunden sind natürlich umsonst. So konnte ich letzten Monat ungefähr 20 Filme sehen, aber ich brauchte nur 10 Euro auszugeben. Gut ist auch, dass man mit DVDs flexibler ist. Man kann zum Beispiel eine Pause machen, so oft man will. Und ich kann sie auch überall auf meinem Laptop spielen – im Auto, wenn wir verreisen, mache ich das oft. Schlecht finde ich allerdings, dass man oft warten muss, bis die neuesten Filme auf DVD herauskommen. Da bin ich oft schon total ungeduldig!

Tim, 16

2 Lesen Sie die Texte links und beantworten Sie die Fragen auf Deutsch.

- **a** Wie oft geht Lola ins Kino – und mit wem?
- **b** Was sind ihre Lieblingsfilme?
- **c** Warum geht sie lieber ins Kino?
- **d** Was ist der Nachteil?
- **e** Woher bekommt Tim die DVDs?
- **f** Was sagt er über den Preis von DVDs?
- **g** Warum findet er DVDs besser als Kino?
- **h** Was findet er aber nicht so gut?

3 Verbinden Sie die deutschen mit den englischen Ausdrücken.

1	synchronisiert	**a**	silent film
2	die Leinwand	**b**	to predict
3	der Stummfilm	**c**	dubbed
4	unterhaltend	**d**	foreign
5	der Inhalt	**e**	performance
6	der Darsteller	**f**	entertaining
7	der Untertitel	**g**	content
8	die Vorführung	**h**	screen
9	voraussagen	**i**	subtitle
10	ausländisch	**j**	performer

4 Hören Sie sich das Gespräch an und beantworten Sie die Fragen.

- **a** Wie sollte ein Film Tanjas Meinung nach sein?
- **b** Warum mag sie keine Trickfilme?
- **c** Was macht Oliver, statt eine Kinokarte zu kaufen?
- **d** Findet Tanja es wichtig, welche Schauspieler in einem Film spielen?
- **e** Was sagt Oliver über die Verfilmung von Büchern?
- **f** Was sagt er über Schwarz-Weiß-Filme?
- **g** Worin stimmen Tanja und Oliver überein?

5 Was ist besser – Filme im Kino oder auf DVD? Warum? Machen Sie eine Liste der Vor- und Nachteile und präsentieren Sie Ihre Ideen.

Immer mehr deutsche Kinobesucher

Die Zahl der Kinobesucher in Deutschland wuchs im vergangenen Jahr doppelt so stark wie in Europa. Das heißt: die Zahl der Kinobesuche stieg europaweit um 6,3 Prozent auf 1,172 Milliarden – aber die deutschen Kinos hatten im vergangenen Jahr 146,4 Millionen Besucher. Das ist ein Zuwachs von 13,1 Prozent im Vergleich zum Jahr davor. Und es ist zugleich das beste Ergebnis der vergangenen fünf Jahre.

Im Vergleich der fünf großen Kinonationen im westlichen Europa war Deutschland bei der Wachstumsrate deshalb klar die Nummer eins. Frankreich war zwar mit 200,8 Millionen Kinobesuchern der größte europäische Kinomarkt, erreichte aber nur ein Plus von 5,7 Prozent. Großbritannien kam mit 173,5 Millionen verkauften Tickets auf den dritten Platz und erzielte einen Zuwachs von 5,6 Prozent.

Die spanischen Kinos stoppten den seit 2005 anhaltenden Abwärtstrend und verkauften zwei Prozent mehr Eintrittskarten als im Vorjahr. Aber in Italien gab es im vergangenen Jahr etwas weniger Besucher: 108,3 Millionen (im Jahr davor waren es 108,7).

6 Lesen Sie den Artikel über Kinobesucher-zahlen in Europa. Schreiben Sie **R**, wenn die Aussage unten richtig ist, **F**, wenn die Aussage falsch ist, oder **NA** (nicht angegeben), wenn die Information nicht im Artikel steht.

a Die Zahl der deutschen Kinobesucher wuchs am stärksten in ganz Europa.

b Im restlichen Europa wuchsen die Zuschauerzahlen nur halb so stark.

c Die Kinos in Deutschland hatten die meisten Besucher.

d Großbritanniens Kinos hatten die drittmeisten Besucherzahlen.

e Die spanischen Kinos hatten die meisten jugendlichen Zuschauer.

f In Italien gab es in diesem Jahr mehr Zuschauer als im Jahr davor.

7 Schreiben Sie einen Bericht von etwa 150 Wörtern über „Die beste Art, einen Film zu sehen".

- Warum ist diese Art besser (billiger, praktischer)?
- Gibt es andere Arten, einen Film zu sehen? Warum sind sie (nicht) so gut?

Grammatik ➡ 167 ➡ W54

The imperfect tense

Remember, to refer to the past in German you can use either the perfect or the imperfect tense. In general, the perfect tense is used for one-off events, whereas you use the imperfect to talk about a more ongoing situation in the past.

- The imperfect tense is more commonly used than the perfect tense with certain verbs, even in speech:

sein – ich **war**

haben – ich **hatte**

wollen – ich **wollte**

- Strong verbs have a change of vowel and sometimes of consonant and a different set of endings:

gehen

ich ging	wir ging**en**
du ging**st**	ihr ging**t**
er/sie/es/man ging	sie/Sie ging**en**

Ⓐ Re-read the article *Immer mehr deutsche Kinobesucher* and note all the verbs in the imperfect tense.

Ⓑ Fill in the gaps with the correct form of the imperfect tense of the verb in brackets.

1919 **a** (geben) es 3000 Kinos. Die Tonqualität **b** (sein) aber nicht sehr gut, und die Filme **c** (haben) noch keine Farbe – erst 1938 **d** (kommen) die ersten Farbfilme. Während des Zweiten Weltkriegs **e** (gehen) viele deutsche Schauspieler nach Hollywood und **f** (machen) dort erfolgreiche Filme.

Der deutsche Film

▸ Der Platz des Films in der Popularkultur Deutschlands
▸ Der alternative deutsche Film

Die berühmtesten deutschen Filme

1 Der deutsche Regisseur, Drehbuchautor und Produzent Wolfgang Petersen erzielte mit dem legendären Kriegsdrama *Das Boot* seinen internationalen Durchbruch – vor allem in den USA: *Das Boot* wurde dort der bis dahin erfolgreichste fremdsprachige Film. Nach diesem ersten großen Erfolg drehte Petersen mit einem Budget von über 50 Millionen DM die teuerste deutsche Nachkriegsproduktion: *Die unendliche Geschichte.*

2 1986 zog Petersen nach Los Angeles und drehte weitere erfolgreiche Kassenschlager für den internationalen Markt, wie zum Beispiel *Air Force One*, *Der Sturm*, *Poseidon* und *Troja* – alles Filme, die über 100 Millionen US-Dollar eingespielt haben. Wolfgang Petersen hat eine Bilderbuchkarriere erlebt – er stieg vom deutschen TV-Regisseur zum international erfolgreichen Hollywood-Star auf und wurde damit einer der wichtigsten Deutschen in den USA.

3 Im August 1994 gründeten drei Regisseure (Tom Tykwer, Wolfgang Becker und Dani Levy) die Firma X-Filme Creative Pool. Sie wollten anders sein – ihr Ziel war eine kreative Zusammenarbeit von Regisseuren, Autoren und Produzenten. Der große internationale Durchbruch war für die X-Filmer nie wichtig. Sie wollten vor allem ‚authentische' deutsche Filme drehen, die in Deutschland spielen oder von Deutschland handeln: „Geschichten von heute, die die Menschen bewegen", erklärt Tom Tykwer.

4 Der internationale Erfolg kam jedoch trotzdem: *Lola rennt* wurde 1997 zum unerwarteten Kassenschlager. In seinem experimentellen Film schickte Tom Tykwer die Schauspielerin Franka Potente gleich dreimal im Dauerlauf durch Berlin. *Lola rennt* bekam sogar eine Oscar-Nominierung als bester ausländischer Film.

5 Und *Good Bye Lenin!* (2003) wurde für X-Filme der größte Super-Hit: 6,6 Millionen Besucher erlebten im Kino mit, wie kurz nach der Wende die DDR in einer Dreizimmerwohnung wieder aufersteht. Im In- und Ausland bekam der Film unzählige Preise.

6 Seitdem geht es mit X-Filme steil bergauf. Der Markenname hat sich national und international etabliert. Aber auch in Zukunft wird die Firma ihrem Konzept treu bleiben und auch kleinere Filme fördern, jungen Künstlern eine Chance geben und Filme nach dem Motto: „Klasse statt Masse" machen.

Tipp

Dealing with longer texts

Remember! You don't have to know the exact meaning of every word in order to understand a longer text. To help you make some informed guesses about word meanings, make sure that you know what the general theme of the text is. Look at the title and any illustrations. Summarize in a few words what each paragraph means.

Ⓐ Skim through the text on page 48 and work out the general theme.

Ⓑ Do the gist-reading activity 1a to help you understand the focus of the paragraphs.

Ⓒ Do activity 1b for a more detailed understanding of the text. Keep the grammar in mind and make sure you know what type of word you are looking at (i.e. verb, adjective or noun) and what tense the text or sentence is written in.

Ⓓ Ⓓ If there are still sentences you do not understand, use a dictionary to look up new words. But remember: do not rely on the dictionary, as you will not be allowed one in your exam.

1a Lesen Sie den Artikel auf Seite 48. Welcher Titel (a–f) passt zu welchem Absatz (1–6)? Lesen Sie zuerst den Tipp oben.

   a Weiterhin Erfolg mit ihrem Konzept

   b Dann kommt der Superfilm aus der DDR

   c Die Anfangsjahre der Filmfirma

   d Karriere in Hollywood

   e Unerwarteter Erfolg - auch im Ausland

   f Der Erfolg begann in Deutschland

1b Beantworten Sie diese Fragen zum Artikel.

   a Welche beiden Filme machten Wolfgang Petersen auch international berühmt?

   b Warum ist er einer der wichtigsten Deutschen in den USA?

   c Was wollte X-Filme Creative Pool anders machen?

   d Wer hatte die Hauptrolle in *Lola rennt*?

   e Wovon handelt *Good Bye Lenin!*?

   f Was für Filme will die Firma auch in Zukunft machen?

2a Hören Sie sich den Bericht über den deutschen Regisseur Michael „Bully" Herbig an und machen Sie Notizen.

   a Wer er ist

   b Was 1991 begann

   c Was 2000 kam

   d Was in den Jahren danach passierte

   e Was 2009 herauskam

2b Ist alles richtig? Vergleichen Sie Ihre Antworten mit einem Partner/einer Partnerin in einem Interview über Michael Herbig. A stellt die Fragen, B antwortet. Dann wechseln Sie die Rollen.

   Beispiel: A Wer ist Michael Herbig alles?
               B Er ist Komiker, …

3a Schreiben Sie eine Zusammenfassung (etwa 100 Wörter) über die Karriere von Wolfgang Petersen, X-Filme oder Michael Herbig. Beschreiben Sie:

   ● wer er ist/sie sind

   ● den Anfang der Karriere

   ● den ersten Erfolg/die ersten Erfolge

   ● was danach passierte

   ● heute.

3b Schreiben Sie eine Zusammenfassung (etwa 100 Wörter) über einen Filmregisseur, den Sie besonders mögen. Benutzen Sie die Punkte von Übung 3a als Hilfe.

Michael Herbig

Grammatik aktuell

1 The imperfect tense

Use the imperfect tense to write narratives, reports and accounts in the past. With certain verbs it is more commonly used than the perfect tense, even in speech, e.g. *sein – ich war; haben – ich hatte; werden – ich wurde.*

How you form the imperfect depends on whether a verb is weak, strong or mixed. See page 167 for more information.

Ⓐ Find the sentences with verbs in the imperfect tense.

a Die Filme waren in Schwarz-Weiß.

b Die Schauspieler wollen mehr Geld.

c Ich kann nicht ins Kino gehen.

d Die Regisseurin wird für den Oscar nominiert.

e Meine Eltern kannten den Schauspieler nicht.

f Er produzierte viele Filme.

Ⓑ Put the verbs in brackets into the imperfect tense. Make sure you have checked if they are regular or irregular and be careful to use the correct endings.

a Der Regisseur *(machen)* jedes Jahr einen neuen Film.

b Ich *(arbeiten)* in einem Filmstudio in Brandenburg, aber ich *(wohnen)* in Berlin.

c Ich *(finden)* den Film schlecht, denn er *(sein)* langweilig.

d Lola aus *Lola rennt (haben)* rote Haare.

e Wofgang Petersen *(gehen)* 1986 nach Hollywood.

f „Bully" Herbig *(spielen)* in vielen Filmen mit.

2 Co-ordinating conjunctions

There are two sorts of conjunctions: co-ordinating and subordinating. Co-ordinating conjunctions do **not** change the word order when connecting two clauses:

Er ist Schauspieler, **und** seine Frau ist Regisseurin.

Ich mag deutsche Filme, **aber** Filme aus den USA finde ich furchtbar.

Das ist mein Lieblingsfilm, **denn** ich mag Till Schweiger.

Wir sehen fern, **oder** wir gehen ins Kino.

3 Subordinating conjunctions

Using subordinating conjunctions can extend and enrich both your spoken and written German. The verb is always sent to the end of the clause after a subordinating conjunction. You can find a comprehensive list of subordinating conjunctions on page 175.

Ⓐ Form one longer sentence from the two short ones, using the subordinating conjunction in brackets.

a Die Nationalsozialisten waren an der Macht. Filme wurden zensiert. *(während)*

b Die ersten Filme waren kurz. Sie waren sehr beliebt. *(obwohl)*

c Die Leute gingen früher oft ins Kino. Es war billig. *(weil)*

d Fritz Lang wanderte aus. Er arbeitete in Hollywood. *(nachdem)*

e Die ersten Tonfilme wurden produziert. Man filmte Musicals. *(als)*

f Es gibt heute moderne Computerprogramme. Man kann viele Animationen kreieren. *(sodass)*

Vokabeln

Filmkritik	**pages 44–45**
der Fantasyfilm	*fantasy film*
die Freundschaft	*friendship*
das Musical	*musical*
der Spezialeffekt	*special effects*
erleben	*to experience*
handeln	*to deal with/be about*
atemberaubend	*breathtaking*
romantisch	*romantic*
traurig	*sad*
überraschend	*surprising*
unheimlich	*spooky*
unterhaltsam	*entertaining*

Film im 21. Jahrhundert	**pages 46–47**
der Abenteuerfilm	*action film*
die Atmosphäre	*atmosphere*
der Darsteller	*actor*
der Dokumentarfilm	*documentary*
die Eintrittskarte	*ticket*
der Horrorfilm	*horror film*
der Inhalt	*contents*
der Kinobesucher	*cinema goer*
die Kinokarte	*cinema ticket*
die Komödie	*comedy*
der Liebesfilm	*love story*
der Schauspieler	*actor*
die Vorführung	*viewing*
der Zeichentrickfilm	*cartoon*
ausländisch	*foreign*
in Schwarz-Weiß	*in black and white*

Der deutsche Film	**pages 48–49**
der Drehbuchautor	*script writer*
der Durchbruch	*breakthrough*
der Held	*hero*
der Kassenschlager	*box office hit*
das Konzept	*concept*
der Künstler	*artist*
die Nachkriegsproduktion	*post–World War II production*
der Produzent	*producer*
der Regisseur	*director*
drehen	*to film*
fördern	*to support*
authentisch	*authentic*
experimentell	*experimental*
fremdsprachig	*foreign language*
unzählig	*countless*

Sie sind dran!

A Ergänzen Sie die Sätze mit Wörtern aus den Vokabellisten.

a Ich mag _____ mit tollen Liedern – und wenn sie _____ sind und von der Liebe _____!

b Mein Lieblingsfilm: *Avatar*. Das ist ein _____. Aber _____ Filme mag ich nicht – ich mag's lieber lustig.

c Früher gab es nur Filme in _____, aber heute regiert die modernste Technik: immer mehr _____ werden am Computer produziert.

d Fast 150 Millionen _____ kamen letztes Jahr in die deutschen Kinos, aber leider werden die _____ immer teurer.

e Wolfgang Petersen ist ein deutscher _____, der in den USA den _____ gefunden hat.

f _____ Filme aus anderen Ländern werden in den USA nicht oft zu _____.

B Schreiben Sie weitere Lückensätze mit Wörtern aus den Vokabellisten. Tauschen Sie Ihre Sätze mit einem Partner/einer Partnerin und ergänzen Sie sie.

Die Amerikanisierung deutscher Filme

1 Die meisten deutschen Filme handelten lange Zeit – nach Meinung vieler Zuschauer – von der deutschen Geschichte (z.B. der Nazi-Zeit), oder es waren die Verfilmungen klassischer literarischer Werke oder der Lebensgeschichten prominenter Deutscher. Nicht selten vergaßen diese Filmemacher in Deutschland, dass solche ‚ernsten' Inhalte bzw. Produktionen nur wirken und funktionieren, wenn sie zugleich wirklich gute Kinounterhaltung bieten. Deutsche Filme waren steif, bieder und verkopft – ‚typisch deutsch' eben.

2 In den letzten Jahren lässt sich aber eine neue Entwicklung erkennen: mittlerweile können auch Mainstream-Filmemacher in Deutschland Geschichten erzählen, ohne dabei Film gewordenen Geschichtsunterricht zu produzieren. Sie beweisen ein Gespür für Inszenierung, Schauspielführung und Timing und haben damit oft auch kommerziellen Erfolg.

3 Dabei orientieren sie sich häufig an amerikanischen Vorbildern – was sich im besten Fall auf die aufwendige Produktionsweise und das filmische Handwerk beschränkt, sodass eigenständige, zeitgemäße Filme entstehen. Im schlechteren Fall führt es zur stumpfen Kopie eines amerikanischen Originals, wobei oft Werke inszeniert werden, bei denen der Zuschauer die Bedeutung des Wortes ‚Fremdschämen' auf fast schon schmerzhafte Weise erfährt.

4 Einfallslose US-Kopien mögen ärgerlich sein, doch der Trend geht zu abwechslungsreichen, originellen Produktionen, die auch den internationalen Vergleich nicht scheuen müssen. Diese verdienen nicht nur die Aufmerksamkeit des Publikums, sondern auch den kommerziellen Erfolg, sodass es in Zukunft noch mehr dieser positiven Beispiele geben wird.

1a Lesen Sie den Artikel, um die Satzenden für die Satzanfänge zu finden.

a Der deutsche Mainstream-Film war lange	**1** dass solche ‚ernsten' Inhalte nur wirken, wenn sie gute Unterhaltung bieten.
b Die Filmemacher haben oft nicht daran gedacht,	**2** steif, bieder und verkopft.
c Heute zeigt der deutsche Film	**3** stumpfe Kopien, für die man sich schämen muss.
d Gut gemachte deutsche US-Kopien sind	**4** voll von abwechslungsreichen und originellen Produktionen.
e Schlechte US-Kopien sind	**5** eigenständige, zeitgemäße Filme.
f Die Zukunft des deutschen Films ist	**6** ein Gespür für Inszenierung und Schauspielführung.

1b Lesen Sie die folgenden Erklärungen oder Synonyme. Finden Sie die passenden Wörter oder Ausdrücke im Artikel.

a sich für jemand anderen schämen	**e** altmodisch und ernst
b ein Gefühl	**f** keine Angst haben
c schlechte Imitation	**g** die USA sind Vorbild
d unabhängig	**h** Herstellung eines Films

2 🗣 **Wie steht es mit Filmen in Ihrem Land? Diskutieren Sie die folgenden Punkte mit einem Partner/einer Partnerin.**

- Gibt es eine Amerikanisierung, das heißt, wie erfolgreich sind amerikanische Filme?
- Wie erfolgreich sind britische Filme?
- Wie erfolgreich sind Filme aus anderen Ländern (zum Beispiel Deutschland oder Spanien)?
- Welche Filme gefallen Ihnen am besten? Warum?

Tipp

Developing and justifying your point of view

When writing essays you are often asked for your point of view. This means you are expected to:

- explain the various points of view in existence
- say which one you agree with
- justify your opinion with a few different reasons.

In order to produce a more sophisticated answer and get a higher grade you should add two more things before giving your point of view:

- weigh up the pros and cons of each of the different points of view
- give examples to add weight to these.

A The author of the article thinks that Hollywood has had a positive effect on the German film industry in a couple of different ways. Explain these in English. He also cites a negative effect. Explain this too.

B This quotation is not so positive about the Americanization of films. Think about whether you agree with it or not, then write an essay (200–250 words) that explores the positive and negative effects that the American film industry has on the European one. Give your opinion and justify it.

Hollywood dominiert immer mehr das internationale filme. Englische Filme, französische Filme, deutsche Filme – sie sind alle vom Untergang bedroht, während die Amerikanisierung immer weiter vordringt.

5 Musik, Musik!

By the end of this unit you will be able to:

- Talk about different types of music and their changing trends
- Discuss the place of music in popular German culture
- Talk about the music you like
- Talk about how music defines personal identity

- Use relative pronouns
- Use correct word order in subordinate clauses
- Use impersonal expressions
- Improve your writing skills
- Speak from notes
- Respond to a poem or song lyrics

a Klassische Musik

b Popmusik   **c** Heavy Metal

d Indie-Musik   **e** Techno

f Rap

Rammstein

Lena

1a Lesen Sie die Aussagen. Schreiben Sie den passenden Musikstil (a–f) zu jeder Aussage.

1 Ich stehe auf Musik, die extrem ist: ich liebe es laut, lauter, am lautesten – und hart, härter, am härtesten, weil man nur einmal lebt!

2 Der Text ist am wichtigsten und muss wie ein Gedicht sein – oft auch ohne Melodie. Es ist daher super, dass jetzt immer mehr Künstler deutsche Texte schreiben.

3 Ich bin romantisch und sogar ein bisschen altmodisch, aber ich hasse Lärm – ich mag es ruhiger. Viele Jugendliche finden den Musikstil, den ich mag, langweilig.

4 Ich mag elektronische Musik und ich tanze gern – mit sehr viel Energie! Es gelingt mir dann total, alles andere zu vergessen.

5 Ein guter Rhythmus muss sein, weil ich gern tanze. Und es gefällt mir, dass ich mitsingen kann, weil ich gern Karaoke mache.

6 Kommerz und Konsum sind nichts für mich. Ich bin individuell und kritisch, und ich denke viel nach. Deshalb mag ich Texte, die ,anders' sind.

1b 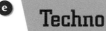 Vergleichen Sie Ihre Antworten mit einem Partner/einer Partnerin.

1c Welche Musik gefällt Ihnen (nicht)? Diskutieren Sie Ihre Wahl in der Klasse.

▶ *Barock, Klassik, Romantik ... und wie sind die Musiktrends heute?*

1 🎧 Besprechen Sie mit einem Partner/
einer Partnerin das Thema Musik und
beantworten Sie diese Fragen.

- Welche Art von Musik mögen Sie (z.B. Rock, Jazz, Folk, klassische Musik)?
- Was hören Sie nicht gern? Warum?
- Wo und wie oft hören Sie Musik?
- Hören Sie Musik im Radio, auf CDs oder über MP3-Spieler?
- Gehen Sie manchmal in ein Konzert? Wenn ja, welche Art von Konzert?
- Waren Sie schon einmal auf einem Musikfestival?
- Spielen Sie selbst ein Instrument oder singen Sie in einem Chor?

2 🎤 Hören Sie gut zu. Schreiben Sie **R**,
wenn die Aussage unten richtig ist, **F**,
wenn die Aussage falsch ist, oder **NA** (nicht
angegeben), wenn die Information nicht im
Hörtext ist.

a Johann Sebastian Bach schrieb religiöse Musik.

b Wolfgang Amadeus Mozart wurde sehr alt.

c Johann Strauss komponierte eine Art Tanzmusik.

d Georg Friedrich Händel war Musiklehrer.

e Johannes Brahms hat Clara Schumann geheiratet.

f Arnold Schoenberg lebte bis ins 20. Jahrhundert.

3 Lesen Sie die Texte rechts und verbinden Sie
die Satzhälften unten.

1 Wolf Biermann ist ein Liedermacher,

2 Er zieht nach Ostdeutschland,

3 Er schrieb kritische Lieder,

4 Nina Hagen ist eine Sängerin

5 *Du hast den Farbfilm vergessen* ist das Lied,

6 Nina Hagen hat eine Stimme,

7 *Guten Tag* ist ein Lied,

8 Wir sind Helden ist eine Band,

9 Sie geben Konzerte,

10 In Deutschland gibt es viele Leute,

Von Liedermachern, Punk und Techno

Wolf Biermann

Einer der bekanntesten deutschen Liedermacher
Schon in seiner Jugend politisch sehr engagiert
In Hamburg geboren, zieht 1953 nach Ostdeutschland
Bekommt durch seine Arbeit oft Konflikte mit der Regierung
Sein großes Konzert in Köln wird 1976 im Fernsehen gezeigt
Nach diesem Konzert sind seine Lieder in der DDR verboten
Muss die DDR verlassen und geht nach Westdeutschland
Schreibt weiterhin Lieder, Gedichte und auch Bücher
Gewinnt viele Preise und Auszeichnungen
Andere berühmte deutsche Liedermacher sind Franz Josef
    Degenhardt, Reinhard Mey und Hannes Wader

Nina Hagen

In der DDR geboren (Stieftochter von Wolf Biermann)
Singt mit verschiedenen Bands in Polen und der DDR
Erreicht mit dem Lied *Du hast den Farbfilm vergessen* Kultstatus
Kommt 1976 nach Westdeutschland
Gründet mit drei anderen Musikern die Nina Hagen Band
Unbehagen (1979) ist eines ihrer bekanntesten Alben
Manche Leute finden die exzentrische Punksängerin schockierend
Lebt eine Zeit lang in Amerika, wo sie sehr erfolgreich ist
Hat ein neues Image, aber ihre Stimme ist weiterhin sehr stark
Singt jetzt manchmal auf Deutsch, manchmal auf Englisch

Wir sind Helden

Eine der erfolgreichsten deutschen Indie-Bands
Sie spielen eine Mischung aus Popmusik und Rock
Ihr erstes Lied, *Guten Tag*, ist ein Protest gegen die
    Konsumgesellschaft
Es erreicht Platz 6 in der Hitparade
Die Leadsängerin heißt Judith Holofernes
Bevor sie der Band beitrat, war sie Folksängerin
Wir sind Helden produzieren ihre eigenen CDs
Ihre Konzerte sind immer ausverkauft

a das Platz 6 erreichte.

b das sie berühmt machte.

c die sehr stark ist.

d der sich politisch engagiert.

e die immer ausverkauft sind.

f deren Sängerin Judith Holofernes heißt.

g das zu jener Zeit ein kommunistisches Land ist.

h die man in Ostdeutschland nicht kaufen konnte.

i die englische Popmusik hören.

j die ziemlich exzentrisch ist.

Wir sind Helden

Grammatik
➡162 ➡W35

Relative pronouns

- Relative pronouns mean 'who' or 'which' and are used to join sentences together.
- The relative pronoun agrees with the noun to which it refers and takes its case from the role it plays in the relative clause. See page 162 for a full list.
- In English, you can sometimes leave out the relative pronoun. In German, you never can.

Examples: Nina Hagen, die in der DDR geboren ist, lebt jetzt teilweise in Amerika.
Wolf Biermann, dessen Lieder verboten waren, wird jetzt akzeptiert.
Wir sind Helden ist eine Band, die viele Fans hat.

Ⓐ When you have completed activity 3, you will see that all the sentences are relative clauses. Translate them into English.

Ⓑ Look at the texts on page 54 and complete these sentences with the correct relative pronoun.

   a Wolf Biermann, _____ 1936 geboren wurde, ist sehr bekannt.

   b Das Konzert, _____ er in Köln gab, wurde im Fernsehen gesendet.

   c Liedermacher haben einen Stil, _____ man vor allem in Deutschland kennt.

   d Wir sind Helden ist eine Band, _____ gegen die Kommerzialisierung ist.

   e Nina Hagen, _____ Mutter mit Wolf Biermann verheiratet war, verließ 1976 die DDR.

Tipp

Improving your writing skills
These are some of the strategies you can use to improve your writing skills.

- Use a wide range of vocabulary and tenses.
- Extend your sentences.
- Vary the word order.
- Use adjectives for more detailed descriptions.
- Include the grammatical structures you have learnt.
- Look carefully at structures you come across in your reading and try to adapt them to the topic you are working on.
- Instead of repeating the same word, use an alternative term, e.g. *berühmt* or *erfolgreich*, instead of *bekannt*.

Ⓐ Can you think of another way of saying *im Fernsehen gezeigt*?

Ⓑ Change the word order for „*Unbehagen" ist eines ihrer bekanntesten Alben*.

Ⓒ What adjectives could you add to ... *sein großes Konzert* in the Wolf Biermann text?

Ⓓ Translate the following: Wolf Biermann, who is very well-known, wins many prizes.

4a Finden Sie Informationen über eine(n) Musiker(in) oder Sänger(in) und schreiben Sie Notizen (wie in Übung 3). Benutzen Sie das Internet, zum Beispiel Wikipedia oder die Webseiten und Links des Goethe-Instituts.

4b Halten Sie einen kurzen Vortrag vor Ihrer Klasse über diesen Musiker/Sänger oder diese Musikerin/Sängerin. Benutzen Sie dazu die Notizen, die Sie gemacht haben.

5 Lesen Sie den Tipp. Schreiben Sie dann die Biografie eines/einer bekannten Musikers/ Musikerin. Sie können die Texte auf Seite 54 und auch Ihre Notizen für Übung 4 benutzen. Schreiben Sie mindestens zwei Sätze mit Relativpronomen.

▶ *Warum singen immer mehr deutsche Bands auf Deutsch?*

Deutsche Musik – mit deutschen Texten

„Man muss auf Englisch singen, um erfolgreich zu sein", so hieß es noch bis vor einigen Jahren in Deutschland. Doch das ist jetzt anders, denn immer mehr deutsche Bands singen auf Deutsch – und haben Erfolg: Pop aus Deutschland mit deutschen Texten macht gut die Hälfte der verkauften Musik des deutschen Marktes aus. Warum ist das so?

„Wir singen auf Deutsch, weil wir auch deutsch fühlen. Wir wollen damit zeigen, dass wir unser Land mögen", sagt die Sängerin der Band Mia., die mit ihrem ‚Liebeslied an Deutschland' ganz oben in den Charts war.

Einige deutsche Bands sehen das anders: „Klar, wir profitieren vom Boom des Deutschpops, denn davor war unsere Musik nur einem kleinen Szenepublikum bekannt", sagt Marcus Wiebusch von der Indie-Band Kettcar. „Aber ein Liebeslied an Deutschland – das ist für uns unvorstellbar.

Wir wollen zeigen, dass es jede Menge Künstler in Deutschland gibt, die erfolgreich in deutscher Sprache singen und sich trotzdem eher kritisch mit diesem Land auseinandersetzen. Das finde ich wichtig, denn ich fühle mich nicht als Deutscher. Und nichts an meiner Musik, bis auf die deutsche Sprache, ist deutsch – nichts."

1a Lesen Sie den Artikel. Schreiben Sie **R**, wenn die Aussage unten richtig ist, **F**, wenn die Aussage falsch ist, oder **NA** (nicht angegeben), wenn die Information nicht im Artikel steht.

  a 50 Prozent der Popmusik in Deutschland ist auf Deutsch.

  b Viele Bands singen auf Deutsch, weil sie mehr CDs verkaufen wollen.

  c Die Mitglieder der Band Mia. haben sich vor fünf Jahren kennengelernt.

  d Die Band Kettcar hat immer noch keinen Erfolg.

  e Die Band singt auf Englisch.

  f Kettcars Texte sind auch negativ und kritisieren manchmal Deutschland.

1b Suchen Sie die entsprechenden deutschen Ausdrücke im Artikel.

  a alternative audience

  b we feel German

  c to make up, form

  d unimaginable for us

  e to deal critically with something

  f to benefit

1c Lesen Sie den Artikel noch einmal und schreiben Sie eine passende Überschrift für jeden Abschnitt.

2 Hören Sie den Bericht über deutschen Gangsta-Rap. Dann finden Sie die richtigen Antworten (1–5) auf die Fragen (a–e).

a Was kann man über Die Fantastischen Vier sagen?

b Wann kann man humorvolle Texte hören?

c Warum singen die Aggro-Rapper aggressive Texte?

d Wann wurde deutscher Gangsta-Rap erfolgreich?

e Warum funktioniert die amerikanische Ghetto-Romantik hier nicht?

1 weil es diese Kultur in Deutschland nicht gibt

2 wenn Die Fantastischen Vier rappen

3 nachdem Sido einen Musikpreis erhielt

4 um zu provozieren

5 dass sie die erfolgreichste deutsche Hip-Hop-Band sind

Grammatik   →175 →W75

Word order in subordinate clauses

● Remember that subordinating conjunctions change the word order of the second (subordinate) clause – they send the main verb to the end:

    Er singt auf Englisch. Das ist cool.

    Er singt auf Englisch, weil das cool **ist**.

    He sings in English because it's cool.

    Sie gibt ein Konzert. Sie ist krank.

    Sie gibt ein Konzert, obwohl sie krank **ist**.

    She is giving a concert although she's ill.

For a full list of subordinating conjunctions see page 175.

● **um ... zu** *(in order to)* also changes the word order of the second clause in the same way, but it sends the verb to the end in its infinitive form:

    Ich fahre in die Stadt. Ich kaufe eine CD.

    Ich fahre in die Stadt, um eine CD zu **kaufen**.

    I go into town in order to buy a CD.

A Find the correct subordinating conjunctions for the sentences.

a Ich lerne Gitarre, _____ ich in einer Band spielen will.

b Kettcar glauben nicht, _____ Musik aus Amerika besser ist.

c Ich fühle mich super, _____ ich *meine* Musik höre.

d Dieser Sänger wurde erst erfolgreich, _____ er nach Amerika ging.

e Lena war noch Schülerin, _____ sie schon berühmt war.

f Ich nehme Gesangsunterricht, _____ ich besser singen lerne.

obwohl weil als damit wenn dass

B Write new subordinate clauses with the conjunctions given in brackets.

a Ich mag die Band Silbermond. Sie singen auf Deutsch. *(weil)*

b Herbert Grönemeyer war Lehrer. Er wurde berühmt. *(bevor)*

c Ich höre Musik von Juli. Ich entspanne mich. *(um zu)*

d Es ist super. Fettes Brot rappen auf Deutsch. *(dass)*

e Tokio Hotel machen eine US-Tournee. Sie werden auch dort bekannt. *(damit)*

f Ich finde es nicht gut. Deutsche Bands singen auf Englisch. *(wenn)*

3 Machen Sie ein Interview mit einem Partner/einer Partnerin. Stellen Sie folgende Fragen.

● Welche Sänger/Bands aus Deutschland kennst du?

● Gefällt dir ihre Musik? Warum (nicht)?

● Sollen deutsche Sänger/Bands nur auf Deutsch singen? Warum (nicht)?

4 Schreiben Sie einen kurzen Text zum Thema „Musik aus Deutschland" mit Ihren Antworten von Übung 3 (etwa 100 Wörter).

Die Fantastischen Vier

Musik, die ich mag

▶ *Was bedeutet Musik für mich? Wie wichtig ist sie in meinem Leben?*

Musik ist wichtig für mich – keine Frage! Ich höre am liebsten Indie-Musik aus Deutschland. Meine Lieblingsband ist Blumentopf, weil der Sänger tolle Lieder schreibt. Die Texte sind am wichtigsten. Ich mag Lieder mit einer Botschaft oder Lieder, die kritisch sind. Ich diskutiere oft mit meinen Freundinnen über unsere Lieblingslieder und worum es dabei geht. Es gefällt mir nicht, dass es den meisten Bands heute nur um Kommerz geht. Es graut mir vor seichter Chartmusik ohne Inhalt – vor allem aus England und Amerika.

Eva, 17

1 Lesen Sie die Fragen und schreiben Sie den passenden Namen (Eva, Markus, Sven) auf.

a Wer entspannt sich bei Musik?

b Wer hört am liebsten kritische deutsche Musik?

c Wer findet Texte gar nicht wichtig?

d Wer findet US-Musik schlecht?

e Wer macht seine eigene Musik?

f Wer sieht Musik nur als Unterhaltung?

Ich könnte mir ein Leben ohne Musik einfach nicht vorstellen, denn sie ist ein Teil meines Lebens – es fehlt mir etwas, wenn ich keine Musik höre. Ich höre am liebsten Reggae, weil das Musik zum Entspannen ist. Es gelingt mir damit immer, den Alltagsstress zu vergessen – Reggae ist Musik, die mich zum Träumen bringt. Aber Musik ist für mich nicht nur zum Hören da: ich bin ziemlich kreativ und es macht mir Freude, selber Lieder zu schreiben und zu spielen. Die lade ich dann auf meine Facebook-Seite und es freut mich total, wenn ich positive Kommentare bekomme – das ist ein super Gefühl!

Sven, 17

Ich bin ein positiver Typ, und so muss auch meine Musik sein! Es geht mir gut, wenn ich 'meine' Lieblingsmusik höre – und das ist Dance-Musik mit einem schnellen Beat. Musik ist zum Tanzen, zum Gut-drauf-Sein, zum Spaß haben. Es ist mir auch egal, aus welchem Land die Gruppen kommen – so lange sie Musik machen, die unterhält! Wenn ich mehr Geld hätte, würde ich jeden Abend zu Konzerten und in Discos gehen, wo Dance-Musik gespielt wird. Da ist immer eine tolle Stimmung und Atmosphäre, weil alle einfach Spaß haben wollen.

Markus, 16

die Botschaft – message	gut drauf sein – to be in a
seicht – shallow	good mood

2a Machen Sie Notizen zu den folgenden Fragen.

- Wie wichtig ist Musik für Sie?
- Was bedeutet Musik für Sie?
- Wie fühlen Sie sich, wenn Sie „Ihre" Musik hören?

2b Diskutieren Sie Ihre Antworten mit einem Partner/einer Partnerin.

3 Hören Sie sich den Radiobericht über Linda an und beantworten Sie die Fragen auf Englisch.

- **a** Where did Linda grow up? (2)
- **b** What problems did she have at school? (3)
- **c** What does Susanne Korbmacher do? (2)
- **d** What does she say about Linda? (4)
- **e** What does Linda say about her music? (3)
- **f** How has Linda's musical achievement transformed her education? (3)

4 Schreiben Sie einen kurzen Aufsatz (120–150 Wörter) über das Thema „Musik, die ich mag".

Grammatik ➡164 ➡W43

Impersonal expressions I

In impersonal expressions the subject is usually *es* (not *ich, du, er, sie*, etc.).

Es gefällt mir.	*I like it.*
Es freut mich.	*It pleases me.*

A number of impersonal verbs are followed by the dative:

Es macht **mir** Freude.	*It pleases me.*
Es gelingt **mir**.	*I succeed.*
Es fehlt **mir**.	*I miss (it).*
Es geht **mir** gut.	*I feel good.*
Es ist **mir** egal.	*I don't care.*
Es graut **mir** (vor …).	*It scares me. (I'm scared of …)*

Ⓐ Translate the following sentences into German.

- **a** I succeed in relaxing.
- **b** It pleases me to listen to music.
- **c** I'm scared of heavy metal music.
- **d** I feel good when I dance.
- **e** I don't care where you're from.
- **f** I don't like it.

Ⓑ Match up the sentence halves.

- **a** Es graut mir vor
- **b** Es gelingt mir,
- **c** Es fehlt mir etwas,
- **d** Es freut mich,
- **e** Es ist mir egal,
- **f** Es geht mir gut,

- **1** dass mein Lieblingssänger eine neue CD herausbringt.
- **2** wenn das Radio nicht läuft.
- **3** seichter Musik aus den USA.
- **4** wenn ich *meine* Musik höre.
- **5** mich beim Zuhören total zu entspannen.
- **6** dass diese Band nicht sehr berühmt ist.

Tipp

Speaking from notes

- Collect all the facts and arguments you want to use.
- Write them out in a structured way, using key words and phrases.
- Keep it simple.
- Speak clearly to ensure everyone understands you.

Ⓐ Prepare a short presentation about your favourite music or artist/band. Look at your answers from activity 2 and the suggestions above. Also use the verbs in the grammar box to express your opinion. Focus on the following questions:

- How important is (your) music for you?
- What does (your) music mean to you?
- What is not so important for you?

Ⓑ Give your presentation to a group of two or three students.

Grammatik aktuell

1 Relative pronouns

Relative pronouns mean 'who' or 'which/that' and are used to join simple sentences together. In German, relative pronouns agree with the number, gender and case of the noun to which they refer and send the verb to the end of the sentence. There is always a comma before the relative pronoun.

A Join the two sentences together with the correct relative pronoun.

Example: Heavy Metal ist Musik. Sie ist laut.
Heavy Metal ist Musik, die laut ist.

a Ich habe ein Karaoke-Spiel gekauft. Es macht Spaß.

b Ich habe einen Job in einem Musikladen. Er ist in der Stadt.

c Ich habe eine Freundin. Ihr Bruder ist Techno-Fan.

d Gestern haben wir Konzertkarten gekauft. Sie waren teuer.

e Unser Musiklehrer spielt immer klassische Musik. Sie ist langweilig.

f Ich singe in einer Band. Sie heißt Noize.

2 Word order in subordinate clauses

Subordinating conjunctions alter the word order of the second clause – they send the main verb to the end.

Ich mag Rockmusik. Sie ist laut.

Ich mag Rockmusik, **weil** sie laut **ist**.

Ich bin ein Fan von Tokio Hotel. Sie singen auch auf Englisch.

Ich bin ein Fan von Tokio Hotel, **obwohl** sie auch auf Englisch **singen**.

For a full list of subordinating conjunctions see page 175.

A Write subordinate clauses with the conjunctions from the blue box.

a Ich höre gern Musik. Es entspannt mich.

b Ich muss sparen. Ich kaufe eine Gitarre.

c Es gefällt mir. Deutschpop ist so beliebt.

d Ich singe gern. Ich kann nicht gut singen.

e Ich träume oft. Ich höre Musik.

f Ich war ein Kind. Ich hatte Tanzunterricht.

als	dass	weil	wenn	bevor	obwohl

3 Word order with *um ... zu*

um ... zu ('in order to') behaves like a subordinating conjunction, but it sends the main verb to the end in its **infinitive** form.

Ich höre Musik. Ich entspanne mich.

Ich höre Musik, **um** mich **zu entspannen**.

A Write sentences with *um ... zu* using the expressions below.

a in die Disco gehen/Freunde treffen

b tanzen/gute Laune haben

c zu Hause bleiben/CDs hören

d in die Stadt fahren/zu einem Konzert gehen

e englische Lieder hören/mein Englisch verbessern

4 Impersonal expressions

In impersonal expressions the subject is usually *es* (not *ich, du, er, sie*, etc.).

A Write new sentences using the impersonal expressions in brackets.

Example: **a** Es gefällt mir, dass viele Bands auf Deutsch singen.

a Viele Bands singen auf Deutsch. *(gefallen)*

b Ich höre gute Musik. *(Freude machen)*

c Ich entspanne mich bei Musik. *(gelingen)*

d Ich höre keine Musik. *(fehlen)*

e Ich bin mit Freunden zusammen. *(gut gehen)*

f Die Texte sind auf Deutsch oder Englisch. *(egal)*

Vokabeln

Musiktrends	**pages 54–55**
die Indie-Musik	alternative/Indie music
der Liedermacher	singer-songwriter
die Popmusik	pop music
der Sänger	singer
die Stimme	voice
die Tanzmusik	dance music
gründen	to found
produzieren	to produce
verlassen	to leave
ausverkauft	sold out
engagiert	engaged, committed
exzentrisch	eccentric
klassisch	classical
religiös	religious

Deutsche Musik in Deutschland	**pages 56–57**
der Künstler	artist
das Szenepublikum	alternative audience
das Vorbild	role model
auseinandersetzen	to deal with
fühlen	to feel
provozieren	to provoke
aggressiv	aggressive
erfolgreich	successful
gesellschaftsfähig	socially acceptable
humorvoll	humorous
unvorstellbar	unimaginable

Musik, die ich mag	**pages 58–59**
der Ärger	anger
die Botschaft	message
das Gefühl	feeling
der Inhalt	content
der Kommerz	commercialism
die Wut	anger
ausdrücken	to express
fehlen	to miss
gelingen	to succeed
grauen	to be scared
prügeln	to fight
träumen	to dream
seicht	shallow
egal sein	not to care

Sie sind dran!

A Ergänzen Sie die Sätze mit Wörtern aus den Vokabellisten.

a Die Konzerte vom _____ Michael Jackson, der _____ gemacht hat, waren immer _____.

b _____ Musik mit Geige oder Klavier ist nichts für mich – ich mag Bands mit schrillem und _____ Look!

c Die Musik der neuen deutschen Gangsta-Rapper ist oft _____ und verherrlicht Gewalt. Es gibt aber auch lustige Sänger mit _____ Texten.

d Viele deutsche _____ nehmen sich _____ US-Sänger oder Bands zum _____.

e Ich kann meine _____ am besten in meinen Liedern _____. Aber Erfolg und _____ sind nicht wichtig für mich.

f Linda hatte in der Schule oft _____ und _____ sich mit anderen Mädchen.

B Schreiben Sie weitere Lückensätze mit Wörtern aus den Vokabellisten. Tauschen Sie Ihre Sätze mit einem Partner/einer Partnerin und ergänzen Sie sie.

1a Bevor Sie den Liedtext lesen, lesen Sie die Überschrift. Was denken Sie – was bedeutet sie? Diskutieren Sie mit einem Partner/einer Partnerin.

Flugzeuge im Bauch

Du hast Schatten im Blick dein Lachen ist gemalt
deine Gedanken sind nicht mehr bei mir
streichelst mich mechanisch völlig steril
eiskalte Hand mir graut vor dir

Fühl mich leer und verbraucht alles tut weh
hab Flugzeuge in meinem Bauch
kann nichts mehr essen kann dich nicht vergessen
aber auch das gelingt mir noch

*Gib mir mein Herz zurück du brauchst meine
Liebe nicht*
gib mir mein Herz zurück bevor's auseinanderbricht
*je eher je eher du gehst umso leichter umso leichter
wird's für mich*

Niemand der mich quält niemand der mich
zerdrückt
niemand der mich benutzt wann er will
niemand der mit mir redet nur aus Pflichtgefühl
der nur seine Eitelkeit an mir stillt

Niemand der nie da ist wenn man ihn am
Nötigsten hat
wenn man nach Luft schnappt auf dem Trocknen
schwimmt
lass mich los oh lass mich in Ruh damit das ein
Ende nimmt

Oh gib mir mein Herz …

1b Finden Sie einen Videoclip von diesem Lied von Xavier Naidoo im Internet und hören Sie zu. Wie finden Sie das Lied?

2a Lesen Sie den Liedtext. Dann lesen Sie diese Kurzbeschreibungen. Welche passt am besten zu diesem Lied?

    a Das Lied handelt von einer Reise in ein kaltes Land.

    b Es geht um einen Mann, der krank ist.

    c Es ist ein Lied vom Ende einer Liebe.

2b Lesen Sie noch einmal den Liedtext und wählen Sie die passenden Antworten.

    1 Er weiß, sie liebt ihn nicht mehr, weil …
        a ihre Gefühle für ihn erkaltet sind
        b sie einen neuen Freund hat.

    2 Er …
        a ist einsam und traurig
        b hat Angst vor der Zukunft.

    3 Er will, dass sie …
        a für immer bei ihm bleibt
        b schnell weggeht.

    4 Er denkt, dass …
        a sie ihn unglücklich macht
        b nur sie ihn glücklich macht.

    5 Er glaubt, dass …
        a sein Leben ohne sie zu Ende ist
        b sein Leben ohne sie besser ist.

3 Finden Sie ein anderes deutsches Lied im Internet. Beschreiben Sie das Lied.

    ● Wovon handelt das Lied? (Was ist der Inhalt?)
    ● Was sind die Ideen und Themen des Lieds/ jeder Strophe?
    ● Was für eine Atmosphäre wird geschaffen?
    ● Wie finden Sie das Lied?

Tipp

Responding to a poem or song lyrics

When discussing a song or a poem, you need to show that you can describe and analyze the following main aspects:

● the content (*der Inhalt*) – what is the song about?

Make sure you have completed activities 1a and 2a to help with this.

● the underlying themes and ideas (*die Ideen und Themen*)
● the main theme of each verse (*die Strophe*)

Make sure you have completed activity 2b to help with this.

● the way in which the writer creates a particular atmosphere (*die Atmosphäre*).

Ⓐ Look at the adjectives and adverbs in the first two verses – what atmosphere do they convey? Then look at the verbs and nouns in the fourth verse – what is the writer trying to describe with them?

6 Image ist alles!

By the end of this unit you will be able to:

- Discuss the importance of image for young people
- Talk about the cult of celebrity
- Describe different leisure activities
- Discuss how people can alter their image
- Use adverbs
- Use comparatives and superlatives
- Use the imperfect and perfect tenses together
- Use synonyms and antonyms
- Make effective use of vocabulary and complex structures

1 Ich will Spaß haben! Ich bin immer aktiv – ich bin immer mit meinen Freunden unterwegs. Gestern waren wir in der Stadt, auf der Skateboardbahn und abends sind wir in die Disco gegangen. Ich könnte nicht einfach nur zu Hause sitzen – das wäre langweilig! Aber ich bin auch tolerant – jeder soll so leben, wie er oder sie will.

3 Ich kann einfach nicht verstehen, dass vielen Jugendlichen Politik egal ist. Ich interessiere mich sehr für Politik. Reich sein ist für mich nicht wichtig – wir hatten noch nie viel Geld zu Hause und sind trotzdem glücklich! Ich möchte die Welt verändern, indem ich mich sozial engagiere und anderen helfe. Umweltschutz ist für mich auch sehr wichtig.

2 Musik ist meine Leidenschaft! Ich habe schon als Kind mein ganzes Geld für CDs ausgegeben. Ich höre Rock, Reggae, Hip-Hop, Jazz ... Ich habe auch meine eigene Band: ich spiele Gitarre und ich singe. Mein größter Traum wäre, mit meiner Musik berühmt zu werden. Für andere Hobbys habe ich keine Zeit.

4 Ich finde Mode total wichtig. Ich kaufe nur Markenklamotten, weil sie am besten und schicksten sind – ich würde nie Klamotten von Aldi tragen! Und ich will attraktiv sein, weil schöne Menschen Erfolg im Leben haben. Früher war ich etwas dicker und sah nicht gut aus. Doch jetzt mache ich immer Diät, um wie ein Model auszusehen!

1a Lesen Sie die vier Texte und finden Sie die passenden Fotos.

1b Vergleichen Sie Ihre Antworten mit einem Partner/einer Partnerin und begründen Sie Ihre Wahl.

Wer bin ich?

▸ *Definiert das Image eine Person?*
▸ *Kann man sein Image ändern?*

1a  Besprechen Sie folgende Fragen mit einem Partner/einer Partnerin und machen Sie Notizen.

- Wie wichtig ist Mode für Sie?
- Kaufen Sie sich für jede Saison neue Sachen?
- Finden Sie es wichtig, dass andere Leute Sie modisch finden?
- Wie ist Ihr persönlicher Stil?

1b Berichten Sie dann der Klasse, wie wichtig Image für Ihren Partner/Ihre Partnerin ist.

2a Ist das Thema „Image" neu? Lesen Sie die Texte rechts und finden Sie die deutsche Übersetzung für die folgenden Ausdrücke.

a	a better world	**f**	the main thing is
b	with a flower pattern	**g**	signs of our identity
c	it's up to them	**h**	without war
d	very old-fashioned	**i**	peace for everyone
e	what the clothes cost	**j**	not true friends

2b Vervollständigen Sie diese Sätze.

a Musik ist für Simone wichtiger als _____.

b Sie will sich _____ fühlen und tragen, was ihr _____.

c Viele Hippies hatten _____ Haare.

d Gerds Generation _____ gegen Krieg.

e Manche _____ in Simones Klasse _____ viel Geld für Kleidung aus.

f Richtige _____ finden die Person wichtiger als das _____.

g Blumen _____ waren ein _____ für Liebe und Frieden.

2c Korrigieren Sie diese Sätze.

a Als Teenager interessierte sich Gerd für Mode.

b Seine Eltern waren Hippies.

c Er fand die politische Situation in Ordnung.

d Simones Freunde haben immer die allerneuesten Designer-Sachen.

e Sie findet es wichtig, dass ihre Kleidung modisch ist.

f Sie bekommt kein Taschengeld.

Gerd Müller

Als ich Teenager war, zur Zeit der Hippie-Mode, trug ich weite Jeans, bunte T-Shirts und Pullis; für den Winter hatte ich einen Pelzmantel mit Blumenmuster. Lange Haare gehörten natürlich auch dazu. Meine Eltern fanden das alles schrecklich! Wie viel die Kleider kosteten oder wo wir sie kauften, das interessierte uns nicht. Für viele Teenager ging es nicht nur darum, cool auszusehen. Die Blumen

in unseren Haaren, die individuelle Kleidung, die Musik, die wir hörten – das alles waren Symbole für unsere Identität und unsere Ideen. Wir protestierten gegen das politische System und die Autorität der älteren Generation. Was wir wollten? Eine bessere Welt ohne Krieg und Nuklearwaffen, Frieden und Liebe für alle Leute …

Simone Meier

Für mich ist Mode kein großes Thema – Freunde, Musik und Spaß haben sind mir wichtiger. Natürlich will ich nicht schmuddelig oder total altmodisch aussehen. Wenn mir die Mode gefällt, kaufe ich mir gern etwas Neues. Hauptsache ist, dass meine Kleider zu meinem Stil passen und bequem sind. Es ist egal, ob ein bekannter Name auf dem T-Shirt oder den Turnschuhen steht. Mein ganzes Taschengeld für Kleidung ausgeben – nein, danke! Manche Leute in meiner Klasse kaufen immer die neuesten Designer-Outfits. Es ist ihre Sache, ob sie Hunderte von Euros dafür zahlen. Ich finde es aber nicht gut, wenn diese Leute über andere lachen, die nicht die allerneuesten Klamotten, Taschen oder Handys haben. Die gucken nur auf das Image und interessieren sich überhaupt nicht für den Charakter. Das sind keine richtigen Freunde.

Grammatik ➡167 ➡W50, 54

Using different types of past tense

You will get more marks if you show you can use a range of tenses. When talking or writing about events in the past, make sure you use both the perfect and the imperfect tense.

● The perfect tense is usually used for one-off events.

	auxiliary verb	past participle
Ich	habe ein T-Shirt	gekauft.
Wir	sind nach Berlin	gefahren.

● The imperfect is used, particularly in written German, to describe ongoing events in the past, such as feelings and opinions.

Das Konzert **war** super.

Wir **hatten** viel Spaß.

Ich **hörte** Musik aus England.

A Would you use the imperfect or the perfect tense to describe the following things?

a where you went on holiday last summer

b what you usually watched on TV as a child

c what the party you went to last week was like

d the plot of a good film you have seen

B Fill in the gaps with the correct perfect or imperfect tense forms.

a Gestern _____ wir ins Kino _____ (gehen).

b Der Film _____ lustig (sein)!

c Danach _____ wir Hunger (haben) und ich _____ Pizza _____ (essen).

d Er _____ früher jede Woche Pizza (machen).

e Ich _____ nach Hause _____ (fahren).

f Zu Hause _____ ich noch CDs _____ (hören).

C Write two paragraphs about fashion using five perfect and five imperfect tense sentences.

3a Wie wichtig ist Image? Hören Sie sich die Meinung von vier jungen Leuten an (Knut, Aminah, Sonja, Daniel) und beantworten Sie diese Fragen.

a Wer ist religiös?

b Wer interessiert sich überhaupt nicht für Mode?

c Wer fühlt sich in modischer Kleidung besser?

d Wer findet Mode sehr kreativ?

e Was kauft Aminah gern?

f Worin sieht Daniel ein Problem?

g Was sind Sonjas Tipps für junge Leute mit wenig Geld?

3b Finden Sie im Hörtext die deutsche Übersetzung für folgende Ausdrücke.

a what I do and think e to look different

b the first impression f part of my identity

c nothing else g for religious reasons

d are forced

4a Schreiben Sie Antworten (zwei bis drei Sätze) auf diese Fragen.

● Bequem oder modisch – worauf kommt es Ihnen beim Kleidungskauf an?

● Ist es für Sie und Ihre Freunde wichtig, Designer-Sachen zu haben? Warum (nicht)?

● Finden Sie es richtig, dass junge Leute heute in erster Linie Designer-Sachen kaufen?

● Ist Image für Jungen und Mädchen gleich wichtig?

● Was sagen Sie zu Leuten, die über Ihre Kleidung lachen?

4b Wählen Sie eines der Themen in Übung 4a und bereiten Sie mit einem Partner/einer Partnerin eine Präsentation vor. Stellen Sie positive und negative Argumente vor.

Hilfe

Wir sprechen über … .	Die Vorteile/Nachteile sind … .
Manche Leute denken … .	Unserer Meinung nach … .
Einerseits/Andererseits … .	Wir finden … .

4c Ist Image wichtig für Sie? Beantworten Sie die Frage in 150–200 Wörtern.

● Tragen Sie die gleiche Kleidung wie Ihre Freunde oder sind Sie Individualist(in)?

● Möchten Sie Ihr Image ändern oder sind Sie damit zufrieden?

● Wählen Sie Freunde, weil sie ein spezielles Image oder die gleichen Ideen haben?

● Beschreiben Sie eine Situation (wirklich oder imaginär), in der Ihr Aussehen einen merklichen Einfluss auf andere Leute hatte und deren Reaktionen geändert hat.

Der Starkult

▸ *Sind Stars gute oder schlechte Vorbilder?*

1a Lesen Sie diese Schlagzeilen und finden Sie dann unten die passenden Texte dazu.

1 Ist ihre Ehe wirklich zu Ende?

2 So kannst auch du ein Star sein.

3 Supermodel bringt neue Modekollektion auf den Markt.

4 Topmusiker spielen bei Benefizkonzert.

5 Star adoptiert zweites Kind.

6 Traumpaar heiratet auf Karibikinsel.

A Tausende von Mädchen warteten stundenlang vor dem Geschäft, um ein Kleid oder T-Shirt mit dem neuesten Designer-Namen zu kaufen. „Was es kostet, ist egal", sagten viele, „wenn nur das Label klar genug draufsteht."

B Kein Lächeln oder Händchenhalten auf der Party des Jahres – die beiden sahen sich eiskalt an und waren den ganzen Abend lang kaum zusammen. Sie erklärten jedoch nachdrücklich: „Bei uns ist alles in Ordnung."

C Mach schnell mit bei unserem Wettbewerb! Wer gewinnt, verbringt einen ganzen Tag im Studio – mit den Topstars dieser Show. Dazu Schönheits- und Modetipps und die neuesten Diäten und Fitnessprogramme.

D „Er wird bei uns ein besseres Leben haben und glücklich sein", sagte sie gestern auf einer Pressekonferenz in der kleinen afrikanischen Stadt. Ohne weitere Formalitäten wird das Kind morgen nach Europa reisen.

E Eine tolle Atmosphäre, schönes Wetter, über zwanzig weltberühmte Bands und Solisten – alle spielten umsonst und spendeten Gagen an internationale Hilfswerke.

F Sie wollten ihre Hochzeit privat feiern, aber die Fotografen und Journalisten verfolgten sie doch. „Lasst uns alleine und respektiert endlich unser Privatleben!" erklärte das Paar heute vor seiner Luxusvilla.

1b Lesen Sie diesen Text und schreiben Sie einen passenden Titel dazu.

Wer am Strand täglich Berühmtheiten treffen möchte, fährt dieses Jahr am besten in die Karibik. Für den Winterurlaub ist St. Moritz immer noch an erster Stelle.

1c Schreiben Sie jetzt einen kurzen Text zu dieser Schlagzeile und benutzen Sie die Wörter im Kasten.

Die neuesten Nachrichten aus Hollywood

| Filmstar Autounfall kein Führerschein |
| zu viel Alkohol/Drogen Polizei |

1d 🗣 Erfinden Sie Ihre eigenen Schlagzeilen. Tauschen Sie dann mit einem Partner/einer Partnerin. Er/Sie schreibt einen Text zu Ihren Schlagzeilen, und umgekehrt.

Tipp

Synonyms and antonyms

Synonyms are words which have the same meaning:
  Ferien/Urlaub   sagen/erklären

Antonyms are words which have opposite meanings:
  alles/nichts   reich/arm

Finding the right synonym or antonym will help with comprehension exercises, expand your vocabulary and extend your writing and speaking.

A Find an antonym on page 66 for each of these expressions.

  a zu Beginn   c eine schreckliche Atmosphäre

  b traurig sein   d Leben in der Öffentlichkeit

B Now find synonyms for these expressions.

  a die neuesten Nachrichten   d die Heirat feiern

  b wer den ersten Preis bekommt   e ohne Bezahlung

  c was es kostet, ist unwichtig

2a Hören Sie zu und schreiben Sie einen der Namen (Katarina, Michael, Thomas, Simone) zu jeder Frage.

  a Wer möchte viel Geld haben?

  b Wer ist über das Leben von Stars informiert?

  c Wer findet, dass Sportler ein gutes Vorbild sein können?

  d Wer beschreibt, was manche Stars mit ihrem Geld tun?

  e Wer interessiert sich nicht für das Privatleben der Stars?

  f Wer findet, dass Stars manchmal sehr schlechte Vorbilder sind?

2b Verbinden Sie jetzt die Satzhälften.

  1 Das Leben der Stars   a Geld für arme Menschen.

  2 Talentierte Musiker   b davon, ein Star zu sein.

  3 Manchmal spenden Stars c ist nicht wirklich realistisch.

  4 Spitzensportler werben d für Sportartikel und Nahrungsmittel.

  5 Viele Teenager träumen e brauchen keine Werbung.

Grammatik   ➡160 ➡W27

Adverbs

Adverbs add detail to a sentence by describing how, when or where something is done, or saying more about an adjective.

A Find these words on page 66. How would you translate them?

  a klar   c endlich

  b stundenlang   d nachdrücklich

In German, any adjective can also be used as an adverb, with no ending at all:

  Adjective: Er kocht gutes Essen. *He cooks good food.*

  Adverb: Er kocht gut. *He cooks well.*

However, there are some adverbs that exist only as adverbs:

- some adverbs of place: *hier, dort, dorthin, oben, unten*
- some adverbs of time: *häufig, oft, nie, heute Morgen*

B Look again at the texts. Exactly where do the adverbs come in the clause?

- If there are several adverbs in a sentence, the normal rules apply: Time, Manner, Place.

Ich fahre **heute allein dorthin**.
  I'm travelling there alone today.

- In German, an adverb can never be placed between the subject and the verb:

Ich kann **oft nicht** schlafen.
  I often can't sleep.

C Make a list of at least ten adverbs from the texts on page 66. Then choose five of them to write your own sentences.

Ich surfe **stundenlang** im Internet.

3 Schreiben Sie Ihre Meinung zum Thema „Der Starkult". Nehmen Sie eine berühmte Person als Beispiel. Erklären Sie, wie diese Person ein gutes/schlechtes Vorbild sein kann.

4 Schreiben Sie einen kurzen Text zum Thema „Meine Vorbilder". Erklären Sie, welche Person(en) Sie als Vorbild(er) haben. Was sind die speziellen Eigenschaften dieser Person(en)? Ist es für Sie wichtig, ein Vorbild zu haben?

Das Wochenende

▶ *Freizeitaktivitäten und Hobbys*

1 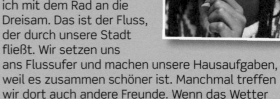 Machen Sie ein Brainstorming zum Thema Wochenende und erstellen Sie eine Liste von mindestens 15 Freizeitaktivitäten.

Ich heiße Ruth, bin 16 Jahre alt und liebe Musik. Ich höre am meisten Rap, Hip-Hop und Soul. Wenn eine gute Band spielt und wir genug Geld haben, gehe ich mit meinen Freunden ins Konzert. Livemusik ist einfach besser! Um fit zu bleiben, spiele ich oft Tennis, und ab und zu mache ich mit meiner Familie eine Wanderung auf dem Land.

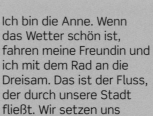

Ich bin die Anne. Wenn das Wetter schön ist, fahren meine Freundin und ich mit dem Rad an die Dreisam. Das ist der Fluss, der durch unsere Stadt fließt. Wir setzen uns ans Flussufer und machen unsere Hausaufgaben, weil es zusammen schöner ist. Manchmal treffen wir dort auch andere Freunde. Wenn das Wetter schlecht ist, gehen wir in die Stadt und schauen uns die Geschäfte an.

Mein Name ist Philipp. In meiner Freizeit lese ich am liebsten Comics, und ich sammle sie auch. Obwohl ich nicht alle Asterix-Comics habe, kenne ich sie alle. Ich weiß, dass ich eigentlich mehr Bücher lesen sollte, aber Comics lesen ist einfacher und man muss sich nicht so konzentrieren. Ich chatte auch gern im Internet, aber erst nachdem ich meine Hausaufgaben gemacht habe.

Ich bin 17 Jahre alt und heiße Klaus. Früher habe ich am Wochenende stundenlang mit meinen Freunden rumgehangen, habe Fußball gespielt oder am Computer gesessen. Seit einem Jahr habe ich eine Freundin, und sie ist jetzt am wichtigsten für mich. Wir gehen lieber zu zweit ins Kino oder in die Diskothek.

2 Was machen diese jungen Leute in ihrer Freizeit? Lesen Sie die Aussagen und beantworten Sie diese Fragen.

  a Wer geht manchmal gern einkaufen?

  b Wer sieht seine Freunde samstags nicht?

  c Wer macht gern lange Spaziergänge?

  d Wer mag eine spezielle Art von Lesematerial?

  e Geht Anne zu Fuß an den Fluss?

  f Mit wem geht Klaus am liebsten aus?

  g Wann sitzt Philipp am Computer?

  h Warum geht Ruth gern in Konzerte?

3a 🎧 Hören Sie sich die Interviews mit Nicki und Markus an. Machen Sie Notizen über das, was die beiden in ihrer Freizeit und am Wochenende machen.

	Nicki	Markus
Job		
Arbeitszeiten/Wann		
Meinung		
Hobbys		

3b 🎧 Hören Sie sich das erste Interview noch einmal an. Suchen Sie die richtige Antwort (1–5) zu diesen Fragen (a–e).

a Was bedeuten die Prüfungen im Sommer für Nicki?

b Was ist nicht gut?

c Warum hat sie beschlossen, etwas Geld zu verdienen?

d Warum findet sie die Arbeit ganz toll?

e Wann hofft sie, in den Sommerferien auch noch zu arbeiten?

1 Bevor sie mit ihren Freunden zusammen in Ferien fährt.

2 Damit sie, wenn sie auf die Uni geht, genug Geld hat.

3 Wenn man nur den ganzen Tag paukt.

4 Dass nur wenig Zeit für ihre Hobbys bleibt.

5 Weil man seine Englischkenntnisse anwenden kann.

3c 🎧 Hören Sie sich das zweite Interview noch einmal an. Schreiben Sie **R**, wenn die Aussage unten richtig ist, **F**, wenn die Aussage falsch ist, oder **NA** (nicht angegeben), wenn die Information nicht im Interview ist.

a Markus macht gleich nach der Schule seine Hausaufgaben.

b Meistens gibt es nichts Interessantes im Fernsehen.

c Markus findet Fußball nicht schlecht.

d Letztes Jahr hat Markus jemanden gerettet.

e Wenn er ins Schwimmbad geht, bezahlt er nichts.

f Markus hat zwei Schwestern.

4 🎙️ Machen Sie ein Interview mit einem Partner/einer Partnerin über seine/ihre Freizeit- und Wochenendaktivitäten. Sie können Fragen stellen über:

● Zeit für Hobbys?

● Welche Freizeitbeschäftigung?

● Samstagsjob?/Arbeitszeiten?

● Taschengeld?

● Aktivitäten am Wochenende?

5 Schreiben Sie einen Abschnitt (120–150 Wörter) über Ihre Freizeit- und Wochenendaktivitäten.

Grammatik

➡ 160 ➡ W28

Comparative and superlative

To make comparisons in German, use the following:

● **Adjectives**

Example of regular form:

wichtig	**wichtiger**	**der/die/das wichtigste**
important	*more important*	*the most important*

Example of irregular form:

gut	**besser**	**der/die/das beste**
good	*better*	*the best*

● **Adverbs**

Example of regular form:

häufig	**häufiger**	**am häufigsten**
often	*more often*	*most often*

Example of irregular form:

viel	**mehr**	**am meisten**
a lot	*more*	*most*

To compare two things, you use:

nicht so gut **wie** – *not as good as*

genauso populär **wie** – *just as popular as*

ebenso interessant **wie** – *just as interesting as*

besser **als** – *better than*

Ⓐ Complete the sentences with the comparative form of the adjectives in brackets.

a Das Wochenende war _____ , als Carla gedacht hatte. *(gut)*

b Mein Computer ist _____ als Tanjas. *(schnell)*

c Der Fußballverein ist _____ als der Volleyballverein. *(alt)*

d Lesen ist _____ als Fernsehen. *(interessant)*

e Glücklich sein ist _____ als viel Geld verdienen. *(wichtig)*

f Ich sehe _____ Reality-Shows als Krimis. *(viel)*

Ⓑ Choose the correct adjectives from the box below and put them into the superlative form.

a Dominik macht die _____ Partys.

b Das war der _____ Film – total langweilig!

c Ich gehe am _____ ins Kino – ich gehe zweimal pro Woche.

d Wir machen die _____ Spaziergänge.

e Ich spiele am _____ mit meiner PS3.

f Nicki ist eine der _____ Studentinnen.

fleißig	häufig	gern	schrecklich	gut	lang

Grammatik aktuell

1 Adverbs

Using adverbs makes your written work more interesting.

A Here are some positive and negative opinions about young people. Choose the correct adverb from the box below to complete the sentences.

a Manche Teenager möchten _____ reich und berühmt werden.

b Andere möchten _____ reisen und keine Verantwortung übernehmen.

c Viele denken, dass sie _____ selbstständig werden sollten.

d Mädchen interessieren sich _____ für Stars als Jungen.

e Junge Männer benehmen sich _____ und helfen _____.

f Junge Leute sind _____ über berühmte Leute informiert, weil Zeitschriften immer mehr über Promis berichten.

> lieber   besser   seltener   am liebsten
> schlechter   häufiger   schneller

B Now write your own sentences about young people, using the adverbs above.

2 Comparative and superlative

Extend and enrich your spoken and written German by making comparisons between different things.

A Write down the comparative form of the adjectives in brackets. Make sure you use the correct ending. If you need help, see page 152.

Example: Die Schweiz ist ein (*klein*) Land als Deutschland. Die Schweiz ist ein **kleineres** Land als Deutschland.

a Es gibt (*interessant*) Vorbilder als Popstars.

b Teenager tragen (*modisch*) Kleidung als ihre Eltern.

c Gute Mitbürger sind (*umweltfreundlich*).

d Die Hippies wollten eine (*tolerant*) Welt.

e Junge Leute wünschen sich oft ein (*gut*) Image.

f Sind Designerklamotten (*bequem*) als Second-Hand-Kleidung?

B Write superlative sentences with *ist/sind am …*

Example: Deutsche Popstars (*gut*)
Deutsche Popstars sind **am besten**.

a Liechtenstein (*klein*)

b Heidi Klum (*schön*)

c Mein Aufsatz (*lang*)

d Heavy Metal-Musik (*laut*)

e Diese Schülerinnen (*fleißig*)

C Now write the superlative form of the adjectives in brackets.

Example: Januar ist der (*kalt*) Monat des Jahres.
Januar ist der **kälteste** Monat des Jahres.

a Ich suche immer die (*billig*) Angebote.

b Im Second-Hand-Shop findet man oft die (*lustig*) Sachen.

c Weshalb tragen Filmstars immer die (*teuer*) Designer-Sachen?

d Kinder zu haben, ist die (*groß*) Verantwortung.

e Die (*reich*) Stars sind nicht immer die (*kreativ*).

f Mag deine (*gut*) Freundin die gleiche Kleidung?

3 Using different types of past tense

The perfect tense is more commonly used in German to describe an action or event in the past, whereas the imperfect is used to write narratives, reports, accounts and opinions in the past. With certain words the imperfect tense is more commonly used than the perfect, even in speech, for example:

> sein – ich **war**
> haben – ich **hatte**
> werden – ich **wurde**

A Rewrite these present tense sentences, using either the perfect or the imperfect tense.

a Das Konzert ist super!

b Wir spielen im Park Frisbee.

c Ich fahre in die Stadt.

d Wir haben viel Spaß.

e Ich kaufe ein Computerspiel.

f Als Kind will ich berühmt sein.

Vokabeln

Wer bin ich?   *pages 64–65*

das Blumenmuster	*floral pattern*
der Charakter	*character*
die Designer-Sachen (pl.)	*designer clothes*
die Hauptsache	*main thing*
die Klamotten (pl.)	*clothes*
der Pelzmantel	*fur coat*
dazugehören	*to belong*
gucken	*to look*
protestieren	*to protest*
bekannt	*well-known, famous*
religiös	*religious*
schmuddelig	*dirty, grubby*

Der Starkult   *pages 66–67*

das Benefizkonzert	*charity gig, concert*
die Berühmtheit	*famous person*
die Diät	*diet*
die Formalität	*formality*
der Führerschein	*driving licence*
das Händchenhalten	*holding hands*
die Modekollektion	*fashion collection*
die Pressekonferenz	*press conference*
das Vorbild	*role model, example*
der Wettbewerb	*competition*
adoptieren	*to adopt*
draufstehen	*to be written on something*
folgen	*to follow*
verbringen	*to spend*
eiskalt	*cold*
talentiert	*talented*

Das Wochenende   *pages 68–69*

der Fluss	*river*
die Freizeitsbeschäftigung	*leisure activity*
das Lesematerial	*reading materials*
der Samstagsjob	*Saturday job*
die Wanderung	*hike*
pauken	*to study hard/swot*
rumhängen	*to hang out*
sammeln	*to collect*
verdienen	*to earn*

Sie sind dran!

A Ergänzen Sie die Sätze mit Wörtern aus den Vokabellisten.

a Jan trägt _____ aus dem Supermarkt. Und ich würde nie einen _____ tragen – ich liebe Tiere!

b Meine Freundin trägt keine teuren _____ – aber ihre Kleidung muss sauber und nicht _____ sein.

c Auf der _____ stellt die Designerin ihre neue _____ vor.

d Viele _____ sind total dünn – sie machen bestimmt immer _____.

e Meine liebste _____? Lesen und im Sommer im _____ in unserem Dorf schwimmen.

f Katja hat einen _____ – sie will Geld _____ und nicht nur zu Hause _____.

B Schreiben Sie weitere Lückensätze mit Wörtern aus den Vokabellisten. Tauschen Sie Ihre Sätze mit einem Partner/einer Partnerin und ergänzen Sie sie.

Extra

Tätowierung und Piercing – nur eine Frage des Geschmacks?

1 Ringe, Stäbchen und Schmucksteine durch Ohren, Lippen, Zunge, Augenbrauen, Bauchnabel und andere Körperteile sind seit Jahren in. Mit Tätowierungen lassen viele Menschen ihren Körper verändern. Schätzungen zufolge trägt schon fast jedes zweite Mädchen unter 18 Piercings oder Tätowierungen. Viele Eltern bringen ihre Kinder bereits im Säuglingsalter zum Ohrlochstechen.

2 Nun forderte der Präsident des Verbands der Kinder- und Jugendärzte in Deutschland, Wolfram Hartmann, dass Piercings und Tätowierungen bei Kindern und Jugendlichen unter 18 Jahren verboten werden sollen. Er wies darauf hin, dass etwa jeder fünfte derartige Eingriff medizinische Komplikationen nach sich ziehe. Doch was sind eigentlich Piercings und Tatoos und warum sind sie so verbreitet?

3 Beide Formen der Körpermodifikation gibt es schon lange. Es wurden Jahrtausende alte Mumien mit Tätowierungen gefunden. Traditionelle Piercings waren und sind bei den Ureinwohnern Afrikas, Asiens und Amerikas verbreitet und haben zum Teil religiöse Bedeutung. In Mitteleuropa waren bis in die 1970er Jahre nur Ohrringe üblich, Tätowierungen galten als Zeichen von Randgruppen wie Häftlinge oder Seeleute. Über die Punkszene fanden diese Arten des Körperschmucks Eingang in die Jugendkulturen.

4 Heute sind Piercings und Tatoos meist eine Frage der Mode. An welchen Stellen man sich tätowieren lässt und welche Motive man bevorzugt, hängt häufig davon ab, was Stars aus Musik- und Showbusiness oder Sport vormachen. Oft spielt auch die eigene Clique eine Rolle. Tragen alle Freunde einen Stern am Knöchel oder einen Ring im Bauchnabel? Was gilt im Freundeskreis als schön?

1a **Lesen Sie den Artikel und finden Sie die passende Überschrift für jeden Abschnitt.**

  a Kinderärzte kontra Körpermodifikation

  b Modetrends in der heutigen Zeit

  c Piercings und Tätowierungen schon bei Kindern

  d Eine uralte Tradition

  e Viele Jugendliche wollen die gleichen Tätowierungen wie ihre Vorbilder.

1b **Finden Sie die deutschen Wörter im Artikel.**

  a eyebrow   **c** native   **e** ankle

  b mummy   **d** prisone

1c **Schreiben Sie R, wenn die Aussage unten richtig ist, F, wenn die Aussage falsch ist, oder NA (nicht angegeben), wenn die Information nicht im Artikel steht.**

  a Fast 50 Prozent aller jungen Mädchen sind tätowiert oder gepierct.

  b Wolfram hatte früher eine Tätowierung.

  c Tätowierungen und Piercings sind in keinster Weise gefährlich.

  d Punker machten Piercings und Tätowierungen für Jugendliche unattraktiv.

Tipp

Making effective use of vocabulary and complex structures I

Once you have learnt how to say something in one way, it is tempting to use the same expression each time. To avoid this, do an 'expression brainstorm' every now and then. The one below is about ways of defending your point of view, but this exercise can be carried out with many different groups of expressions.

A **How many other expressions can you add to this list in two minutes?**

  Ich bin der Meinung/Auffassung, dass …

  Einerseits … andererseits …

  Das sehe ich auf keinen Fall so …

  Das mag schon sein, aber …

B **Are you for or against piercings and tattoos? Discuss the issue in your group, using as many of the expressions as you can from activity A.**

Auf die Plätze – fertig – los!

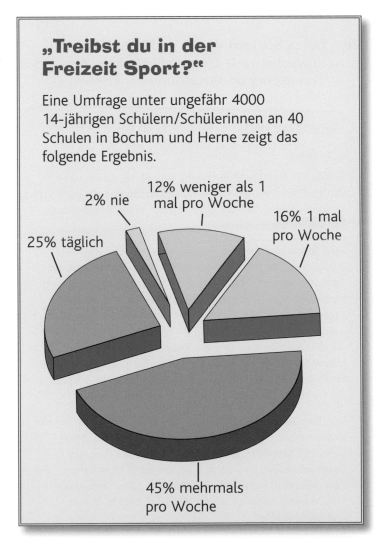

„Treibst du in der Freizeit Sport?"

Eine Umfrage unter ungefähr 4000 14-jährigen Schülern/Schülerinnen an 40 Schulen in Bochum und Herne zeigt das folgende Ergebnis.

2% nie

12% weniger als 1 mal pro Woche

16% 1 mal pro Woche

25% täglich

45% mehrmals pro Woche

Hilfe

25% = ein Viertel oder jeder Vierte
50% = die Hälfte oder jeder Zweite
2% = zwei Prozent

1a Wie viel Sport treiben diese deutschen Jugendlichen? Vervollständigen Sie diese Sätze mit Hilfe des Kreisdiagramms.

  a Weniger als 5% dieser befragten Jugendlichen ...

  b Fast jeder Zweite der Schüler/Schülerinnen ...

  c Jeder Vierte ...

  d Weniger als 20%...

1b Machen Sie eine Umfrage in der Klasse: „Wie oft treibst du Sport?" „Wie oft soll man Sport treiben?" Vergleichen Sie Ihr Ergebnis mit dem Ergebnis der deutschen Umfrage.

Traditioneller Sport oder Trendsportarten?

▶ *Neue Sportarten werden immer beliebter*

1a Welches Bild passt zu welcher Sportart?

a Cyclocross		**g** Beachvolleyball	
b Radfahren		**h** Schlittschuhlaufen	
c Inlineskating		**i** Basketball	
d Tennis		**j** Sandboarding	
e Kitesurfen		**k** Klettern	
f Mountainbiking		**l** Nordic Walking	

1b Welche Beschreibung passt zu welcher erwähnten Sportart oben?

1 Wer sein Snowboard im Sommer zu Hause lässt, ist selbst schuld. Für begeisterte Snowboarder gibt es keine Sommerpause. Sie schwingen ihre Bögen nicht im Schnee, sondern im Sand.

2 Die Windsurfer gehen jetzt sogar in die Luft! Mit einem Lenkdrachen heben die Surfer ab: bis zu 10 Meter hoch und bis zu 100 Meter weit.

3 „Ich brauche doch keinen Stock. Das ist etwas für die Alten!" Von wegen! In ein paar Jahren wird dieser Trendsport bestimmt zum Breitensport.

1c Welche der genannten Sportarten a–l haben Sie schon einmal gemacht? Welche würden Sie gern machen? Diskutieren Sie zuerst mit einem Partner/einer Partnerin, dann mit der Klasse.

2a Lesen Sie jetzt den Text. Finden Sie möglichst viele Unterschiede zwischen Trendsport und traditionellem Sport.

TRENDSPORT – WIE UNTERSCHEIDET ER SICH VOM TRADITIONELLEN SPORT?

Trendsport nennt man die neuen Sportarten, die sich von den traditionellen Sportarten unterscheiden und die man nicht als Breitensport, also als Sport für die breite Bevölkerung, bezeichnen kann.

Zum Trendsport gehören Fitnessaktivitäten, Funsport und Risikosport. Das heißt also es geht um Geschwindigkeit, um Spaß, um extreme Gefühle und um Nervenkitzel. Trendsport-Veranstaltungen nennt man oft ,Happenings'. Bei diesen Veranstaltungen geht es außer um die sportliche Aktivität auch um die spezielle Szene. Wer dazu gehören will, muss natürlich die spezielle Kleidung und die entsprechenden Markenprodukte haben. Außerdem haben die Trendsportler sogar ein eigenes Vokabular entwickelt. Wie der Name sagt, sind diese Sportarten ein Trend. Das bedeutet, dass sie kommen und gehen.

Der Trendsport Inlineskating ist jedoch in den letzten Jahren immer beliebter geworden und hat sich zum Breitensport entwickelt. Ungefähr acht Millionen Deutsche lieben den Sport auf Rollen, und jährlich werden rund 1,7 Millionen Paar Inlineskates verkauft. Es gibt auch schon Varianten von Inlineskating, nämlich Fitness Skating, Freestyle Skating und Speedskating.

---

selbst schuld sein – one's own fault	*der Unterschied – difference*
der Drachen – kite	*der Bogen (¨) – turn, curve*

2b Warum macht man Trendsportarten? Diskutieren Sie in der Klasse. Benutzen Sie die Hilfe-Ausdrücke.

Hilfe

Meiner Meinung nach ...

Es geht vor allem um ...

Im Vergleich zu traditionellen Sportarten, ...

Tipp

Answering questions in German

- Always read the whole text before answering a question.
- Read each question and make sure you understand it.
- Look up any unknown words.
- Look at the question words, as they help you find the answer:

  Wie viele ... ? (Look for numbers in the text.)

  Wann ... ? (Look for a time element.)

- Look for key words in the question, then find these key words in the text.
- Check how many marks each question is worth, then look for the appropriate number of examples in the text.
- When answering in full sentences, keep your sentences simple in order to avoid mistakes and check the word order carefully.

A Make a list of as many German question words as possible and translate them into English.

B Now read the text about *Trendsport* again and answer these questions.

  a Was versteht man unter dem Begriff ‚Trendsportarten'? (1)

  b Worum geht es bei Trendsportarten? (3)

  c Was ist wichtig, wenn man zu einer Trendsport-Szene dazugehören will? (3)

  d Wie viele Deutsche machen Inlineskating? (1)

  e Woran sieht man auch, dass der Sport sehr beliebt ist? (1)

  f Welche Arten von Inlineskating gibt es? (3)

3a Hören Sie sich die Meinungen von drei Jugendlichen an und machen Sie Notizen zu den folgenden Fragen.

	Warum treiben sie Sport?	Was halten sie von Sport?
Daniela		
Florian		
Jens		

3b Fassen Sie die Hauptpunkte schriftlich zusammen und erwähnen Sie auch Ihre Meinung (etwa 100–150 Wörter).

4a Benutzen Sie die Information und die Argumente auf diesen Seiten und machen Sie zwei Listen.

- Trendsportarten: Vorteile und Nachteile
- Traditionelle Sportarten und Vereinssport: Vorteile und Nachteile

4b Diskutieren Sie nun die Vor- und Nachteile mit der Klasse.

5a Entwerfen Sie einen Fragebogen zum Thema „Trendsport oder traditioneller Sport" und bitten Sie vier Freunde/ Freundinnen, ihn auszufüllen. Hier ein paar Vorschläge:

- Welche Sportarten?
- Warum?/Warum nicht?
- Wie oft?
- Seit wann?

5b Fassen Sie das Ergebnis in einem kurzen Bericht zusammen und lesen Sie ihn Ihrer Klasse vor.

5c Beschreiben Sie Ihren Lieblingssport und nennen Sie Gründe dafür. Präsentieren Sie Ihrer Klasse Ihre Beschreibung.

Sport und Gesundheit

▶ „Wer Sport treibt, bleibt gesund!" Stimmt das?
▶ Warum leiden heute so viele Menschen an Bewegungsmangel?

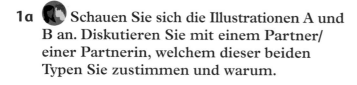

1a Schauen Sie sich die Illustrationen A und B an. Diskutieren Sie mit einem Partner/ einer Partnerin, welchem dieser beiden Typen Sie zustimmen und warum.

1b Wie halten Sie sich fit? Machen Sie eine Liste mit positiven Punkten. Machen Sie eine zweite Liste mit dem, was Sie nicht machen sollten.

2a Finden Sie die passende englische Bedeutung.

1	die Bewegung	**a**	metabolism
2	fördern	**b**	recommendation
3	der Stoffwechsel	**c**	to promote
4	der Mangel an	**d**	to prevent
5	ausgewogen	**e**	balanced
6	die Empfehlung	**f**	fluid
7	die Flüssigkeit	**g**	lack of
8	vorbeugen	**h**	movement

2b Hören Sie sich einen Text mit Empfehlungen des Deutschen Olympischen Sportbundes an. Lesen Sie dann die folgenden Aussagen und finden Sie die sechs Aussagen, die dem Sinn des Hörtextes entsprechen.

a Sport hilft bei Prävention und Rehabilitation.

b Besonders die Technik entwickelt sich schnell.

c Die Menschen sitzen immer mehr.

d Freizeitsport ist nicht so wichtig.

e Durch Sporttreiben und gesundes Essen schützt man seinen Körper vor Krankheiten.

f Verbringen Sie nicht zu viel Zeit an der frischen Luft.

g Genügend Flüssigkeit zu sich nehmen ist wichtig.

h Rauchen Sie nicht und trinken Sie wenig Alkohol.

2c Hören Sie sich den Text noch einmal an und beantworten Sie die folgenden Fragen.

a Was ist gut für die Gesundheit?

b Wie viele Sportvereine gibt es in Deutschland?

c Was ist heute ein besonderes Problem?

d Warum werden Freizeit- und Gesundheitssport immer wichtiger?

e Welche Tipps für einen gesunden Alltag hören Sie (mindestens vier)?

3a Lesen Sie die beiden Texte. Dann lesen Sie die Sätze. Schreiben Sie den passenden Namen (Katja oder Herr Teuber) zu jedem Satz.

a Man soll so stressfrei wie möglich leben.

b Man soll nicht zu lange ohne Unterbrechung arbeiten.

c Man soll auf Zigaretten verzichten.

d Man soll viel draußen sein.

A Katja steht ein Jahr vor ihrem Abitur und fühlt sich ständig unter Stress. Sie geht zu ihrer Hausärztin und bekommt die folgenden Tipps.

- Überprüfe deine Zeiteinteilung: arbeite eine Stunde lang und mach dann eine Pause.
- Geh in deiner Pause an die frische Luft: mach zum Beispiel einen Spaziergang.
- Ernähre dich gesund: viel Obst und Gemüse, wenig Fett und Zucker.
- Entspanne dich mit Meditation oder Yoga.
- Mach mindestens zwei Mal pro Woche Sport: Rad fahren, Jogging …

B Herr Teuber hat einen sehr verantwortungsvollen Beruf und hat seit kurzem Probleme mit dem Kreislauf. Bei seinem Arztbesuch bekommt er diese Tipps.

- Vermeiden Sie psychischen Stress.
- Treten Sie einem Sportverein bei und bewegen Sie sich regelmäßig.
- Hören Sie sofort auf zu rauchen.
- Trinken Sie nur wenig Alkohol.
- Entspannen Sie sich öfter.

3b Welche der Tipps finden Sie gut, welche nicht? Diskutieren Sie mit einem Partner/einer Partnerin.

3c Rollenspiel: Ihr Freund/Ihre Freundin treibt keinen Sport und verbringt die ganze Freizeit vor dem Computer. Geben Sie einige Tipps, wie er/sie seinen/ihren Lebensstil verbessern kann.

4 Lesen Sie die Information über den Imperativ und schreiben Sie fünf Gesundheits-Tipps für Grundschüler(innen).

Grammatik   ➡172 ➡W66

The imperative
The imperative is the command form. There are three forms in German, one each for *du, ihr* (familiar forms) and *Sie* (polite form).

A Look at the texts in activity 3a again and try to work out how the imperative is formed for the *du* and the *Sie* forms. Then check below.

Example: Sport treiben
(du)   Treib mehr Sport!
(ihr) Treibt mehr Sport!
(Sie) Treiben Sie mehr Sport!

- *Sein* has irregular imperative forms.
(du)   **Sei** nicht so langsam!
(ihr) **Seid** nicht so langsam!
(Sie) **Seien Sie** nicht so langsam!

B Complete these sentences using the imperative of the verbs in brackets.

a Thomas, _____ mehr Sport! (*treiben*)

b Susi und Katja, _____ die Tennisbälle _____! (*einsammeln*)

c Frau Maier, _____ Sie etwas schneller! (*gehen*)

d Herr Disch und Frau Klein, _____ Sie jede Woche eine Stunde lang! (*trainieren*)

e Anja, _____ nicht so langsam! (*fahren*)

f Kinder, _____ jetzt gut _____! (*zuhören*)

C Design a leaflet for young teenagers to inform them about the importance of sport and health. Use as many imperatives as possible.

Warum treiben Sie Sport?

▶ *Die Gründe, warum man Sport macht – Gesundheit, Fitness …*

1a Welche Sportarten sind bei den befragten Jugendlichen, die Sport treiben, am beliebtesten? Schauen Sie sich das Diagramm an und wählen Sie die richtige Alternative.

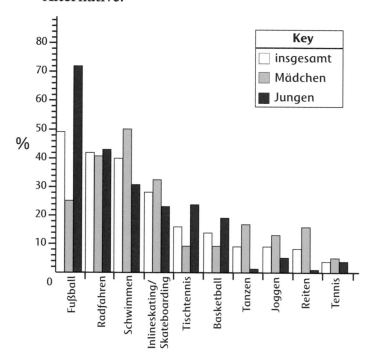

1 Fußball ist bei den Jungen
  a besonders beliebt
  b ziemlich beliebt
  c wenig beliebt.

2 Schwimmen kommt
  a recht hinten
  b vor Fußball
  c an dritter Stelle.

3 Bei Mädchen spielt Radfahren
  a eine ziemlich große Rolle
  b kaum eine Rolle
  c eine sehr kleine Rolle.

4 Basketball wird von
  a nicht so vielen Jungen gespielt
  b überhaupt keinen Jungen gespielt
  c wirklich vielen Jungen gespielt.

1b Wie sagt man das auf Deutsch? Finden Sie die Wörter in Übung 1a. Sehen Sie auch Seite 80 (*Qualifiers*) für mehr Informationen.

  a especially   **d** quite
  b little   **e** really
  c hardly   **f** very

1c Hören Sie zu und beantworten Sie diese Fragen auf Englisch.

  a Which sport is almost as popular as table tennis?
  b What other type of sport, apart from dancing and horse-riding, do girls like?
  c Where and with whom do these young people do sports?
  d How many are members of a sports club?

2 Der berühmte Tennisspieler Bernhard Müller spricht über seinen Lebensstil. Hören Sie gut zu und machen Sie Notizen zu den folgenden Punkten.

- Entspannung   • Ernährung
- Stress   • Zukunftspläne
- Training

3a Übernehmen Sie die Rolle eines berühmten Sportlers/einer berühmten Sportlerin und sprechen Sie mit einem Partner/einer Partnerin über „Ihren" Lebensstil. Wie stehen Sie zu Folgendem?

- Tägliche Routine   • Entspannung
- Ernährung   • Sport
- Stress

3b Schreiben Sie einen Artikel (150–200 Wörter) über „Ihren" Lebensstil für eine Jugendzeitschrift.

4a Lesen Sie die Texte rechts. Schreiben Sie **R**, wenn die Aussage unten richtig ist, **F**, wenn die Aussage falsch ist, oder **NA** (nicht angegeben), wenn die Information nicht im Text steht.

a Annika findet Sport nicht zu anstrengend.

b Sie ist nicht in einem Verein.

c Sie isst nach dem Joggen eine gesunde Mahlzeit.

d Marks Karateverein hat nur ältere Mitglieder.

e Gewinnen ist für Mark nicht wichtig.

f Er trainiert so oft er kann.

4b Lesen Sie die Texte noch einmal. Wie sagt man das auf Deutsch?

a to overdo something

b to stick with something

c way of life

d the weaker

e team sport

f feeling of solidarity

g it's worth, pays to

h to miss

4c  Warum machen Sie Sport? Diskutieren Sie mit einem Partner/einer Partnerin.

Es heißt, dass Sport Mord ist ... das sehe ich aber nicht so. Es kommt darauf an, nicht zu übertreiben! Sport kann – und soll – Spaß machen: das ist mein Motto. Es fragt sich, ob man sonst dabei bleibt. Es ist wichtig, dass man eine Sportart findet, die zu der eigenen Lebensweise passt. Ich mag zum Beispiel keine Sportvereine. Ich möchte Sport machen, wann und wenn ich Zeit habe. Ich jogge deshalb zwei- oder dreimal pro Woche dreißig Minuten lang. Das ist nicht anstrengend, aber es ist für den ganzen Körper gut: ich fühle mich fitter, bin nicht mehr so müde und kann nachts besser schlafen.

Annika, 17

Ich mache seit zehn Jahren Karate in einem Verein. Es freut mich, dass meine Freundin jetzt auch mit Karate angefangen hat – jetzt trainieren wir zweimal pro Woche zusammen! Karate ist ein Kampfsport, aber auch ein Mannschaftssport: es geht um Zusammenarbeit, denn die Älteren helfen den Kleineren oder Schwächeren und unterstützen sie. Das Zusammengehörigkeitsgefühl ist beim Sport wichtig für mich. Aber ich nehme Sport auch sehr wichtig: es gefällt mir, zu siegen – bei Wettkämpfen und auch beim Training. Und keine Frage: es lohnt sich, regelmäßig zu trainieren! Ich verpasse deshalb selten eine Trainingseinheit.

Mark, 18

Grammatik ➡164 ➡W43

Impersonal expressions II

Remember that in impersonal expressions the subject is usually *es* (not *ich, du, er, sie*, etc.).

Es geht mir gut.	I feel good/I am well. (It goes well for me.)
Es fehlt mir an Geld.	I don't have enough money. (It lacks money to me.)

Some impersonal verbs are always followed by a clause with *dass, ob, wenn* or *zu* which all send the verb to the end of the sentence.

Es heißt, dass Sport gut für uns **ist**.

Es ist wichtig, dass man regelmäßig Sport **macht**.

Es kommt darauf an, ob man regelmäßig oder nicht **trainiert**.

Es fragt sich, ob teure Sportkleidung wirklich besser **ist**.

Es lohnt sich, jeden Tag etwas Sport **zu machen**.

Es freut mich, wenn ich **gewinne**.

A Translate the sentences above into English.

B Complete sentences (a–f) with the endings (1–6).

a Es heißt,

b Es ist wichtig, dass

c Es kommt darauf an, dass

d Es fragt sich, ob

e Es lohnt sich,

f Es freut mich,

1 man regelmäßig Sport treibt.

2 wenn ich ein Spiel gewinne.

3 man bequeme Kleidung trägt.

4 zehn Minuten Sport pro Woche genug sind.

5 gute Sportschuhe zu kaufen.

6 dass Sport gut für den ganzen Körper ist.

Grammatik aktuell

1 Impersonal verbs

In sentences with impersonal verbs, the subject is usually *es*. Some impersonal verbs are always followed by a *dass*, *ob*, *wenn* or *zu* clause.

Es freut mich, dass ich fit bin.

Es ist wichtig, gesund zu essen.

For a list of impersonal expressions see page 164.

A Look at the picture and describe it by completing the sentences.

a Es _____ sich _____ die Eröffnung der Olympischen Spiele.

b Es _____ mir, weil …

c Leider werde ich nie an den Olympischen Spielen teilnehmen können, weil es mir _____ Erfahrung _____.

d Aber vielleicht _____ es mir, einmal an nationalen Sportwettkämpfen teilzunehmen.

e Es _____ darauf _____, ob ich genug trainiere.

f Aber es _____ ja, dass Übung den Meister macht!

B Translate the following sentences into German.

a She lacks experience.

b We hope that you succeed.

c It is about the Olympic Games.

d The question is whether sport is always healthy.

e It depends on how fast you are.

2 Imperatives

The imperative is the command form. There are three forms in German, one each for *du, ihr* (familiar forms) and *Sie* (polite form).

> **Example:** gehen
> Geh! (du)
> Geht! (ihr)
> Gehen Sie! (Sie)

A Listen to Lisa's advice for a healthy lifestyle and make notes on the following two points.

- ungesunder Lebensstil
- gesunder Lebensstil

B Now convert your notes for activity A into plural imperatives. Write down at least eight imperatives.

> **Example:** „Trinkt nicht so viel Alkohol!"

3 Qualifiers

Qualifiers go in front of an adjective or adverb. They increase or decrease the quality of the words they modify.

sehr	very
besonders	especially
kaum	hardly
recht	quite
wenig	few
ziemlich	quite

A Fill in each gap with a suitable qualifier.

a Ich bin _____ gut in Sport, aber ich bin nicht die Beste.

b Ich mache _____ Sport – eigentlich nie.

c Ich spiele _____ viel Tennis: zweimal pro Woche, aber ich spiele _____ oft Fußball – dreimal pro Woche.

B Write six sentences using the qualifiers above.

Vokabeln

Traditioneller Sport oder Trendsportarten?
pages 74–75

der Breitensport	*popular sport*
das Inlineskating	*inline skating*
das Kitesurfen	*kitesurfing*
das Klettern	*climbing*
das Mountainbiking	*mountain biking*
der Risikosport	*high-risk sport*
der Trendsport	*popular sport*
das Übergewicht	*overweight*
das Windsurfen	*windsurfing*
gehen um	*to deal with/be about*
lassen	*to let*
vernachlässigen	*to neglect*

Sport und Gesundheit
pages 76–77

die Bewegung	*motion*
die Flüssigkeit	*liquid*
die Luft	*air*
der Mangel	*lack*
der Schulstress	*stress at school*
der Sportverein	*sports club*
der Stoffwechsel	*metabolism*
bewegen	*to move about*
entspannen	*to relax*
ernähren	*to feed, nourish*
fördern	*to support*
schützen	*to protect*
vorbeugen	*to prevent*
frisch	*fresh*

Warum treiben Sie Sport?
pages 78–79

der Kampfsport	*martial arts*
die Lebensweise	*way of life*
der Mannschaftssport	*team sports*
die Rolle	*role*
die Stelle	*place*
die Zusammenarbeit	*collaboration*
dabeibleiben	*to stick with*
lohnen	*to be worthwhile*
siegen	*to win*
übertreiben	*to overdo something*
unterstützen	*to support*
verpassen	*to miss*
wichtig nehmen	*to take seriously*
beliebt	*popular*

Sie sind dran!

A Ergänzen Sie die Sätze mit Wörtern aus den Vokabellisten.

a Kitesurfen – das ist ein _____, denn man kann sich dabei verletzen.

b Im Sommer mache ich _____ auf einem See, oder ich mache _____ im Park.

c Ich _____ mich gesund und trinke pro Tag einen Liter _____, vor allem Wasser – das ist gut für den _____.

d Den ganzen Tag vor dem Fernseher sitzen – das ist ein _____ an _____!

e Die _____ ist beim _____ besonders wichtig, weil sich alle gegenseitig _____.

f Taekwondo ist ein _____ und wird auch in Deutschland immer _____.

B Schreiben Sie weitere Lückensätze mit Wörtern aus den Vokabellisten. Tauschen Sie Ihre Sätze mit einem Partner/einer Partnerin und ergänzen Sie sie.

Fußballprojekte für Mädchen

1 Mädchen sind oft benachteiligt – auch in ihrer Freizeitgestaltung. *Plan* unterstützt deshalb vier Fußballprojekte für Mädchen in Brasilien, Ghana, Togo und Indonesien. Durch die Sportprojekte und das Rahmenprogramm wird sowohl der Selbstbewusstsein der Mädchen als auch ihre Motivation in der Schule gesteigert. In den vier Projektländern müssen Mädchen oft erleben, dass gleichaltrige Jungen stärker gefördert werden als sie selbst. Die *Plan*-Projekte geben ihnen deshalb die Möglichkeit, ihre Fußballbegeisterung in die Tat umzusetzen.

2 Über 1.500 Mädchen sind direkt in die Projekte eingebunden, viele andere profitieren indirekt von den Maßnahmen, die auch eine Vielzahl von Lehrkräften, Eltern und Gemeindemitgliedern mit einbeziehen. Parallel zu den Trainingsstunden beschäftigen sich die Mädchen in einem Rahmenprogramm mit wichtigen sozialen Themen. In Workshops können sie sich mit den Kinderrechten auseinandersetzen und offen über Themen wie frühe Schwangerschaft, HIV und Aids oder Kinderhandel reden.

3 Fußball-Weltmeisterin Sonja Fuss hat die Schirmherrschaft für diese Projekte übernommen. „Ich unterstütze die Mädchen-Fußballprojekte von *Plan*, weil dieser Mannschaftssport Werte wie Respekt, Teamfähigkeit, Selbstbewusstsein vermittelt, die dazu beitragen, dass sich die jungen Spielerinnen in ihrer Gesellschaft besser positionieren können", sagt die Kapitänin des FCR Duisburg. Die Schirmfrau zeigt sich überzeugt: „Das Vermitteln von sozialen und emotionalen Aspekten wie zum Beispiel Nächstenliebe, Fairness, Aufrichtigkeit und Verantwortung geben nicht nur den betroffenen Mädchen Stärke für ihre eigene Zukunft, sondern vielleicht einer ganzen Familie, einem ganzen Dorf oder auch einem Land."

4 Unterstützen auch Sie eine gleichberechtigte Freizeitgestaltung für Mädchen in Brasilien, Ghana, Togo und seit Juli 2010 auch in Indonesien mit einer Spende. Bei Mehreinnahmen werden die Spenden für andere dringende *Plan*-Projekte verwendet. Den ausführlichen Projektbericht zum Thema „Mädchenfußball" können Sie sich hier ansehen und herunterladen: www.plan-deutschland.de/helfen-mit-plan/spenden/afrika/fussballprojekte-fuer-maedchen.

1a **Lesen Sie den Artikel. Welche Überschrift passt zu welchem Abschnitt?**

   a Sport UND thematische Arbeitsgemeinschaften

   b Recht auf Freizeit – auch für Mädchen

   c Unterstützung durch WM-Kickerin

   d Mehr Informationen – nicht nur zum Spenden

1b **Lesen Sie den Artikel noch einmal und beantworten Sie die Fragen auf Deutsch.**

   a Warum unterstützt *Plan* die Mädchen-Fußballprojekte?

   b Was machen die Mädchen außer Fußball in den Projekten?

   c Warum profitieren nicht nur die 1.500 Mädchen von dem Projekt?

   d Warum unterstützt WM-Meisterin Sonja Fuss die Projekte?

   e Warum ist sie überzeugt von den Projekten?

Tipp

Adapting a text

In activity A you will be adapting the article from this page. This means finding the main ideas and arguments you want to use and manipulating the language from the text to express the ideas or points in your own words.

To decide what to use, make notes of the key points for each section of the article.

   Example: *vier Projekte in …*

           positive Seiten: steigert Selbstbewusstsein
           Jungen werden mehr gefördert
           wichtiger als Spaß
           für eine Firma Werbung machen …

A **Write a summary of the article in German (150–200 words). Also give your opinion on the project.**

8 Gesundheit!

By the end of this unit you will be able to:

- Give reasons why people drink, smoke and use other drugs
- Discuss the consequences of drug-taking
- Talk about diet, including eating disorders, and work–life balance
- Discuss the health risks posed by sports
- Use the conditional tense with *werden*
- Use the conditional tense with modal, auxiliary and other verbs
- Use conditional clauses with *wenn*
- Use the imperfect subjunctive for the conditional tense
- Use conjunctions for style
- Structure a debate
- Extend your vocabulary
- Translate from German into English

Achten Sie auf Ihre Gesundheit? Machen Sie das Quiz! Was meinen Sie?

1 Wer raucht, setzt seine Gesundheit aufs Spiel, aber wer Alkohol trinkt, nicht.

A Das ist total richtig. Alkohol ist nicht so schädlich wie Rauchen.

B So ein Quatsch! Wenn man pro Tag ein oder zwei Zigaretten raucht, ist das genauso ungefährlich wie Alkohol trinken.

C Sowohl Rauchen als auch Alkoholtrinken sind gefährlich, besonders wenn man beides regelmäßig macht.

2 Wie sieht, Ihrer Meinung nach, ein gesundes Mittagessen aus?

A Der tägliche Imbiss zum Mitnehmen.

B Mittagessen? Wer hat dafür noch Zeit?

C Ein Käse-Vollkornbrötchen mit etwas gemischtem Salat.

3 Es ist Samstagabend und Sie treffen sich mit Freunden in der Stadt. Gehen Sie ...

A ... sofort in eine Kneipe und trinken Sie ein Bier nach dem anderen?

B ... in eine Bar und trinken Sie so schnell und so viel wie möglich?

C ... zuerst etwas essen und danach in eine gemütliche Kneipe auf ein Glas Wein oder ein Bierchen?

4 Es ist 14.00 Uhr an einem heißen, sonnigen Ferientag. Was machen Sie?

A Sie nehmen einen bequemen Liegestuhl, ein gutes Buch und legen sich in die Sonne.

B Sie cremen sich mit Sonnenmilch ein und legen sich in Ihrem Liegestuhl mit einem guten Buch unter einen Baum.

C Sie bleiben in Ihrem Zimmer, weil Sie die Hitze nicht mögen.

5 Ihr bester Freund/Ihre beste Freundin schenkt Ihnen eine Riesenschachtel Pralinen.

A Sie nehmen die Pralinen mit in die Schule und naschen den ganzen Tag davon.

B Sie verschlingen die ganze Schachtel nach einem besonders stressigen Schultag.

C Sie werfen ihm/ihr die Pralinen an den Kopf. Ist er/sie noch zu retten?

Am meisten **A:** Sie wissen ein bisschen etwas über gesundes Leben – aber Ihre Lebensweise könnte gesünder sein.

Am meisten **B:** Sie wissen leider gar nichts über gesundes Leben – das ist gefährlich!

Am meisten **C:** Bravo! Sie achten sehr gut auf Ihre Gesundheit und sind sehr gut informiert.

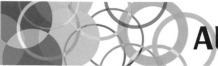

8 Alkohol- und Tabakgenuss

▸ *Warum greifen so viele Jugendliche zu Alkohol und Tabak?*

1 Bevor Sie den Text lesen, ordnen Sie die deutschen Ausdrücke den englischen zu.

1 quatschen	**a** to get drunk
2 echt	**b** dependent
3 tote Hose	**c** to chat
4 sich etwas trauen	**d** really
5 Kumpel	**e** dead boring
6 sich volllaufen lassen	**f** immature
7 unreif	**g** mate
8 abhängig	**h** to dare to do something

2a Zwei Jugendliche berichten über ihre Erfahrungen mit Alkohol/Zigaretten. Lesen Sie die Abschnitte unten.

2b Was berichten sie? Füllen Sie die folgende Tabelle aus.

	Michael	Anja
welche Droge		
wo genommen		
warum		
wie gefühlt		
welche Wirkung		

2c Finden Sie die entsprechenden Ausdrücke/ Synonyme im Text.

a Wir unterhielten uns.

b Man will in einer Gruppe sein und dazu gehören.

c Man raucht eine Zigarette nach der anderen.

d Man will cool sein.

e Du hast den Mut, ein Mädchen anzusprechen.

f Sucht

g zu viel Alkohol trinken

h Man wollte etwas eigentlich nicht tun.

2d Schreiben Sie **R**, wenn die Aussage unten richtig ist, **F**, wenn die Aussage falsch ist, oder **NA** (nicht angegeben), wenn die Information nicht im Text steht.

a Anja hat sich von Freunden beeinflussen lassen und ist heute Kettenraucherin.

b Man wird als Außenseiter angesehen, wenn man nicht raucht.

c Michael hat ein angenehmes Gefühl, wenn er etwas Alkohol getrunken hat.

d Er hat Angst davor, abhängig zu werden.

e Tolle Typen in Filmen sollten nicht rauchen.

Michael (16) meint: Alkohol gehört einfach zum Älterwerden. In meinem Freundeskreis trinken die meisten schon mal ein Bier oder manchmal, bei Partys oder so, auch was Stärkeres wie Spirituosen. Eine Party ohne Alkohol ist einfach tote Hose. Wenn du ein Glas Bier getrunken hast, fühlst du dich gut, entspannter, der Stress geht weg. Und du traust dich auch mal ein Mädchen, das du gut findest, anzuquatschen. Das Problem ist nur, dass einige nicht wissen, wann sie genug getrunken haben. Die wissen nicht, wann sie aufhören sollten. Ein Kumpel hat sich einmal volllaufen lassen, nur weil er auf die anderen Eindruck machen wollte. Das hab' ich total doof gefunden. Meiner Meinung nach zeigte er nur, wie unreif er war. Und diese Einstellung kann leicht zu einer Abhängigkeit führen.

Anja (17) erzählt: Ich war vierzehn, als ich meine erste Zigarette rauchte. Eigentlich schmeckte es überhaupt nicht, aber es war an einem Freitagabend nach dem Jugendklub. Wir standen zusammen und quatschten. Da zog eine Freundin plötzlich eine Schachtel Zigaretten aus ihrer Tasche und bot uns allen eine an. Obwohl ich noch nie geraucht hatte, und eigentlich auch keine Lust dazu hatte, hab' ich eine genommen. Ich wollte einfach nicht blöd aussehen und als ‚Mamas Liebling' angesehen werden. Es ist echt schwer, „nein" zu sagen, wenn man in einer Clique ist und akzeptiert werden will. Man sieht auch oft tolle Typen in Filmen oder so und, wenn die rauchen und cool aussehen, kann man ziemlich leicht beeinflusst werden. Besonders wenn man so zwischen zwölf und vierzehn ist.

Übrigens ist diese Freundin heute bereits Kettenraucherin und total von Zigaretten abhängig. Und das mit zwanzig! Ich fing das Rauchen zum Glück nie richtig an.

3 Welchen der folgenden Aussagen stimmen Sie zu, welchen nicht? Begründen Sie Ihre Meinung. Arbeiten Sie mit einem Partner/einer Partnerin.

a Junge Leute, die ein positives Selbstwertgefühl haben, brauchen keinen Alkohol und keine Zigaretten.

b Es spielt keine Rolle, ob Schauspieler in Filmen rauchen.

c Auch wenn man nicht viel Alkohol trinkt, kann man abhängig werden.

d Alkohol ist nicht so schädlich wie Zigaretten.

4a Hören Sie sich die Debatte mit Tanja, Stefan, Anita und Jens zum Thema „Rauchverbot in der Öffentlichkeit" an. Wer ist für und wer ist gegen ein Rauchverbot?

4b Welche der folgenden Meinungen werden in der Debatte erwähnt?

a Es ist gut, dass man in Bussen und Zügen nicht mehr rauchen darf.

b Rauchen ist eine Sucht.

c Jens' Opa raucht seit 40 Jahren und hat jetzt Lungenkrebs.

d Viele rauchen, auch wenn sie nicht unter Stress stehen.

e Es ist übertrieben, dass es in Restaurants keine Räume für Raucher mehr gibt.

Hilfe

Meiner Meinung nach …
Meines Erachtens …
Ich bin total dagegen …
Ja schon, aber …
Im Gegenteil …
Es scheint …
Für mich ist es aber so, dass …
Ich sehe das auch so.
Ich sehe das auf keinen Fall so.
Ich stimme dir zu/nicht zu.
Es kommt darauf an.
Wenn man die Ursachen untersucht …
Die Auswirkungen zeigen sich in …
… kann zu … führen

Tipp

Structuring a debate

In a debate you need to:

• present your point of view
• defend it
• listen to the point of view of others
• anticipate what might be said next.

Analyze the arguments for and against the motion. Think about the possible consequences of each argument.

A Listen to the debate on smoking in public again and write down as many answers as possible to the following questions.

a Wo sollte nicht geraucht werden?

b Wie sollten sich Raucher und Nichtraucher verhalten?

c Argumente für ein Rauchverbot

d Argumente gegen ein Rauchverbot

5a Debattenthema „Rauchverbot in der Öffentlichkeit". Bilden Sie zwei Gruppen: die Gegner und die Befürworter. Bereiten Sie Ihre Argumente ‚für' oder ‚gegen' vor.

5b Führen Sie eine Debatte. Benutzen Sie die Hilfe-Ausdrücke und den Tipp.

6 Schreiben Sie einen kurzen Artikel für die Schülerzeitung (etwa 150–200 Wörter) zum Thema „Rauchverbot in der Öffentlichkeit". Sie könnten Ihren Artikel mit einer Frage beginnen, z.B. „Ist ein allgemeines Rauchverbot demokratisch?" Konzentrieren Sie sich dann auf die folgenden Punkte.

• Warum „ja"?
• Warum „nein"?
• Ihre eigene Meinung?

7 Wählen Sie entweder das Thema „Alkohol" oder „Rauchverbot". Sammeln Sie Informationen zu diesem Thema und stellen Sie eine Collage aus Bildmaterial und Text zusammen.

Drogen: Gefahren und Folgen

▸ *Sind Drogen wirklich gefährlicher als Alkohol und Zigaretten?*
▸ *Warum ist es so schwer, nein zu sagen?*

1 Kennen Sie junge Leute, die Drogen nehmen? Warum tun sie das? Gibt es in den Schulen genug Informationen und Aufklärungsarbeit? Diskutieren Sie mit einem Partner/einer Partnerin und führen Sie dann ein Klassengespräch.

Fabian berichtet über seine Erfahrung mit Drogen

Ich persönlich würde nie zu Drogen greifen. Ich hatte letztes Jahr dieses schreckliche Erlebnis und es war die totale Abschreckung für mich. Meine Freunde und ich waren in einer Disco. Ich wusste, dass Martin in unserer Clique schon mit Drogen experimentiert hatte. Aber an diesem Abend sah ich, wie abhängig er war. Erst als er sich sein Heroin in der Toilette gespritzt hatte, konnte man sich normal mit ihm unterhalten. Er gab zu, dass es ihm eigentlich ganz schlecht ging. Er konnte einfach nicht von dem Zeug loskommen. Ein Typ bei einer Party hatte ihn überredet, einen Joint mitzurauchen. Dabei blieb es aber nicht, denn der Joint enthielt auch Heroin. Martin fühlte sich total wohl und alle seine Probleme in der Schule waren vergessen. Das war der Anfang seiner Abhängigkeit. Vor ein paar Tagen traf ich seine Mutter. Sie erzählte, dass Martin total am Ende ist. Nächste Woche beginnt er in einem Therapiezentrum für Jugendliche eine Entziehungskur. Hoffentlich schafft er es, von den Drogen loszukommen. Ich werde auf jeden Fall versuchen, mit ihm in Kontakt zu bleiben.

Hallo Fabian,

morgen beginne ich mit der Entziehungskur. Wir beginnen mit einer Gruppentherapie, wo ich über meiner Sucht sprechen muss. Das wird nicht leicht sein. Mein Tagesablauf ist sehr geordnet: um acht Uhr aufstehen, dann Gruppentherapie, danach entweder in der Küche oder im Garten arbeiten, später Einzeltherapie ... Ich würde gern die Zeit zurückdrehen, aber das geht leider nicht.

Martin

2a Lesen Sie Fabians Text und finden Sie die entsprechenden deutschen Ausdrücke.

  a he had injected heroin
  b to get off the stuff
  c to take drugs
  d deterrent
  e someone had persuaded him
  f to manage

2b Lesen Sie auch Martins Brief und beantworten Sie die folgenden Fragen für beide Texte.

  a Was hält Fabian von Drogen?
  b Woran sah er, dass sein Freund Martin abhängig war?
  c Wo und warum hat Martin zum ersten Mal Drogen genommen?
  d Warum wurde Martin abhängig? Geben Sie drei Gründe an.
  e Wie geht es Martin jetzt?
  f Was schreibt Martin über seine Therapie?
  g Was würde er gern machen?

3a Hören Sie sich ein Interview mit einer Drogenberaterin an. Ergänzen Sie die Lücken.

  a Die ersten Anzeichen von Alkoholabhängigkeit sind oft Reizbarkeit und _____.
  b Man versucht auch, das Problem zu _____.
  c Die späteren Auswirkungen sind _____, die _____ wird _____ und die _____ wird krank.
  d Bei Drogenabhängigkeit sind die Symptome oft ein grundloser _____ und _____ sowie erweiterte _____.
  e Die Auswirkungen zeigen sich in _____ und _____.
  f Die Folgen einer _____ sind ja allgemein bekannt.
  g Bei zu starkem Tabakgenuss verschlechtert sich der _____, und natürlich kann Rauchen zu _____ führen.

3b Ordnen Sie die Auswirkungen der verschiedenen Drogen in drei Spalten: Drogenmissbrauch, Rauchen, übermäßiger Alkoholgenuss.

Heiko (18): Ich würde alle Drogen legalisieren, um das Drogenproblem zu lösen. Viele Jugendliche würden keine Drogen nehmen, die legal sind.

Anna (16): Drogen legal machen – das würde keine Antwort auf das Drogenproblem sein. Wenn man Drogen legalisieren würde, würden noch mehr Kinder und junge Leute zu Drogen greifen.

4 Lesen Sie die beiden Meinungen oben. Welcher Meinung stimmen Sie zu? Warum/Warum nicht? Schreiben Sie Ihre Meinung auf.

5a Hören Sie sich eine Debatte zum Thema „Drogenbekämpfung" an. Notieren Sie, was Heiko, Anna, Franjo und Ivana vorschlagen.

5b Vergleichen Sie Ihre eigene Meinung mit der von Anna, Franjo, Ivana und Heiko und diskutieren Sie das Thema „Sollte man Drogen legalisieren?" in der Klasse. Benutzen Sie die Hilfe-Ausdrücke auf Seite 85.

Grammatik ➡169 ➡W58

The conditional tense with *werden*

The conditional tense is used to express possibility. To form it, use the appropriate form of *werden* (which is the imperfect subjunctive) + the infinitive of the main verb.

Ich **würde** nie Drogen nehmen. — *I would never take drugs.*

For the full paradigm see page 169 (section 7.3.2).

A Re-read the texts on this spread and note down all the verbs in the conditional tense.

B Complete the sentences with the correct form of the conditional tense.

  a Anna und Maria _____ eine Kampagne gegen Drogen _____. (*to organize*)

  b Drogen zu legalisieren _____ besser _____. (*to be*)

  c Martin _____ lieber keine Entziehungskur _____. (*to do*)

  d Wir _____ nie Alkohol _____. (*to drink*)

  e _____ du _____? (*to smoke*)

6 Schreiben Sie eine Zusammenfassung zum Thema „Drogenbekämpfung" (etwa 60 Wörter).

  ● Legalisierung   ● Therapien
  ● Andere Lösungsmöglichkeiten

Tipp

Extending your vocabulary I

To do your exam tasks successfully, you will need to build up a wide vocabulary.

● Prefixes adapt the meaning of a word. If you understand the root word, it is easy to understand the new word with the prefix.

wichtig – *important*
unwichtig – *unimportant*
verstehen – *to understand*
missverstehen – *to misunderstand*

A Find examples of compound nouns on these pages.

B What do these words mean?

  a missbrauchen   d abfahren
  b unsicher   e unfreundlich
  c wiederkommen   f ankommen

Gesund leben

▸ *Wie hält man sich fit?*
▸ *Wie findet man ein ausgewogenes Verhältnis zwischen Berufs- und Privatleben?*

1   Ordnen Sie die Wörter und Ausdrücke rechts der richtigen Spalte zu.

Gesunder Lebensstil	Ungesunder Lebensstil

2a   Annika beschreibt ihren Lebensstil. Lesen Sie den Text. Wie sagt man Folgendes auf Deutsch?

  a   I don't like school very much at the moment.
  b   a very high average of marks
  c   I lack motivation
  d   it's rather tiring
  e   I can't stand …

Mineralwasser   Alkohol
Milchschokolade
Bewegung   zu Fuß gehen
Zucker   Training
fetthaltiges Essen   regelmäßiges Essen
Sport
eine ausgeglichene Ernährung
Tabletten   Snacks
Stress   Faulenzen
Massage   Rauchen

Annika (17) ist Schülerin am Kepler-Gymnasium in Freiburg. Sie will nächstes Jahr Abitur machen und möchte dann Medizin studieren.

„Zur Zeit gefällt es mir nicht so gut in der Schule. Mein Leben ist ziemlich stressig. Ich stehe jeden Morgen um circa sechs Uhr auf, um meine Hausaufgaben zu machen, da ich mich morgens viel besser konzentrieren kann. Ich stehe ganz schön unter Stress, weil man einen sehr guten Notendurchschnitt braucht, um Medizin zu studieren. Nachmittags fehlt es mir einfach an Motivation zum Lernen. Außerdem muss ich jeden Nachmittag auf meine kleinen Schwestern aufpassen, und das ist ziemlich anstrengend. Abends entspanne ich mich oft bei Musik oder mit einem heißen Bad. Normalerweise gehe ich zwischen halb elf und halb zwölf ins Bett. Es kommt darauf an, ob ich ein gutes Buch zum Lesen habe oder nicht.

Gesundes Essen ist sehr wichtig für mich. Meiner Meinung nach sind mehrere kleine Mahlzeiten besser als zwei große. Fast Food kann ich nicht ausstehen. Immer nur fettige Burger und Pommes — nein, danke. Das ist nichts für mich! Ich stehe mehr auf Salate und frisches Gemüse, und ich trinke auch ziemlich gern frisch gepresste Fruchtsäfte."

2b   Schreiben Sie R, wenn die Aussage unten richtig ist, F, wenn die Aussage falsch ist, oder NA (nicht angegeben), wenn die Information nicht im Text steht.

  a   Annika findet das Lernen stressig.
  b   Wenn man Medizin studieren will, braucht man sehr gute Noten.
  c   Ältere und jüngere Menschen sollten auf ihre Gesundheit achten, Annikas Meinung nach.
  d   Annika entspannt sich nicht oft.
  e   Sie isst gern frische Lebensmittel.

2c   Machen Sie Notizen zu den folgenden Punkten.

  ● Tagesanfang/Tagesende   ● Einstellung zu Stress
  ● Hausaufgaben   ● Einstellung zu Entspannung
  ● Ernährung

2d   Diskutieren Sie mit einem Partner/ einer Partnerin. Wie finden Sie Annikas Lebensstil? Begründen Sie Ihre Meinung.

3   Kopieren Sie die Tabelle. Hören Sie sich den Gesundheits-Radiospot an und machen Sie Notizen. Sie hören fünf Tipps.

	Was sollte man machen?	Was könnte das Resultat sein?
1		

4 Lesen Sie die Texte. Schreiben Sie den passenden Namen zu jeder Äußerung auf.

a Ich möchte am liebsten von zu Hause arbeiten.

b Es wäre besser, wenn ich meine Arbeit mit jemandem teilen könnte.

c Es wäre besser, wenn ich einen Job in meinem Ort hätte.

d Ich würde gern weniger Arbeitsstunden haben.

e Es wäre gut, wenn ich mal verreisen könnte.

f Ich würde gern zu unterschiedlichen Zeiten mit der Arbeit beginnen.

g Ich hätte gern mehr Zeit für Arbeit und Privatleben.

h Ich hätte gern einen Boss, der offener für Neues wäre.

Ich würde weniger arbeiten, wenn ich könnte. Aber das geht nicht, denn meine Frau arbeitet nicht – sie kümmert sich um unsere Kinder. Wir brauchen also mein Gehalt. Für mich wäre es zum Beispiel schon gut, wenn ich flexible Arbeitszeiten hätte. So könnte ich morgens oder abends mehr Zeit mit meinen Kindern verbringen.
Carsten

Mein Tag müsste eigentlich 48 Stunden haben! Ich bin total gestresst: acht Stunden im Büro, dann die Kinder abholen, kochen, Hausarbeit ... Ich würde gern Jobsharing machen. Dann ginge es mir besser – körperlich und seelisch.
Ute

Keine Frage: wenn ich mehr Zeit zu Hause hätte, wäre ich nicht so gestresst. Mein Arbeitsplatz ist 50 Kilometer entfernt. Es wäre daher einfacher, wenn ich nicht so lange Fahrtzeiten hätte. Ich möchte auch nicht am Wochenende arbeiten – aber ich muss. Ich müsste auch mal richtig Urlaub machen, aber auch das geht nicht.
Peter

Ich hätte mehr Zeit für mein Privatleben, wenn ich von zu Hause aus arbeitete. Ich könnte dann nämlich viel effektiver – und zeitsparender – arbeiten. Das müsste kein Problem sein, wenn mein Boss damit einverstanden wäre. Das ist er aber leider nicht.
Sabine

Grammatik → 169 → W59

The imperfect subjunctive for the conditional tense
Modal and auxiliary verbs use the imperfect subjunctive for the conditional tense.

ich könnte	*I could/would be able to*
ich müsste	*I would have to/I ought to*
ich hätte	*I would have/I had*
ich wäre	*I would be/I were*
ich dürfte	*I would be allowed to*
ich möchte	*I would like (to)*
ich sollte	*I should*

A Fill in the imperfect subjunctive forms of the verbs in brackets.
Example: Man (*sollen*) nicht so viel arbeiten.
Man **sollte** nicht so viel arbeiten.

a Es (*dürfen*) keine unflexiblen Chefs geben.

b Wir (*haben*) mehr Zeit füreinander.

c Du (*müssen*) mal ausspannen!

d Ich (*können*) hier nicht arbeiten.

e Meine Frau (*sein*) glücklicher als Hausfrau.

Unlike English, German sentences with 'if' use the conditional in both clauses.
Wenn ich viel Geld **hätte**, **würde** ich einen Gesundheitsurlaub **machen**.
If I had a lot of money, I would have a spa holiday.

B Write new sentences with the conditional tense and *wenn*.
Example: Ich bin gesünder. Ich arbeite nicht so viel.
Ich **wäre** gesünder, wenn ich nicht so viel **arbeiten würde**.

a Ich bin nicht so müde. Ich habe eine Haushaltshilfe.

b Ich kann mich entspannen. Ich fahre in Urlaub.

c Ich habe mehr Zeit. Ich arbeite halbtags.

5a Wie könnte man das Arbeits- und Privatleben verbinden? Was würden Sie am liebsten machen? Diskutieren Sie mit einem Partner/einer Partnerin.

5b Schreiben Sie eine Zusammenfassung zum Thema „Das Arbeits- und Privatleben verbinden" (60–80 Wörter). Benutzen Sie das Vokabular links und die Sätze aus der Grammatik.

Gesunde Diäten und Ernährungsprobleme

▶ *Wie kann man sich gesund ernähren?*
▶ *Wie kommt es zu Essstörungen und was kann man dagegen tun?*

Das Kernproblem, das alle Magersüchtige haben, ist, dass sie ihr Körpergewicht total überschätzen. Wenn Freunde ihnen versichern, dass sie eigentlich sehr dünn sind, glauben sie das nicht. Sie sehen sich selbst als ‚zu dick' und halten daher an ihrem krankhaften Essverhalten fest. Warum kommt es zu dieser Essstörung, was sind die Ursachen?

Verschiedene Faktoren tragen dazu bei. Die Medien spielen natürlich eine Rolle, denn besonders junge Menschen lassen sich von den Schönheitsidealen beeinflussen, die in Zeitschriften abgebildet sind oder im Fernsehen gezeigt werden. Mode ist für viele heranwachsende Jungen und Mädchen sehr wichtig, und je mehr man seinem Schönheitsideal entspricht, desto besser fühlt man sich. Also versucht man abzunehmen. Man macht eine Diät, aber irgendwann kommt der Punkt, an dem man sein Abnehmen nicht mehr kontrollieren kann, und dann wird es gefährlich.

Es gibt auch seelische und emotionale Gründe. Vielleicht hat man im Unterbewusstsein Angst davor, erwachsen zu werden. Man versucht, wieder seinen kindlichen Körper zu bekommen, weil man sich so vor Problemen und Konflikten schützen will. Zusätzlich können Probleme in der Familie, über die man nicht offen sprechen kann, die Essstörung verstärken. Man ersetzt solche verdrängten Emotionen durch das Essverhalten oder man isst immer weniger aus Protest, weil man unter zu großem Druck steht und keinen anderen Ausweg sieht.

Wie kann man nun diesem Problem vorbeugen? Das Wichtigste ist, ein gesundes Essverhalten zu erlernen. Dabei spielen die Eltern natürlich eine bedeutende Rolle. Sie sollen ihren Kindern von klein auf eine vernünftige Einstellung zum Essen und zu ihrem Körper vermitteln. Außerdem gibt es Selbsthilfegruppen an großen Krankenhäusern und Universitäten, die Kurse zur Prävention anbieten.

1 Schauen Sie sich die beiden Bilder an. Sind Supermärkte und Supermodels an unseren Essstörungen und Gewichtsproblemen Schuld? Diskutieren Sie mit einem Partner/einer Partnerin.

2a Lesen Sie den Text rechts über Magersucht und finden Sie die deutschen Ausdrücke.

a overestimate their body weight
b friends assure them
c eating pattern
d let themselves be influenced
e be afraid subconsciously
f a body of a child
g additionally
h replace suppressed feelings
i pass on a sensible attitude

2b Welche der folgenden Sätze stimmen nicht mit dem Text überein?

a Magersüchtige sehen ihren Körper nicht so, wie er wirklich ist.
b Sie wollen ihren Freunden glauben, dass sie nicht zu dick sind.
c Die Medien beeinflussen viele Jugendliche.
d Die Mode spielt keine wichtige Rolle.
e Menschen mit Essstörungen haben Angst vor ihrem kindlichen Körper.
f Konflikte, die nicht diskutiert werden, sind oft auch ein Faktor.
g Die Eltern sollen ihre Kinder zu einem gesunden Essverhalten anleiten.

3a 🎧 Hören Sie sich einen Erfahrungsbericht von Jutta W. an, die magersüchtig war und nun wieder gesund ist. Was passt zusammen?

1 Ich war ziemlich pummelig,

2 Meine Eltern machten sich Sorgen um mich,

3 Ich schaute mindestens zehn Mal in den Spiegel,

4 Ich bin jetzt 13

a und habe durch die Therapie eine Freundin gefunden.

b als ich in die Realschule ging.

c und sah mich immer als eine „fette Kuh".

d aber ich sagte nichts.

3b Was sind Ihrer Meinung nach die Gründe für Essstörungen? Schreiben Sie 50–60 Wörter.

- Was kann zu Essstörungen führen?
- Wie kann man helfen?
- Was sollte sich ändern?

Tipp

Extending your vocabulary II

To do your exam tasks successfully, you will need to build up a wide vocabulary.

- Word families: when looking up words in a dictionary, make a note of other nouns, adjectives or verbs related to the word.

  Schönheit, Schöne (f), Schönheitsideal (n) (*nouns*)
  schön (*adjective*)   sich schön machen (*verb*)

Ⓐ Find nouns, adjectives and verbs and create word families for these words.

a Gesundheit   b rauchen   c Krankheit

- Remember synonyms and antonyms when learning vocabulary. The more you know, the better your chances of getting exam tasks right.

  die Zahl steigt = die Zahl nimmt zu, erhöht sich

Ⓑ Find synonyms and antonyms for these words in the text on page 90.

a falsch sehen   c Freude
b gesunde Diät   d Ursachen

4 🎧 A ist Journalist(in) und interviewt B, einen Ernährungsexperten, zum Thema „Übergewicht". A soll Fragen erarbeiten, B Antworten.

- Ursachen • Folgen • Wer ist verantwortlich?

5 Fassen Sie diesen Text auf Deutsch zusammen (etwa 60 Wörter).

Vorsicht bei Diäten!

Hilfe! Ich muss abnehmen – was soll ich machen? Es ist vielleicht nicht die einfachste Methode, aber bestimmt die erfolgreichste und gesündeste: weniger essen, besonders weniger Fett und weniger Süßes, und viel Bewegung. Aber dazu muss man Durchhaltevermögen und Selbstdisziplin haben. Da ist es doch einfacher, eine Diät auszuprobieren. Die Frage ist: welche? Viele Diäten sind nicht besonders wirkungsvoll, oft sehr einseitig und manchmal sogar schädlich für die Gesundheit. Setzen Sie sich also lieber aufs Fahrrad als vor den Fernseher und reduzieren Sie Ihre Mahlzeiten schrittweise. So wird sich Ihr Magen langsam an die kleineren Portionen gewöhnen.

6 Schreiben Sie einen Bericht zum Thema „Essstörungen" (etwa 150 Wörter). Erwähnen Sie Ursachen, Auswirkungen und Folgen. Äußern Sie auch Ihre eigene Meinung dazu und benutzen Sie Konjunktionen.

Grammatik   ➡174 ➡W74

Using conjunctions for style

Ⓐ Compare the following two extracts. Which one is more interesting to read and why?

Essstörungen sind ein wachsendes Problem. Es betrifft Erwachsene, Kinder und Jugendliche. Man muss versuchen, das Problem schnell zu lösen. Die Folgen kann man vermeiden. Viele Kinder sind übergewichtig. Sie treiben keinen Sport und essen zu viel Fett.

Essstörungen sind ein wachsendes Problem, da es Erwachsene, Kinder und Jugendliche betrifft. Man muss versuchen, das Problem schnell zu lösen, sodass man die Folgen vermeiden kann. Viele Kinder sind übergewichtig, weil sie keinen Sport treiben und zu viel Fett essen.

Ⓑ Link these sentences with a conjunction – there may be more than one option.

a Abnehmen kann zu Essstörungen führen. Man kann es nicht mehr kontrollieren.

b Es ist wichtig, offen über Probleme zu sprechen. Es kann sonst zu seelischen Störungen führen.

c Kinder leiden unter Übergewicht. Sie essen zu viel Fett und Süßigkeiten.

d Viele kennen die Folgen von Übergewicht. Sie ändern ihr Essverhalten nicht.

8  Grammatik aktuell

1 The conditional tense I

The conditional tense expresses possibility, something you **would** do or something that **would** happen. To form it, use the appropriate form of *würden* + the infinitive of the main verb. For the full paradigm, see page 169.

A Fill in the gaps with the correct form of *werden* to make conditional sentences.

a Ich _____ mich gern gesünder ernähren.

b _____ Sie Jobsharing machen?

c Frau Meier _____ gern einen Meditationskurs besuchen.

d Wir _____ nie zu Drogen greifen.

e Meine Eltern _____ einen Aktivurlaub buchen.

f _____ du eine Diät machen?

B Rewrite the sentences using würden.

a Susi isst lieber Fast Food.

b Ich höre mit dem Trinken auf.

c Meine Eltern machen einen Wellness-Urlaub.

d Ich habe mehr Zeit für Sport.

e Haben Sie lieber flexible Arbeitszeiten?

f Mein Boss findet Jobsharing nicht gut.

2 The conditional tense II

For modal and auxiliary verbs, the imperfect subjunctive is used as an alternative to *werden* + infinitive in conditional sentences.

A Rewrite the sentences using the imperfect subjunctive.

a Ich kann von zu Hause aus arbeiten.

b Ich habe lieber flexiblere Arbeitsstunden.

c Man darf keine Mahlzeit verpassen.

d Wir sind gern im Urlaub.

e Ich muss mit dem Rauchen aufhören.

f Mein Mann soll öfter zum Arzt gehen.

B Translate the sentences into German.

a I wouldn't be allowed to eat fast food.

b Tom would like to have children.

c I would prefer to be thinner. (*lieber*)

d I could do many jobs.

e I would have to change my job.

3 Conditional clauses

Conditional clauses in German are slightly different to English, as a conditional verb is used in both parts of the sentence.

Ich **würde** nicht **arbeiten**, wenn ich Kinder **hätte**.
I wouldn't work, if I had children.

Note that the word order of the second sentence changes when you put the *wenn* clause first.

Wenn ich Kinder **hätte**, **würde** ich nicht **arbeiten**.
If I had children, I wouldn't work.

A Write conditional sentences by joining the two clauses with *wenn* in the middle.

a Ich rauche nicht. Ich will nicht abnehmen.

b Ich bin zufriedener. Ich verdiene mehr Geld.

c Susi kann Jobsharing machen. Ihre Kinder sind größer.

d Ich muss mehr Obst essen. Ich will gesünder sein.

e Ich habe weniger Stress. Ich habe mehr Zeit.

B Rewrite the sentences from activity A, placing *wenn* at the beginning of each sentence.

Vokabeln

Alkohol- und Tabakgenuss *pages 84–85*

die Abhängigkeit	*addiction*
der Eindruck	*impression*
die Kettenraucherin (f.)	*chain smoker*
die Lust	*pleasure*
Spirituosen (pl.)	*spirits*
akzeptieren	*to accept*
sich trauen	*to dare*
unreif	*immature*

Drogen: Gefahren und Folgen *pages 86–87*

der Arbeitsplatz	*workplace*
die Arbeitszeit	*working hours*
der Cholesterinwert	*cholesterol level*
die Fahrtzeit	*travelling time*
das Gehalt	*salary*
die Haferflocken (pl.)	*oats*
das Herz	*heart*
die Immunkraft	*immune system*
das Privatleben	*private life*
das Schlaganfallrisiko	*risk of a stroke*
die Sitzung	*session*
abholen	*to pick up*
einverstanden sein	*to agree*
sinken	*to drop*
verbessern	*to improve*
verbringen	*to spend*
effektiv	*effective*
gestresst	*stressed*
seelisch	*mental*

Gesund leben *pages 88–89*

die Abschreckung	*deterrent*
die Droge	*drug*
der Drogenabhängige	*drug addict*
die Entziehungskur	*rehab*
das Zeug	*stuff (drugs)*
greifen	*to reach for*
legalisieren	*to legalize*
loskommen	*to get away*
spritzen	*to inject*
überreden	*to persuade*
verboten	*forbidden*

Gesunde Diäten und Ernährungsprobleme *pages 90–91*

die Diät	*diet*
das Durchhaltevermögen	*perseverance*

die Essstörung	*eating disorder*
die Fettsucht	*obesity*
der Konflikt	*conflict*
der Magen	*stomach*
der Magersüchtige	*anorexic*
die Motivation	*motivation*
die Rolle	*role*
die Selbstdisziplin	*self-discipline*
das Unterbewusstsein	*subconscious*
abnehmen	*to lose weight*
ausprobieren	*to try*
entsprechen	*to correspond to*
ersetzen	*to replace*
konzentrieren	*to concentrate*
stehen auf	*to like*
überschätzen	*to overestimate*
verdrängen	*to repress*
vorbeugen	*to prevent*
einseitig	*one-sided*
fettig	*greasy*
frisch	*fresh*
gepresst	*pressed*
stressig	*stressful*
vernünftig	*sensible*

Sie sind dran!

Ergänzen Sie die Sätze mit Wörtern aus den Vokabellisten.

a Meine Freundin _____ _____ nicht, die erste Zigarette abzulehnen – heute ist sie _____.

b _____ wie Whisky und Rum enthalten am meisten Alkohol.

c Marihuana und Heroin sind _____, von denen viele nicht mehr _____.

d Es ist wichtig, dass _____ eine _____ in einer speziellen Klinik machen.

e Gesund essen – zum Beispiel _____ zum Frühstück – stärkt die _____ und senkt den _____.

f Stress zu Hause und am _____ erhöht das _____.

g _____ glauben, dass sie zu dick sind. Diese _____ ist eine Krankheit genauso wie _____.

h Ich mache eine ____, weil ich fünf Kilo _____ will.

Sportunfälle

Die meisten Unfälle bei den etwa 23 Millionen regelmäßig sporttreibenden Bundesbürger passieren zum großen Teil bei den typischen Ballsportarten wie Fußball, Handball und Volleyball. Meist trifft es in den Ballsportarten Sprung- und Kniegelenke, gefolgt von Verletzungen an Kopf und Hand.

Besonders ungeübte Sportler sind für Sportunfälle gefährdet. Die wärmere Jahreszeit wird für den sportlichen Einstieg genutzt und der eigene Körper mit einem Kaltstart überfordert. Anstatt die Leistung langsam über einen längeren Zeitraum zu steigern, wird leider das Können häufig am Anfang überschätzt.

Ähnlich verhält es sich bei Trendsportarten wie Inlineskating. Ausdauertraining durch regelmäßiges Skaten verbessert die Leistungsfähigkeit und trainiert den gesamten Körper. Beim Inlineskating kann es allerdings auch zu ernsthaften Verletzungen kommen. Hinzu kommt, dass viele Skater ohne Helm und Ellenbogen- und Knieschoner fahren.

Tipps für einen gesunden Sport

- Machen Sie nicht jeden Trend mit, sondern suchen Sie sich die Sportart aus, die Ihnen am meisten Spaß macht und bei der Sie sich wohlfühlen.
- Legen Sie großen Wert auf die passende Ausrüstung wie richtiges Schuhwerk beim Laufen und Schutzkleidung beim Radfahren und Inlineskating.
- Starten Sie langsam und steigern Sie nach und nach die Intensität. Falls Sie krank sind oder sich unwohl fühlen, haben Sie nicht den falschen Ehrgeiz und legen Sie eine Pause ein.
- Ausreichende Fitness für die Art und Intensität der Sportausübung sollte vorhanden sein.
- Kein Wettkampfsport sollte bei schlechtem Allgemeinzustand und bei fieberhaften Erkrankungen ausgeübt werden.
- Legen Sie Wert auf eine genügende Aufwärmarbeit.
- Achten Sie auf die richtige Ernährung vor dem Sport. Leichtes Essen, wie Salate, liefert wichtige Vitamine und liegt nicht schwer im Magen.
- Denken Sie an die regelmäßige Flüssigkeitsaufnahme besonders bei längeren Ausdauertrainingseinheiten.

Tipp

Transferring meaning – translating into English

Make sure you follow the points below if you are asked to translate a German text into English.

- Don't start translating straight away – read the whole text through first to get the general gist.
- If there are any unknown words, try to make an educated guess by a) looking at the context, b) seeing if the word looks similar to English or c) establishing that you already know a part of the word.

A Try to work out the meaning of the following words by using a mixture of the strategies above.

   a Sprung- und Kniegelenke

   b Kaltstart

   c Leistungsfähigkeit

- When translating, always find the verb in the sentence first. Its ending will help you identify the subject and determine if it is singular or plural – it will also give you the tense. Be accurate with verb tenses.

B Re-read the article and answer the questions.

   a Which sentence contains a modal verb?

   b Which constructions are in the passive?

C Translate the eight tips at the end of the article into English.

1 Lesen Sie den Artikel. Schreiben Sie **R**, wenn die Aussage unten richtig ist, **F**, wenn die Aussage falsch ist, oder **NA** (nicht angegeben), wenn die Information nicht im Artikel steht.

   a Die meisten Sportler verletzen sich, wenn sie Ballspiele machen.

   b Mehr Männer als Frauen erleiden Sportverletzungen.

   c Sportler, die ihren Sport noch nicht lange machen, erleiden die wenigsten Verletzungen.

   d Man soll nicht zu schnell in einen neuen Sport einsteigen.

   e Auch bei Trendsportarten kann es schwere Sportunfälle geben.

   f Die meisten Inlineskater haben eine gute Sicherheitsausrüstung.

9 Ferien

1a Lesen Sie die zwei Texte. Welches Bild passt zu welchem Text?

1b (D) Was bedeuten die fett gedruckten Wörter im Text auf Englisch?

1c Was für Ferienarten sehen Sie im **Bild B**? Schreiben Sie eine kurze Anzeige.

1

Badespaß in Schluchsee, einem familienfreundlichen Ferienort

Schluchsee bietet alles für den idealen Ferienaufenthalt:

- Schwimmbecken mit **Superrutsche**
- Sonnenduschen
- Direkt am See
- Kinder-Badespaß
- Fitness und Spielraum
- Restaurant mit Sonnenterasse
- **Strömungskanal**

2

Sommer – Sonne – Abenteuer

Der Ferienort direkt am Meer, ein paar Schritte von Ihrem Hotel und schon liegen Sie am Strand. Lassen Sie sich tagsüber von der Sonne verwöhnen, genießen Sie einen Cocktail am Pool, bevor Sie dann abends in einer unserer unzähligen Discos bis in den Morgen tanzen und feiern können.

Wenn Sie aus Ihrem Urlaub eine einzige Party machen wollen, dann liegen Sie bei uns genau richtig!

9 Ferienziele

▶ *Welche Arten von Ferien gibt es?*
▶ *Welche Ferienziele sind am beliebtesten?*

Ökologisch Urlaub machen + alternativ reisen

Ökotourismus bedeutet alternativ Urlaub machen, d.h. ein Land, eine Region und seine Menschen im wahrsten Sinne des Wortes zu „erleben": Natur, Geschichte, Traditionen nicht nur zur Kenntnis zu nehmen, sondern in sich aufzunehmen. Es bedeutet, nicht das billigste, das schnellste und das bequemste Reisemittel zu wählen, sondern das Sinnvollste und das für die Umwelt Verträglichste.

Alternativurlaub bedeutet auch, sich einmal den Sitten und Gebräuchen der örtlichen Bevölkerung hinzugeben – lieber einen Tee mit einem örtlichen Handwerker bei seiner Arbeit einzunehmen als einen kühlen Drink an der Hotelbar.

Schneeschuh-Trekking mit Iglu-Bau!

Schneeschuhe sind seit mehreren tausend Jahren bekannt. Heute benutzen wir moderne, leichte Konstruktionen. Was gibt es Schöneres, als in freier Natur durch tief verschneite Wälder und Landschaften zu trekken und an einem ruhigen Ort sein eigenes Schneehaus zu bauen! Ein selbst zubereitetes Abendessen auf dem Outdoor-Kocher im Iglu rundet den Tag ab. Draußen schlafen? Mitten im Winter? Ja, klar! Das ist gar nicht so verrückt! Wir bauen die Iglus in der Nähe einer Alphütte. Sie haben also die Wahl: schlafen im eigenen Iglu oder doch lieber in der Alphütte.

1a Lesen Sie die Anzeigen. Schreiben Sie **R**, wenn die Aussage unten richtig ist, **F**, wenn die Aussage falsch ist, oder **NA** (nicht angegeben), wenn die Information nicht in den Anzeigen steht.

   a Ökotourismus bedeutet eine andere Art des Reisens.

   b Man kann so besser Land und Leute kennen lernen.

   c Ökotourismus muss billig, schnell und bequem sein.

   d Ökotourismus gibt es erst seit einigen Jahren.

   e Schneeschuh-Trekking gibt es nur in der Schweiz.

   f Man baut seine Iglus nicht selber.

   g Man kocht sein eigenes Essen im Freien.

   h Man muss im Iglu übernachten.

1b Finden Sie die folgenden Wörter und Ausdrücke in den Anzeigen.

   a deeply snow-covered

   b customs and practices

   c to round off

   d most sensible

   e to absorb

   f self-prepared

   g to give oneself

1c 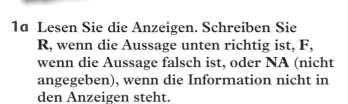 Welchen Urlaub finden Sie besser? Warum? Diskutieren Sie Ihre Wahl mit einem Partner/einer Partnerin.

2a Robin, Annika, Ann-Cathrin und Nikolai sprechen über ihre Lieblingsferien. Hören Sie gut zu und füllen Sie die Tabelle aus. Lesen Sie zuerst noch den Tipp!

	Wohin?	Was für Ferien?	Warum?
Robin			
Annika			
Ann-Cathrin			
Nikolai			

2b Hören Sie sich das Interview noch einmal an. Finden Sie die passenden Wörter für die Lücken. Es gibt mehr Wörter als Lücken.

a Die Ferien auf dem _____ haben viel Spaß gemacht.

b Annika findet _____ Ferien am besten.

c Ein englisches Mädchen hat Nikolai nach England _____.

d Zugfahrten für Schüler sind _____.

e Ann-Cathrin _____ im Urlaub gern.

f Robin ist mit ihren Eltern und einer Freundin zum _____ in die Alpen gefahren.

g Von ihrem Ferienapartment bis zur _____ war es nur ein kurzer Weg.

> Reiterhof aktive faule schwimmen
> billig reiten Ermäßigung Bauernhof
> kennen gelernt faulenzt Ferienapartment
> Skifahren eingeladen Skilift
> nicht so teuer Piste

3 Welche Ferienziele sind bei englischen Jugendlichen am beliebtesten? Erforschen Sie auch die Urlaubstrends der deutschen Jugendlichen und vergleichen Sie Ihre Ergebnisse mit einem Partner/einer Partnerin.

4 Schreiben Sie einen kurzen Artikel (etwa 100–120 Wörter) zum Thema „Mein liebstes Ferienziel".

Tipp

Improving your listening skills

Here are some general strategies to help you tackle different listening tasks in the AS exam.

- Read the task carefully and think about the vocabulary you might hear. Listen for key words or any related vocabulary of the particular topic.
- Try to anticipate possible answers. Look at activity 2a. You are given three questions:

  – *Wohin?* Listen for locations, town, countries, etc.
  – *Was für Ferien?* Listen for types of holidays such as beach holiday, walking holiday, etc.
  – *Warum?* Listen for reasons such as liking a particular type of sport, the weather, it's cheap, etc.

- Use your knowledge of grammar to find the correct answers. In activity 2b you need to fill in the correct word. In sentence (a) the missing word has to be a noun as it follows *auf dem*. Now look at sentence (b). What type of word are you looking for? Thinking about word order rules and singular/plural forms of nouns and verbs will also help you fill the gaps.

A Now look at sentences c–g and decide on the type of word you need to fill in. Apply word order rules and check singular/plural forms.

- Question words will often determine what kind of answer to expect. If the question word is *Wie viele ...?*, you know that you have to listen for a number.

B List as many question words as possible and discuss what type of information you have to listen for.

C Listen to the text „Urlaubstrends 2006" and answer the questions.

1 Wer hat die deutsche Tourismusanalyse durchgeführt?

2 Wie viele Bundesbürger wollten im Jahr 2005 zu Hause bleiben?

3 Wie lange wollen 67,9% der Bevölkerung verreisen?

4 Wo will die Mehrheit der Deutschen im Jahr 2006 Urlaub machen?

5 Was für einen Urlaub suchen die meisten Deutschen?

Ferien: Stress oder Erholung?

▶ *Aus welchen Gründen wählen wir unser Urlaubsziel?*
▶ *Kann man sich auch zu Hause erholen?*

Katja

Ich bin jetzt in der Oberstufe des Gymnasiums und mache nächsten Sommer mein Abitur. Ich habe also während der Schulzeit sehr viel Druck, und daher sind die Ferien für mich total wichtig. Obwohl ich auch während der Ferien lernen muss und ein oder zwei Aufsätze schreiben muss, werde ich mir zwei Wochen des Urlaubs gönnen, in denen ich ganz abschalten will. Für mich ist es wichtig, mit guten Freunden zusammen zu sein. Dieses Jahr haben wir vor, eine Woche in Florenz in Italien zu verbringen: ich interessiere mich nämlich für die Kunst dieses Landes. Danach geht es noch eine Woche an die italienische Riviera zum Entspannen. Wir werden zelten, denn die Hotels, die wir uns leisten könnten, sind nichts für mich. Die Discos der Hotels sind einfach zu laut.

Ben

Wir haben drei kleine Kinder, und da kann die Ferienzeit, auf die man sich so lange gefreut hat, ganz schön stressig werden. Letztes Jahr haben wir zwei Wochen Urlaub an der Nordsee verbracht und es war eine totale Katastrophe: das Wetter war schrecklich, und wir konnten noch nicht einmal mit den Kindern an den Strand. Nach den zwei Wochen waren meine Frau und ich so erschöpft, dass wir uns sagten: „Nie wieder! Wären wir nur zu Hause geblieben!" Daher werden wir diesen Sommer zu Hause Ferien machen. Die Kinderspielplätze in der Gegend sind super, und das Schwimmbad des Nachbarortes hat eine tolle Rutsche. Ich glaube, wir werden es genießen, einmal nichts planen zu müssen. Wenn die Kinder ein paar Jahre älter sind, würden wir gern einen Wanderurlaub in den Alpen machen.

1a Lesen Sie die drei Texte und beantworten Sie die Fragen.

a Wie werden Katjas Ferien aussehen?

b Welche drei Dinge sind für Katja in den Ferien wichtig?

c Warum war Bens letzter Urlaub sehr stressig? Geben Sie drei Gründe an.

d Was hat er daraus gelernt?

e Was ist Andreas Problem?

f Was für ein Urlaub plant sie dieses Jahr?

g Was erwartet sie von ihrem Urlaub dieses Jahr?

1b Finden Sie die folgenden Wörter und Ausdrücke in den Texten.

a to treat oneself

b to switch off

c to be able to afford

d to be exhausted

e a slide

f a big company

g to be accessible

Andrea

Als Topmanagerin des größten Betriebes der Stadt finde ich es sehr schwer, mich im Urlaub zu entspannen. Letztes Jahr habe ich sogar mein Handy mitgenommen, und das war ein großer Fehler. Ich war 24 Stunden des Tages auch im Urlaub erreichbar, und am Ende fühlte ich mich gereizt, war unruhig und hatte Schlafstörungen. Deshalb werde ich dieses Jahr einen viertägigen Wellness- und Beauty-Erholungsurlaub buchen. Das Angebot des Hotels besteht aus Massagen, Bädern und Packungen. Das Wichtigste im Urlaub aber ist, dass Handys nicht erlaubt sind, und ich werde mich hoffentlich richtig entspannen. Wenn ich könnte, würde ich am liebsten drei Wochen bleiben.

2a 🎧 Hören Sie sich an, was Birgit Engel und Holger Schwarz über ihre Ferien sagen. Machen Sie Notizen zu den folgenden Fragen.

- Was für Ferien?
- Aus welchen Gründen?
- Wie lange?
- Wo?

2b 🎧 Hören Sie noch einmal zu und wählen Sie das Wort, das am besten passt.

a Birgit findet besonders die _____ an „Single" Reisen gut.

| Wahl | Auswahl | Vorwahl |

b Sie findet _____ Urlaubsziele am besten.

| ungewöhnliche | bekannte | billige |

c Auch interessiert sie sich für _____ Kultur.

| osteuropäische | fernöstliche | köstliche |

d Holger verbringt seinen _____ Urlaub gern mit einer organisierten Reisegruppe.

| ganzen | Sommer | halben |

e Für ihn ist _____ besonders wichtig.

| Fitness | Segeln | Leute kennen lernen |

3 👥 Jeder wählt einen Ferientyp aus der Liste unten aus. Erklären Sie, warum Sie diesen Ferientyp gewählt haben.

Aktivurlaub
Wellness- und Gesundheitsurlaub
Urlaub auf dem Bauernhof   Ferien zu Hause
Ferien am Strand   Städtereise

4 👥 Machen Sie eine Umfrage unter Ihren Freunden. Stellen Sie ihnen folgende Fragen.

a Sind Ferien wichtig für dich? Warum (nicht)?
b Welche Nachteile kann es geben?
c Warum können Ferien manchmal stressig sein?
d Was für einen Ferientyp würdest du wählen und warum?

5 Fassen Sie nun das Ergebnis Ihrer Umfrage schriftlich zusammen.

Grammatik ➡158 ➡W16

The genitive
The genitive is used to show possession. The genitive forms of the definite and indefinite articles are:

m.	f.	n.	pl.
des	der	des	der
eines	einer	eines	keiner

Masculine and neuter singular nouns add an **-s** in the genitive case.

die Länge **des** Urlaub**s** (m)

das Programm **des** Hotel**s** (n)

Ⓐ Read the text on page 98 again and find all the examples of the genitive.

Ⓑ Translate these phrases into German.
a the solution of the problem
b the restaurants of the town
c the price of the holiday
d the children of the guests
e the mobile phone of the (female) manager

- The genitive is also used after certain prepositions.

außerhalb	outside	trotz	in spite of
innerhalb	inside	während	during
statt	instead of	wegen	because of

Ⓒ Choose the correct article in each sentence.
a Während *des/der* Woche habe ich keinen Urlaub.
b Wegen *des/den* schlechten Wetters fahren wir nicht nach Hamburg.
c Innerhalb *der/des* Wellness-Parks kann man viel machen.
d Trotz *dem/der* Massage bin ich immer noch gestresst.
e Außerhalb *der/des* Ferien verreisen wir kaum.

Ist Tourismus immer gut?

▶ *Welche Vor- und Nachteile bringt der Tourismus einem Land oder einer Gegend?*

1a Lesen Sie den Artikel über das Thema „Tourismus und Umwelt" aus der Schulzeitung.

> Auch in Deutschland wird der Tourismus weiterhin an Bedeutung gewinnen. Die Tourismusbranche ist eine der am stärksten wachsenden Zukunftsbranchen und trägt bereits acht Prozent zum **Bruttoinlandsprodukt** bei. In der deutschen Tourismusbranche sind ungefähr 2,8 Millionen Menschen beschäftigt.
>
> Wie ich in dem Bericht der Bundesregierung gelesen habe, werde diese Zahl **aufgrund von** Trendanalysen noch weiter ansteigen. Gründe für das Ansteigen der **Reisehäufigkeit** seien die Tendenz zu kleineren Familien, das steigende **Bildungsniveau** und flexiblere Arbeitszeiten. Es werde auch mehr ältere Menschen geben, die das Geld und die Zeit für mehr als eine Ferienreise haben werden. Daher werde die **Nachfrage** nach Urlaubsreisen wachsen. Nach der Reiseanalyse-Trendstudie für die Jahre 2000 bis 2010 habe die **Forschungsgemeinschaft** Urlaub und Reisen e.V. vorhergesagt, dass Reisen in den Mittelmeerraum um 32 Prozent und Fernreisen um 86 Prozent steigen werden. Der Inlandstourismus werde jedoch nur um rund 10,5 Prozent zunehmen. Kurzurlaubsreisen seien auch ein steigender Trend. Besonders für gesundheitsorientierte Urlaubsreisen und Kreuzfahrten sowie für Aktivurlaube nehme die Nachfrage zu.
>
> Das vermehrte Reisen habe natürlich negative Auswirkungen auf die Umwelt. So werden die Treibhausgasemissionen der Fernflugreisen im Jahr 2010 rund 49 Millionen Tonnen betragen im Vergleich zu 31 Millionen Tonnen im Jahr 1999. Die Bundesregierung will **sich** daher besonders **bemühen**, den Inlandstourismus attraktiver zu machen.

1b Versuchen Sie, die Bedeutung der fett gedruckten Wörter im Text zu erraten. Die Tipps auf Seite 87 und 91 helfen Ihnen dabei.

1c Lesen Sie den Text noch einmal. Machen Sie Notizen zu den folgenden Punkten.

- Tourismus als Wirtschaftsfaktor
- Das Ergebnis der Trendanalyse
- Nachteile des Tourismus

2a Welche Ausdrücke passen zusammen?

1	zumindest	**a**	is aimed at
2	überwiegen	**b**	are preserved
3	übertrieben	**c**	to dominate
4	ist ausgerichtet auf	**d**	at least
5	seltene Tierarten	**e**	exaggerated
6	erhalten werden	**f**	rare species

2b Hören Sie sich das Gespräch zwischen Anke und Udo an und füllen Sie die Tabelle aus.

Tourismus	Gründe dafür	Gründe dagegen	Vorschläge für die Zukunft
Anke			
Udo			

2c Hören Sie sich das Gespräch noch einmal an. Schreiben Sie **R**, wenn die Aussage unten richtig ist, **F**, wenn die Aussage falsch ist, oder **NA** (nicht angegeben), wenn die Information nicht im Gespräch ist.

a Moderne Hotelkomplexe, die man für Touristen baut, zerstören die Landschaft.

b Ohne Tourismus würde es mehr Arbeitslose geben.

c Touristen zerstören das Gemeinschaftsgefühl in einer Gemeinde.

d Touristen bedeuten Lärm, Abgase und überfüllte Restaurants und Strände.

e Jugendliche können keine Ferienjobs finden.

f Es gibt immer weniger Naturschutzgebiete und Nationalparks.

3a In Ihrem Ferienort soll ein neuer Hotelkomplex gebaut werden. Teilen Sie die Klasse in zwei Gruppen. Gruppe A ist für das Projekt, Gruppe B dagegen. Erarbeiten Sie Ihre Argumente.

Grammatik ➡170 ➡W69

The subjunctive

You will need to be able to recognize the subjunctive in a German text. The subjunctive in German:

- expresses the unreal, the hypothetical, or doubt
- is used in reported speech

The reported speech should be in the same tense as the direct speech.

Direct speech:	„Ich habe ein Zelt", sagte sein Freund. (*"I have a tent," said his friend.*)
Reported speech:	Sein Freund sagte, er **habe** ein Zelt. (*His friend said he had a tent.*)

However, many present subjunctive forms are the same as the normal (indicative) forms. In such cases the imperfect subjunctive can be used:

Direct speech:	„Wir **haben** keine Zelte", sagten die Kinder.
Reported speech:	Die Kinder sagten, sie **hätten** keine Zelte.

The following words are used to report speech and are followed by the subjunctive:

**sagen   behaupten   meinen
 fragen, ob   erzählen**

You will find information about how to form the subjunctive on page 161.

A Read the text on page 100 again and find the verbs in the subjunctive.

B Use your notes from activity 1c and write a short paragraph changing any verbs in the subjunctive to the indicative.

3b 🧍 Hören Sie sich das Gespräch in Übung 2b noch einmal an und notieren Sie alle Ausdrücke, die Anke und Udo benutzen, um ihre Meinung auszudrücken.

3c 👥 Halten Sie jetzt eine Debatte in der Klasse. Welche Gruppe hat die besseren Argumente? Ihr Lehrer/Ihre Lehrerin wird die Entscheidung treffen.

Tipp

Answering a structured question

When answering a structured question, you need to remember that you get marks for:

- the relevance of your answer in relation to the question set
- the logical presentation of your answer
- how well you argue and justify the points you make
- the range of vocabulary you use
- the range of grammatical structures you use
- how grammatically accurate your writing is.

A Using the information you have learnt in this unit, particularly on this spread, write an essay (200–250 words) that addresses the following two questions.

- Welche Vor- und Nachteile bringt der heutige Tourismus einem Land oder einer Gegend?
- Wie wird sich der Tourismus Ihrer Meinung nach in der Zukunft entwickeln?

Use the guidance below to structure your answer.

- Read the question carefully and note how many parts there are to answer. For this essay you have three clear parts – you will need to note down arguments in favour of tourism, arguments against tourism and give your opinion about how tourism will develop in the future.
- Plan a logical structure: in the first and second paragraphs you need to justify your arguments for the advantages and disadvantages of tourism and then make suggestions of how you think tourism will develop in the future in your third paragraph.
- Think about the vocabulary and grammatical structures you can use: for example, topic-related vocabulary, opinion expressions, complex grammatical structures (subordinate clauses, varied word order, etc.).
- Check your accuracy.

Urlaub: gestern, heute – und morgen?

▶ *Wie hat sich unsere Einstellung zum Urlaub verändert – und warum?*

1 Ihre Nachtzugreise: „Im Schlaf zu den schönsten Winter- und Sommerzielen".

Machen Sie einfach einmal Urlaub vom Auto! Vergessen Sie Staus auf den Autobahnen. Die Bahn bietet Ihnen neben Reisekomfort morgens ein kleines Frühstück, das Ihnen unser freundlicher Bordservice serviert. Aus Deutschlands Norden bringt Sie der Urlaubsexpress über Nacht in die malerischen Wintersportgebiete der Schweiz. Entdecken Sie Pulverschneepisten, original alpenländische Gastronomie und fröhliche Après-Ski-Partys!

2 Verbringen Sie sieben traumhafte Tage auf der größten Jacht Europas.

Sie reisen entweder mit dem Zug oder dem Auto nach Kiel, wo Ihr exklusives Reisevergnügen beginnt. Die Kreuzfahrt geht von Kiel nach Hamburg, von dort über die Insel Sylt und Kopenhagen nach Stockholm; nach einem Kurzaufenthalt auf der Insel Gotland zurück nach Kiel. Dies und mehr erhalten Sie zu einem Schnäppchenpreis von 3122 Euro pro Person inklusive Treibstoff. Zögern Sie nicht und buchen Sie direkt bei Ihrem nächsten Reisebüro!

3 Sie könnten die Reise Ihres Lebens erleben, wenn Sie China besuchten!

Der Reiz des Landes liegt in seiner reichen und außergewöhnlichen Kultur. Fliegen Sie nach Peking, wo Ihr Leihwagen schon auf Sie wartet. Wenn Sie die chinesische Sprache kennenlernen möchten, könnten Sie unsere zwei Audio-CDs hören – sie sind (zusammen mit einem Reiseführer) im Preis inbegriffen.

1a 🎧 Lesen Sie die Anzeigen. Welche dieser Reisen würden Sie wählen und warum? Welche ist am umweltfreundlichsten? Diskutieren Sie diese Fragen mit einem Partner/einer Partnerin.

1b In welcher Anzeige werden diese Aussagen erwähnt?

a Man bekommt automatisch ein Auto zur Verfügung gestellt.

b Man bezahlt nichts für das Benzin.

c Man besucht nicht nur eine Stadt, sondern auch Inseln.

d Die Reise ist stressfrei.

e Das Angebot gilt das ganze Jahr über.

f Man benutzt mehr als ein Verkehrsmittel.

2a Was passt zusammen?

1	Schadstoffe	**a**	tax
2	belasten	**b**	harmful substances
3	Umweltverbände	**c**	sulphur content
4	Besteuerung	**d**	rail tracks
5	Abgaben	**e**	to pollute
6	Schwefelgehalt	**f**	financial contribution
7	Schienen	**g**	environment organizations

2b Lesen Sie nun diese Fakten zum Thema „Ferienverkehr und Umwelt" und wählen Sie die passende Forderung.

Fakten

1 Mit 74 Prozent war das Auto das wichtigste Verkehrsmittel bei Privatreisen.

2 Wenn Deutschland ein Tempolimit von 120 km/h hätte, würde es bis 2020 über 40 Millionen Tonnen weniger CO_2-Emissionen geben.

3 Fernflugreisen mit dem Flugzeug produzieren insgesamt 30,1 Millionen Tonnen, während lange PKW-Reisen rund 6 Millionen Tonnen CO_2-Emissionen produzieren.

4 Die Bahn arbeitet mit den Umweltverbänden BUND und WWF an einem Reiseprogramm, das die Urlauber per Bahn direkt zu den Natur- und Nationalparks in Norddeutschland bringen kann.

Forderungen

a Man sollte so schnell wie möglich eine Kerosinbesteuerung auf Treibhausemissionen einführen, wenn der Luftverkehrssektor weiterhin so schnell wächst.

b Man sollte den nachhaltigen Tourismus, besonders den Inlandstourismus, fördern.

c Die Bundesregierung sollte die Bahn fördern und mindestens gleich viel Geld in die Schieneninfrastruktur investieren wie in den Straßenbau.

d Die Regierung sollte eine Geschwindigkeitsbegrenzung auf Autobahnen einführen.

3a  Hören Sie sich Fabian, Alexandra und Lisa an. Wer sagt Folgendes?

a Ich wäre gern mit dem Zug dorthin gefahren.

b Man hätte diese Idee schon vor Jahren haben sollen.

c Es wäre besser gewesen, wenn es verschiedene Übernachtungsmöglichkeiten gegeben hätte.

d Ich hätte gern von diesem Projekt gewusst.

Grammatik ➡169 ➡W58

Conditional clauses

- In conditional (*wenn*) clauses the imperfect subjunctive is often used rather than *würde* + infinitive.

  würde sein = wäre   würde haben = hätte

  Other common examples are: *käme, gäbe, müsste, möchte, ginge, könnte, dürfte.*

- For conditional clauses referring to the past, the conditional perfect is used.

  hätte/wäre + past participle

The conditional perfect

- The conditional perfect is used to express an event which could have happened under certain conditions but has not happened and is no longer possible.

- To form the conditional perfect, use the imperfect subjunctive of the auxiliary verb (*hätte* or *wäre*) and the past participle of the main verb.

  Ich **wäre** lieber mit dem Zug **gefahren**.
  I would rather have gone by train.

  Wir **hätten** gern in einem Öko-Hotel **übernachtet**.
  We would have liked to have stayed overnight in an eco-hotel.

- In a sentence with a modal verb, the imperfect subjunctive of the auxiliary verb is used, and the main verb and the modal verb are both in the infinitive.

  Er **hätte** nicht mit dem Flugzeug **fliegen sollen**.
  He should not have gone by plane.

- You need to be able to recognize the conditional perfect in a German text.

Ⓐ Find all the conditional clauses on this spread.

Ⓑ Read sentences a–d in activity 3a and note down the conditional perfect forms.

Ⓒ Translate the sentences into English.

3b Hören Sie sich das Gespräch noch einmal an und beantworten Sie die Fragen.

a Was ist das Ziel des Projekts?

b Was will man dadurch erreichen?

c Was für ein Angebot gibt es dort für Touristen?

d Welche Vorteile bringt die Erschließung des Nationalparks?

e Was ist Lisas Meinung nach ein Nachteil?

4 Sie planen einen gemeinsamen Urlaub. A möchte die Chinareise, aber B möchte die Bahnreise auf Seite 102 machen. Versuchen Sie, Ihren Partner/Ihre Partnerin zu überzeugen. Wer hat die besseren Argumente?

Tipp

Structuring an oral presentation

- Decide if you are going to use an OHT or PowerPoint for your presentation.
- Begin by giving a brief outline of what you are going to talk about.
- List bullet points for the aspects you are going to mention.

Ⓐ Which other types of holidays are there? Do some research on the internet (sports holidays, cookery holidays, etc.). Look again at pages 96–97.

Ⓑ Give a mini presentation to your class. Use the ideas in the *Hilfe* box to help you.

Ⓒ Write a summary of your presentation (100–150 words).

Hilfe

In diesem Kurzreferat möchte ich über ... sprechen.

In diesem Kurzreferat geht es um das Thema ...

Zuerst spreche ich über ...

Im nächsten Punkt geht es um ...

Einerseits ... andererseits ...

Man sieht, dass ...

Statistiken zeigen, dass ...

Abschließend kann man sagen, dass ...

Grammatik aktuell

1 The subjunctive

> The subjunctive in German expresses the unreal, the hypothetical or doubt and is used in reported speech.

A Read the text and note down all the verbs in the subjunctive.

> Nach einer Umfrage über Urlaubstrends der Deutschen werde der ‚Wohlfühltourismus' in den nächsten Jahren an Beliebtheit gewinnen, während der ‚Erholungsurlaub' schon heute altmodisch sei. Zum ‚Wohlfühltourismus' gehörten Wellness- und Beauty-Angebote und verschiedene therapeutische Anwendungen. Der Erlebnistourismus, einschließlich Aktivurlaub und Städtereisen, sei immer noch populär, besonders bei der jüngeren Generation. Die Umfrage zeige, dass der Durchschnittstourist ein gemütliches Hotelzimmer einer billigen Unterkunft vorziehe.

2 The genitive

> The genitive is used to indicate possession. It is also used with certain prepositions.

A Choose the correct genitive articles after the prepositions.

a Wegen *dem/des* Regens machen wir keinen Ausflug.

b Außerhalb *der/dem* Stadt gibt es auch viel Armut.

c Trotz *den/des* schlechten Wetters war der Urlaub super.

d Während *des/dem* Urlaubs haben wir uns entspannt.

B Fill in the correct form of the genitive.

a Das Haus mein _____ Mutter liegt in den Bergen.

b Die Kosten _____ Kreuzfahrt sind sehr hoch.

c Das Gepäck _____ Familie war verloren gegangen.

d Die Freunde _____ Kinder durften mit in den Urlaub fahren.

e Der Besitzer _____ Ferienbungalows ist sehr umweltbewusst.

f Bei der Wahl _____ Ferienziels spielt das Alter eine Rolle.

3 The conditional tense

> The conditional tense expresses possibility, something you **would** do or something that **would** happen. To form it, use the appropriate form of *würden* + the infinitive of the main verb. For the full paradigm, see page 169.

A Combine the pairs of sentences by using the conditional tense and *wenn*.

a Ich fliege nach Las Vegas. Ich habe viel Geld.

b Wir machen einen Strandurlaub. Wir fahren nach Italien.

c Wir können ein Picknick machen. Es regnet nicht.

d Ich mache vier Wochen Urlaub. Ich habe Zeit.

e Tim besucht uns. Er kommt nach Hamburg.

4 The conditional perfect

> The conditional perfect is used to express an event which could have happened under certain conditions but has not happened and is no longer possible.
>
> To form the conditional perfect, use the imperfect subjunctive of the auxiliary verb (*hätte* or *wäre*) and the past participle of the main verb.

A Match up the sentence halves.

1 Ich wäre nie ein Mitglied von Greenpeace geworden,

2 Sie wäre lieber mit dem Rad gefahren,

3 Meine Eltern hätten den Stromverbrauch in ihrem Hotel reduziert,

4 Wir hätten Ecocamping gemacht,

a wenn es Plätze gegeben hätte.

b wenn du mir nicht davon erzählt hättest.

c wenn es mehr Radfahrwege gegeben hätte.

d wenn es möglich gewesen wäre.

B Now translate these sentences into English.

Vokabeln

Ferienziele	pages 96–97
der Bauernhof	farm
die Ermäßigung	reduction
die Gebräuche (pl.)	customs
die Kenntnis	knowledge
der Ökotourismus	eco tourism
die Piste	piste
der Reiterhof	riding stables
die Sitten (pl.)	practices
der Skilift	ski lift
abrunden	to round off
aufnehmen	to absorb
genießen	to enjoy
hingeben	to immerse yourself

Ferien: Stress oder Erholung?	pages 98–99
der Druck	pressure
der Erholungsurlaub	relaxing holiday
die Reisegruppe	travel group
die Schlafstörung	disturbed sleep
der Wellness-Urlaub	wellness holiday
abschalten	to switch off
buchen	to book
sich etwas gönnen	to allow yourself something
leisten	to afford
erschöpft	exhausted
fernöstlich	far eastern
gereizt	irritable
köstlich	delicious

Ist Tourismus immer gut?	pages 100–101
der Inlandtourismus	domestic tourism
die Kurzurlaubsreise	short break trip
der Mittelmeerraum	mediterranean
die Reisehäufigkeit	frequency of travel
die Tourismusbranche	tourism sector
gesundheitsorientiert	health-orientated

Urlaub: gestern, heute – und morgen?	pages 102–103
die Fernflugreise	long-haul trip
die Infrastruktur	infrastructure
die Kreuzfahrt	cruise
der Leihwagen	hire car
die Nachtzugreise	overnight train journey
der Reiseführer	travel guide
der Reiz	charm
servieren	to serve
malerisch	picturesque
alpenländisch	alpine

Sie sind dran!

A Ergänzen Sie die Sätze mit Wörtern aus den Vokabellisten.

a _____ schadet der Natur und der Umwelt nicht.

b Auf dem _____ kann man Ferien auf dem Land machen, und wer Pferde mag, kann auch Ferien auf einem _____ machen.

c Ich will im Urlaub _____, weil ich mich gestresst und _____ fühle und unter _____ leide – ich liege jede Nacht bis um drei Uhr morgens wach.

d Im _____ werden Massagen, Bäder und Packungen angeboten.

e Ich mache in diesem Jahr eine _____, weil ich nur drei Tage Urlaub habe.

f Ich habe eine Reise in den _____ gebucht, denn ich liege gern am Strand in der Sonne.

g Der _____ einer _____ ist, dass man mit dem Schiff viele verschiedene Länder besucht.

h Ich finde _____ nicht so gut, weil ich Angst vor dem Fliegen habe. Und am Urlaubsort fahre ich lieber mit einem _____.

B Schreiben Sie weitere Lückensätze mit Wörtern aus den Vokabellisten. Tauschen Sie Ihre Sätze mit einem Partner/einer Partnerin und ergänzen Sie sie.

1 🗣 Bevor Sie den Artikel lesen, schauen Sie sich die Fotos an. Was meinen Sie – worum geht es im Text? Diskutieren Sie mit einem Partner/einer Partnerin.

Urlaub mal anders

Im Urlaub kann man so allerlei Sachen machen. Einfach nur rumhängen und faulenzen. Auf Bildungsreise gehen. Ganz sportlich wandern und Rad fahren. Oder Delfine wissenschaftlich beobachten, Meeresschildkröten-Gelege bewachen und den Bergwald aufforsten. Das hört sich irgendwie nach Arbeit an – und das ist es ehrlich gesagt auch.

Aber was für eine! Man geht nicht nur einmal auf Whale Watching-Tour, sondern ist zwei Wochen fast jeden Tag auf dem Meer und beobachtet

gemeinsam mit Wissenschaftlern das Verhalten der Meeressäuger. Man trifft nicht nur beim Schnorcheln zufällig mal auf eine Meeresschildkröte, sondern hilft dabei, das Überleben dieser Art zu sichern. Man wandert nicht nur durch den Wald, sondern sorgt dafür, dass auch die folgenden Generationen dieses noch tun können.

Es gibt weltweit Vereine und gemeinnützige Organisationen, für die man sich freiwillig für eine bis drei Wochen engagieren kann. Da hilft man dann bei Ausgrabungen mit, renoviert Waisenhäuser, unterstützt Bergbauern oder setzt sich für den Erhalt von Natur und Umwelt ein. Ob 18 oder 78 Jahre alt – mitmachen kann jeder.

2 Lesen Sie den Artikel und dann lesen Sie die Aussagen mit Textlücken. Wählen Sie das Wort, das zu jeder Textlücke am besten passt.

a Es gibt viele verschiedene _____ von Ferien. Die hier beschriebene Urlaubsart ist „erlebter" _____.

b Das ist allerdings kein Urlaub für _____.

c Beim Whale Watching _____ man im Meer den Walen und _____ auch andere Meerestierarten vor dem Aussterben.

d Bei den Bergwaldwanderungen _____ man der _____ und der Umwelt.

e Diese Urlaube _____ nichts und es gibt sie in vielen _____.

f Daran können sowohl _____ als auch _____ teilnehmen.

> Ländern   hilft   Senioren   Natur   folgt
> Umweltschutz   schützt   Jugendliche   Faulenzer
> Arten   kosten

3 🗣 Was ist Ihre Meinung zu solchen Reisen? Würden Sie so etwas gern machen? Warum (nicht)? Diskutieren Sie das Thema mit einem Partner/einer Partnerin.

Tipp

Finding ideas and information on the internet

Looking for information on German websites requires all the reading skills you have been developing for dealing with authentic texts, in addition to some specific internet search skills.

- Make sure you know if the sites you find are German or from Switzerland or Austria.
- See if they are official sources of information or if they are news sites.
- Decide whether to navigate through pages on the site or use a search facility.
- Evaluate which sites, pages and specific sections have useful information.
- Put together a picture for yourself using clues from titles, graphs and pictures, raw data and summaries.
- Select evidence and draw conclusions, making sure you can explain your points.

Ⓐ Investigate volunteer holidays. Try searching for *freiwilliger Urlaub*, *Urlaub anders* or *Alternativurlaub*.

Ⓑ 🗣 Present the facts you have found out about volunteer holidays and your conclusions to the class in German.

10 Familie

By the end of this unit you will be able to:

- Discuss attitudes of young people towards their family members
- Talk about the role of parents and the importance of good parenting
- Talk about conflicts between young people and other family members
- Talk about the changing models of family and parenting

- Use demonstrative adjectives and pronouns
- Use prepositions with the accusative and the dative case
- Plan an essay
- Check and correct your written work
- Make effective use of vocabulary and complex structures

Miriams Familie — die Großfamilie heute: zwei Kinder aus seiner ersten Ehe, zwei aus ihrer, ein gemeinsames Kind.

Jakobs Familie: der Trend zu einem Kind.

Konrads Familie: Papa muss manchmal auch Mama sein.

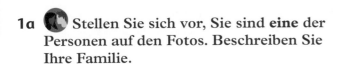

1a Stellen Sie sich vor, Sie sind **eine** der Personen auf den Fotos. Beschreiben Sie Ihre Familie.

1b Zu welcher dieser Familien in A, B oder C möchten Sie eher gehören? Begründen Sie Ihre Entscheidung.

Wie klappt's in der Familie?

▸ *Wie kommen die unterschiedlichen Familienmitglieder miteinander aus?*

1 Lesen Sie die Texte unten und verbessern Sie die folgenden Sätze.

a Tobias' Mutter war mit seinem Vater verheiratet.

b Tobias darf bei seinen Freunden übernachten.

c Tobias würde gern selber herausfinden, wie gut Alkohol oder Drogen seien.

d Angela hat vier Stiefgeschwister.

e Angelas Vater finanziert ihr Handy.

f Heike weiß erst seit Kurzem, dass sie adoptiert ist.

g Heike hat blonde Haare und blaue Augen.

2 Wie kommen Sie mit den verschiedenen Mitgliedern Ihrer Familie aus? Machen Sie zuerst eine Liste der Personen und beschreiben Sie dann Ihr Verhältnis zu ihnen und die Gründe dafür.

3a  Wie liberal ist Ihre Familie? Arbeiten Sie mit einem Partner/einer Partnerin und beantworten Sie die folgenden Fragen.

a Dürfen Sie ausgehen, wann Sie wollen, oder nur am Wochenende?

b Müssen Sie zu einer bestimmten Uhrzeit zu Hause sein?

c Dürfen Sie mit Ihren Freunden in Urlaub fahren?

d Erlauben Ihnen Ihre Eltern, neben der Schule auch noch einen Job zu haben?

3b Erklären Sie Ihren Klassenkameraden, was Sie gerade besprochen haben. Verwenden Sie dazu Sätze wie:

- Wir dürfen beide (nicht) …
- Wir finden es fair, dass …
- Wir finden es unfair, dass …

A Tobias

Also, ich wohne mit meiner Mutter zusammen. Meine Eltern waren nie verheiratet, und mein Vater hat uns verlassen, als ich noch ein Baby war. Ab und zu sehen wir uns noch, aber ich kann es nicht vergessen, dass dieser Mann nicht bei uns wohnen wollte. Mit meiner Mutter verstehe ich mich eigentlich ziemlich gut, aber ich finde, dass sie manchmal ein bisschen zu ängstlich ist. Sie besteht immer darauf, mich von Partys abzuholen, obwohl ich ganz gern bei meinen Freunden pennen würde. Sie erklärt mir auch jeden Tag, wie gefährlich Alkohol und Drogen seien, und versteht nicht, dass ich dies vielleicht lieber selbst herausfinden würde.

B Angela

Ich bin das Nesthäkchen in meiner Familie, wie meine Eltern sagen. Ich habe zwei Halbschwestern und zwei Halbbrüder, weil sowohl meine Mutter als auch mein Vater schon mal verheiratet waren. Sie haben beide ihre Kinder mit in diese Ehe gebracht. Ab und zu gibt es schon Probleme bei uns, weil ich finde, dass mein Vater seine Kinder aus der ersten Ehe vorzieht. Zum Beispiel finanziert er ihre Handys, während ich meins selber bezahlen muss. Diese Situation geht mir langsam auf die Nerven. Trotzdem glaube ich, dass meine Familie einigermaßen in Ordnung ist: bei uns ist immer was los und ich bin nie einsam.

C Heike

Dass ich adoptiert bin, habe ich schon als Kleinkind gewusst. Meine Eltern glaubten zuerst, sie bekämen keine Kinder, aber als ich bei ihnen lebte, wurde meine Mutter mit Zwillingen schwanger und deshalb habe ich zwei zehnjährige Brüder. Manchmal bin ich auf diese beiden Jungen ein wenig eifersüchtig, weil sie meinen Eltern doch sehr ähnlich sehen: sie haben die strahlend blauen Augen meiner Mutter und die welligen, blonden Haare meines Vaters. Ich habe jedoch gelernt, mit diesem Gefühl umzugehen, denn meine Eltern stellen mich immer als ‚ihre älteste Tochter' vor und scheinen stolz auf mich zu sein, und über diese Tatsachen kann ich mich nun wirklich nicht beklagen!

---

pennen – to sleep (slang), to 'kip'
das Nesthäkchen – the youngest of the family

4a Sie hören folgende Wörter auf Deutsch in den Interviews mit Katie und Micha. Schreiben Sie sie auf.

a grey matter

b better guidance

c to damage

d swat

4b Hören Sie noch einmal zu und machen Sie Notizen auf Englisch. Benutzen Sie die folgenden Stichpunkte.

- Wie gut kommen Katie und Micha mit ihren Eltern aus?
- Was können sie/können sie nicht tun?
- Warum fühlen sie sich unter Druck?
- In welcher Hinsicht hätten sie es lieber, dass ihre Eltern anders wären?

4c Wer sagt das?

a Ich habe einen Nebenjob.

b Ich sage meinen Eltern nicht immer die Wahrheit.

c Ich verbringe nicht jede Nacht bei mir zu Hause.

d Ich möchte lieber Hausaufgaben machen als Zeit zu vergeuden.

e Ich wünsche, meine Eltern wären strenger.

f Ich freue mich schon auf die Zeit nach dem Abitur.

4d Wessen Eltern würden wahrscheinlich Folgendes tun? Schreiben Sie Katie oder Micha zu jedem Satz auf.

a Sie würden _____ nicht von einer Party abholen.

b Sie würden _____ das Rauchen verbieten.

c Sie würden _____ keine laute Musik erlauben.

d Sie haben Angst wegen des Abiturs.

e Sie haben nichts gegen einen Teilzeitjob.

f Sie haben totales Vertrauen zu ihrem Kind.

Grammatik → 159 → W26

Demonstrative adjectives and pronouns

- To say 'this/these', use *dieser/diese/dieses/diese* (pl).
- To say 'that/those', use *jener/jene/jenes/jene* (pl).
- To say 'every', use *jeder/jede/jedes*.

A Read the three texts on page 108 again and make a list of all the demonstrative adjectives you can find. Then explain what case they are used in.

B Fill in the correct endings.

a In dies _____ Hinsicht hat Katie wirklich viel Glück mit ihren Eltern.

b Unter dies _____ Umständen möchte Micha so schnell wie möglich von zu Hause weg.

c Angelas Eltern haben beide je zwei Kinder in dies _____ neue Ehe mitgebracht.

There is also a demonstrative pronoun which can be used without the noun. It takes the same endings as the demonstrative adjective, except for the neuter, which is usually shortened to *dies*.

Example: *Bei Freunden übernachten? Dies wäre für Micha unmöglich.*

Tipp

Planning an essay

Before you start writing an essay, make sure you plan it properly. This will help you to make it well structured, logical and full of valid and interesting points. Aim for your essay to contain:

- a very short introduction outlining what you are going to say
- about three paragraphs, each containing one main idea backed up by examples and/or explanations
- a conclusion where you sum up what you have said but don't add any new points.

A Using the advice above, write an essay of 200–250 words on the topic of *Das Leben bei mir zu Hause.*

 # Gute Eltern

> ▸ *Was macht gute Eltern aus?*
> ▸ *Wie wichtig sind gute Eltern für Kinder?*

1a „Gute Eltern" – schreiben Sie Antworten zu den folgenden Fragen.

- Was machen gute Eltern (nicht)?
- Was machen schlechte Eltern (nicht)?
- Wie wichtig sind Ihre Eltern für Sie?

1b Vergleichen Sie Ihre Antworten mit einem Partner/einer Partnerin. Stimmen Sie überein?

2a Lesen Sie den Artikel und beantworten Sie die folgenden Fragen auf Deutsch.

a Wer ist für Kinder am wichtigsten in der Familie?

b Wann sind Kinder glücklich?

c Warum ist das so wichtig?

d Was braucht man, um Kinder „gut" zu erziehen?

e Warum ist das nicht so einfach?

f Warum war das früher einfacher?

Eltern machen Kinder glücklich

Eltern sind für ihre Kinder das Wichtigste im Leben. Wenn Kinder sich geliebt fühlen und sich in ihrer Familie wohlfühlen, dann sind sie glücklich. Und das ist entscheidend für das spätere Leben. Die Erziehung in der Familie schafft viel mehr, als es Kita und Schule je könnten. Aber Erziehung fordert Zeit, Kraft und Kompetenz. Elternwissen ist nicht angeboren! Früher wurden Erfahrungen zu Familie und Erziehung von Generation zu Generation weitergegeben – das ist heute nicht mehr selbstverständlich.

Aber wenn Eltern:

- ✔ ein gutes Familienklima ohne Angst schaffen,
- ✔ viel mit ihren Kindern unternehmen,
- ✔ ihre Kinder ernst nehmen und partnerschaftlich behandeln,
- ✔ Wertschätzung und Anerkennung zeigen,
- ✔ ihnen Mut zusprechen und sie häufig loben,
- ✔ sinnvolle Freizeitaktivitäten (Hobbys, Lesen, Beschäftigung mit Tieren) fördern,
- ✔ sie an den Arbeiten in der Familie teilnehmen lassen (Abwaschen usw.),
- ✔ ihnen viel Kontakt zu Freunden und Freundinnen ermöglichen,
- ✔ ihnen möglichst ein eigenes Zimmer in der Wohnung zur Verfügung stellen,

dann fördern sie das Glücklichsein ihrer Kinder.

schaffen – to achieve
die Kita (Kindertagesstätte) – nursery

2b Finden Sie folgende Wörter im Artikel.

   a appreciation

   b to praise

   c to take someone seriously

   d innate

   e recognition

   f to encourage

   g upbringing

   h competence

2c Übersetzen Sie die neun Tipps im Artikel ins Englische.

2d Welche Punkte finden Sie am wichtigsten? Und welche Punkte sind Ihnen nicht so wichtig? Vergleichen Sie sie mit Ihren Antworten von Übung 1 und machen Sie eine Liste von 1 (sehr wichtig) bis 9 (unwichtig).

2e Diskutieren Sie Ihre Liste mit einem Partner/einer Partnerin.

3 Hören Sie sich ein Interview über österreichische Jugendliche und ihr Verhältnis zu ihren Eltern an. Schreiben Sie **R**, wenn die Aussage unten richtig ist, **F**, wenn die Aussage falsch ist, oder **NA** (nicht angegeben), wenn die Information nicht im Interview ist.

   a Frau Steinwald hat österreichische Eltern interviewt.

   b Die Minderheit der österreichischen Jugendlichen hat ein schlechtes Verhältnis zu ihren Eltern.

   c Viele Eltern sind autoritär.

   d Die meisten Jugendlichen verstehen nicht, warum eine gute Ausbildung so wichtig für ihre Eltern ist.

   e Die meisten Eltern sagen nicht gern, dass sie etwas falsch gemacht haben.

Grammatik   ➡157 ➡W14

Prepositions

- Some prepositions are always followed by the accusative:

  durch, ohne, gegen, wider, um, für = 'dogwuf' + bis.

- Some prepositions are always followed by the dative:

  aus, außer, bei, gegenüber, mit, nach, seit, von, zu

- Some prepositions can be followed by either the dative or the accusative.
  Ich gehe in **das** Wohnzimmer.

  in + accusative (implies **movement**): I am going (in)to the living room.

  Ich bin in **dem** Wohnzimmer. (Ich bin **im** Wohnzimmer.)

  in + dative (implies **position**): I am in the living room.

Ⓐ Read the text about good parenting and find examples of these prepositions. Note how the articles change in the different cases. Refer to page 154 for the correct endings.

Ⓑ Write A or D for each sentence, depending on whether the preposition is followed by the accusative or dative case.

   a Die ganze Familie fährt an die Nordsee.

   b Ich möchte eine Reise ans Mittelmeer machen.

   c Es gibt oft Streit zwischen den Eltern.

   d Vor dem Abendessen singen wir.

   e Die Kinder setzen sich oft vor den Fernseher.

   f Meine Oma wohnt über dem Supermarkt.

4 Diskutieren Sie mit einem Partner/einer Partnerin, warum es zwischen Teenagern und ihren Eltern oft zu Konflikten und Missverständnissen kommt.

5 Schreiben Sie einen Aufsatz zum Thema „Gute Eltern" (200–250 Wörter).

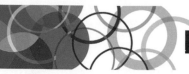
▸ *Die Scheidungsraten steigen – wie kann man das Zusammenleben unterstützen?*

Bald noch weniger Kinder für die Deutschen?

Es lässt sich nicht leugnen: Noch nie haben die Deutschen so wenige Kinder bekommen wie gerade jetzt. Im Vergleich mit vielen europäischen Nachbarn bildet Deutschland mit 8,5 Geburten auf 1000 Einwohner so ziemlich das Schlusslicht. Im Klartext heißt das, dass jede Frau nur 1,36 Kinder gebärt, laut einer Studie zur demografischen Entwicklung des Berlin-Instituts. Bis zum Jahr 2050 soll die Geburtenrate sogar noch um 50% zurückgehen! 40% aller jungen Paare verzichten auf Nachwuchs und zitieren dabei häufig die Angst um die Karriere und die Sicherheit am Arbeitsplatz. Was diese Zahlen noch nicht verraten, ist ein zusätzliches Ost-West-Gefälle: In den neuen Bundesländern kommen wesentlich weniger Kinder zur Welt als in den alten. Nach der Wiedervereinigung war die Geburtenrate in der ehemaligen DDR auf 0,77 Kinder pro Frau zurückgegangen. Eine Besorgnis erregende Entwicklung, weil es bald nicht mehr genügend finanzkräftige junge Leute geben wird, die die Renten und Pensionen ihrer Eltern und Großeltern finanzieren können.

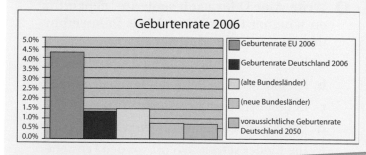

Geburtenrate 2006

- Geburtenrate EU 2006
- Geburtenrate Deutschland 2006
- (alte Bundesländer)
- (neue Bundesländer)
- voraussichtliche Geburtenrate Deutschland 2050

---

das Schlusslicht bilden – to come last
verzichten auf + Akk. – to do without, to give up
zusätzlich – additional
wesentlich – considerably, essentially
das Gefälle – step down between two values
die Rente – state pension
die Pension – pension from employment

---

1   **Lesen Sie sorgfältig den Text und schreiben Sie zu jedem Satz die dazu passende Zahl.**

   a _____ aller jungen Paare wollen kinderlos bleiben.

   b Im Jahr _____ wird nur noch die Hälfte der Kinder im Vergleich zu heute geboren werden.

   c Auf 1000 Einwohner kommen _____ Geburten.

   d Jede deutsche Frau bekommt nur _____ Kinder.

   e Die Zahl der Kinder pro Frau in der ehemaligen DDR beträgt seit der Wende _____.

2a   **Sie hören alle der folgenden Wörter auf Deutsch in Übung 2b. Wie viele davon kennen Sie schon? Schreiben Sie sie auf Deutsch auf.**

   a to become pregnant   **e** parental allowance

   b to start a family   **f** I can afford it

   c mother-in-law   **g** to look after

   d support   **h** to take time off

2b   Wenn der Staat nicht eingreift, wird unsere Gesellschaft in der Zukunft hauptsächlich aus Angestellten und Rentnern bestehen. Hören Sie sich jetzt den folgenden Beitrag über die Einführung des Elterngeldes an und notieren Sie die Wörter von Übung 2a, wenn Sie sie hören. Waren Ihre Vorschläge richtig?

2c   **Ergänzen Sie die folgenden Sätze mit Wörtern aus dem Kasten.**

   a Er erfuhr _____, dass seine Frau ein Baby erwartete.

   b Sie dachten schon _____ lang daran, eine Familie zu gründen.

   c Der Staat führte _____ Maßnahmen ein, um die Geburtenrate zu verbessern.

   d Daniela wird sich _____ lang um das Baby kümmern.

   e Harald hat vor, sich nicht weniger als _____ lang beurlauben zu lassen.

   f Die Eltern können sich insgesamt _____ Monate von der Arbeit beurlauben lassen.

   g Der maximale Beitrag vom Staat kann €_____ erreichen.

---

fünf Jahre	2007
vierzehn	ein halbes Jahr
sieben Monate	letzten Sommer
1800	

3a Diskutieren Sie mit einem Partner/einer Partnerin die Vor- und Nachteile jeder Art von Kinderbetreuung und machen Sie sich Notizen.

- Kinderkrippe
- Tagesmutter
- Kinderfrau
- Kindergarten
- Au-pair-Mädchen
- Verwandte (z.B. die Oma)

3b Hören Sie zu. Was passt zusammen?

1 Danielas Mutter kann nicht so gut auf Martina aufpassen, …

2 Wegen des Elterngeldes können sie nun …

3 Eine Kita ist …

4 Im Osten Berlins gibt es viele Kitas, …

5 Die Kosten für einen Betreuungsplatz in einer Kita …

6 Zu Mittag …

7 Um ein Kind in einer solchen Institution unterzubringen, …

a … muss man ein Anmeldeformular ausfüllen.

b … bekommen die Kinder eine Mahlzeit, die aus Bioprodukten besteht und dann halten sie Mittagsschlaf.

c … weil der Staat früher auf die Kinder aufgepasst hat und die Einwohner daran gewöhnt waren.

d … richten sich nach dem Einkommen der Eltern.

e … weil sie eine Hüftoperation hatte und nicht mehr gut laufen kann.

f … lange zu Hause bleiben und sich selbst um ihr Baby kümmern.

g … eine Art Kindergarten, in dem Kinder ab einem Jahr den ganzen Tag betreut werden.

4a Stellen Sie sich vor, dass Sie zehn oder zwanzig Jahre älter wären. Wie sehen Sie sich? Welche Rolle spielen folgende Punkte? Beschreiben Sie dabei einen typischen Tag. Schreiben Sie ungefähr 160 Wörter.

- Beruf
- Ehe oder Beziehung mit einem Partner/einer Partnerin
- Familienleben
- Kinder
- Kinderbetreuung
- Ihre eigenen Eltern
- Ihre Geschwister
- Ihre Freunde

4b Bevor Sie Ihre Aufsätze abgeben, tauschen Sie sie mit einem Partner/einer Partnerin aus und korrigieren Sie zuerst mit Bleistift die Ausdrücke, die Sie für falsch halten. Besprechen Sie zusammen Ihre Verbesserungen.

Tipp

Checking and correcting your written work

a You should write about the same length for each of the bullet points or prompts.

b Keep a tally of the number of words as you write.

c Allow plenty of time to check for grammatical accuracy.

- Make sure each verb has the correct ending.
- Does each verb agree with the subject (singular or plural)?
- Is it in the correct tense?
- Is it in the right place?
- Does each sentence have a subject?
- Are the other nouns or pronouns in the right case?
- Do your adjective endings and your plurals make sense?
- Have all the nouns got capital letters?

Ⓐ Explain the grammatical rules behind all the underlined elements.

a Wenn ich dreißig <u>bin</u>, <u>wohne</u> ich bestimmt mit <u>meiner</u> Frau und mindestens zwei <u>Kindern</u> in <u>einem</u> Reihenhaus am Stadtrand.

b In meinem Beruf <u>habe</u> ich viel <u>erreicht</u>, und jetzt verdiene ich ganz gut.

c Zu meinen Eltern und <u>Geschwistern</u> habe ich jetzt eine <u>bessere</u> Beziehung als vorher.

Grammatik aktuell

1 Demonstrative adjectives and pronouns

If you want to emphasize a particular point in your spoken and written work or draw attention to a noun, use the following demonstratives:

dieser, diese, dieses	*this*
jener, jene, jenes	*that*
jeder, jede, jedes	*every, each*

These words follow the same pattern as *der, die, das*.

Ⓐ Write out the following sentences, selecting the appropriate form of the demonstrative.

a Mein Vater kommt eigentlich gut mit (*jedes/jeder/jedem*) aus.

b Wir haben über (*dies/diese/diesen*) und (*jene/jenes/jenem*) gesprochen.

c Homo-Ehe? (*Dieser/Dieses/Diese*) neue Entwicklung gefällt der älteren Generation überhaupt nicht.

Ⓑ Replace the underlined words with the relevant demonstrative adjective or pronoun. Don't forget to change the ending.

a Mit <u>dem</u> Mann könnte ich nicht leben! (*jener*)

b <u>Die</u> Ehen haben keine Überlebenschancen! (*dieser*)

c <u>Man</u> muss selbst entscheiden, ob man Kinder will oder nicht. (*jeder*)

2 Prepositions

Prepositions link a noun or pronoun to the rest of the sentence, normally in a phrase which indicates place, time or how an action is done.

These prepositions are always followed by the accusative case:

durch, ohne, gegen, wider, um, für

These prepositions are always followed by the dative case:

aus, außer, bei, gegenüber, mit, nach, seit, von, zu

These prepositions can be followed by either the accusative (indicating movement) or the dative (indicating position):

an, auf, hinter, in, neben, über, unter, vor, zwischen

Ⓐ Complete these sentences with the correct form of the definite article.

a Ich gehe durch d___ Stadt.

b Sandra wohnt bei d___ Großeltern.

c Mein Vater kommt aus d___ Gegend um Berlin.

d Mein Bruder spielt mit d___ Nachbarskindern.

e Ich spare für d___ Wagen in silber.

f Wir spielen gegen d___ Mannschaft aus Bocholt.

Ⓑ Choose the correct definite article for each sentence.

a Meine Mutter kommt in *die/der* Küche.

b Die ganze Familie fährt mit dem Rad in *dem/den* Park.

c Ich stelle die Gläser auf *den/der* Tisch.

d Das Fahrrad steht neben *dem/das* Haus.

e Mein kleiner Bruder geht immer vor *dem/den* Fernseher.

f Meine Eltern fahren mit dem Auto über *die/der* Brücke.

Ⓒ The following sentences contain prepositions which are followed by either the dative or the accusative. Read each sentence, decide if the dative or the accusative is used and rewrite the sentence using the case that has not been used.

Example: Ich sitze **in der** Küche. (dative, position) → Ich setze mich **in die** Küche. (accusative, movement)

a Das Familienfoto hängt an der Wand. Ich …

b Wir fahren auf ein Familienfest. Wir sind …

c Ich bin im Garten. Mein Bruder geht …

d Mein Vater wohnt unter der Schnellstraße. Der Bus fährt …

e Ich helfe in der Küche. Meine Mutter kommt …

Ⓓ Write five sentences using prepositions that take the accusative and five sentences with prepositions followed by the dative.

Vokabeln

Wie klappt's in der Familie?	*pages 108–109*
die Ehe	*marriage*
die Stiefgeschwister (pl.)	*stepbrothers and stepsisters*
bestehen	*to consist of*
bringen	*to bring*
übernachten	*to stay overnight*
verlassen	*to leave*
vorziehen	*to prefer*
ängstlich	*anxious*
eifersüchtig	*jealous*
schwanger	*pregnant*
stolz	*proud*
verheiratet	*married*

Gute Eltern	*pages 110–111*
die Anerkennung	*recognition*
die Erziehung	*upbringing*
die Kompetenz	*competence*
der Mut	*courage*
die Wertschätzung	*appreciation*
erreichen	*to achieve*
loben	*to praise*
nehmen	*to take*
sich wohlfühlen	*to have a feeling of well-being*
zusprechen	*to encourage*
angeboren	*innate*
ernst	*serious*
glücklich	*happy*
selbstverständlich	*obvious*
sinnvoll	*useful*

Die Familie der Zukunft	*pages 112–113*
das Elterngeld	*parental allowance*
die Geburtenrate	*birth rate*
die Maßnahme	*measure*
die Rente	*pension*
die Schwiegermutter	*mother-in-law*
sich beurlauben lassen	*to take leave*
erwarten	*to expect*
gebären	*to give birth*
gründen	*to start (a family)*
sich kümmern um	*to look after*
leugnen	*to deny*
verbessern	*to improve*
besorgniserregend	*worrying*
finanzkräftig	*financially healthy*

Sie sind dran!

A Ergänzen Sie die Sätze mit Wörtern aus den Vokabellisten.

a Meine Mutter hat wieder geheiratet und ich habe jetzt zwei _____, denn ihr neuer Mann hat zwei Kinder mit in die _____ _____.

b Susi ist _____ auf ihren kleinen Bruder, weil ihre Eltern ihn _____.

c Meine Mutter ist nicht _____: sie lässt mich am Wochenende oft bei Freunden _____.

d Die _____ der Kinder ist in vielen Familien die Aufgabe der Mutter.

e Die Eltern sollten ihre Kinder oft _____ und ihnen ihre _____ zeigen – das macht Kinder _____.

f _____ bei der Erziehung ist leider nicht _____ – das müssen alle Eltern erst lernen.

g Die _____ in Deutschland geht jedes Jahr zurück – das ist eine _____ Entwicklung.

h Es gibt zwar _____ vom Staat für jedes Kind, aber das ist nicht genug.

i Die _____ von Anja _____ _____ um ihre kleine Tochter, weil Anja arbeitet.

B Schreiben Sie weitere Lückensätze mit Wörtern aus den Vokabellisten. Tauschen Sie Ihre Sätze mit einem Partner/einer Partnerin und ergänzen Sie sie.

1a Was bedeutet die Überschrift: „Die Nummer gegen Kummer"?

a Telefon-Lotto   **c** Telefonhilfe bei Problemen

b Projekte gegen den Hunger

Die Nummer **gegen** Kummer

Manchmal kapieren Eltern einfach nicht, was ihre Kinder von ihnen wollen. Das wiederum verstehen dann die Kinder nicht. Ziemlich schwierig, sich in so einer Situation überhaupt noch zu einigen.

Du möchtest deinen Eltern erklären, warum du nicht so früh zu Hause sein kannst, warum das mit der Mathearbeit schief gegangen ist, dass du den Streit mit deinen Kumpels alleine klären möchtest oder im Gegenteil gerade dringend ihre Hilfe brauchst ... und deine Eltern verstehen dich einfach nicht. Schlimmer noch, sie hören dir noch nicht mal richtig zu oder unterstellen dir etwas, das du gar nicht gemacht hast.

Genauso kann es sein, dass sie nicht kapieren wollen, wenn du deine Ruhe brauchst und gerade nichts von Schule oder Mülleimer-runter-tragen hören möchtest. Das alles kann ganz schön miese Gefühle verursachen: die meisten Kinder sind dann traurig oder auch stinkwütend.

Es kann verschiedene Gründe dafür geben, dass deine Eltern dich nicht verstehen. Ein wichtiger Grund kann die Pubertät sein. Du entwickelst vielleicht gerade eigene Meinungen, möchtest mehr zu Hause mitbestimmen und lässt dir auch nicht mehr so viel sagen – und das kannten deine Eltern vielleicht bislang nicht so von dir.

Andererseits kann es auch sein, dass die Eltern selbst Stress haben, mit eigenen Problemen beschäftigt sind und keine Zeit und Ruhe haben, sich auf die Veränderungen einzustellen.

Es gibt mehrere Seiten, von denen aus du das Problem angehen kannst:

- Einmal ist es gut, wenn du versuchst den Eltern zu erklären, was du zum Beispiel machen möchtest und warum du andere Dinge nicht machen möchtest.

- Wenn du aber weiter Rätsel raten musst, warum sie dich nicht verstehen, dann ist es manchmal hilfreich, sie zu fragen: Warum verstehst du mich nicht? Was fehlt dir zum Verständnis? Oder aber du schreibst dein Anliegen in einem Brief auf, den können sie dann in Ruhe lesen.

- Wenn du dann immer noch auf „taube Ohren" stößt, kann vielleicht eine dritte Person helfen, ein Erwachsener, dem du dich anvertrauen kannst und den deine Eltern akzeptieren.

1b Finden Sie fünf Sätze unten, die **nicht** mit dem Sinn der Webseite übereinstimmen.

a Eltern verstehen manchmal nicht, was in ihren Kindern vorgeht.

b Es ist nicht so schwierig, die Probleme gemeinsam zu lösen.

c Die Kinder versuchen, ihre Probleme zu erklären – aber das ist nicht immer leicht.

d Die Eltern versuchen oft, ihren Kindern richtig zuzuhören.

e Eltern wissen oft nicht, was ihre Kinder gerade jetzt (nicht) wollen.

f Die Kinder sind auf sich selbst wütend, wenn die Eltern sie nicht verstehen.

g Man weiß leider überhaupt nicht, wie die Probleme entstehen.

h Wenn Kinder in die Pubertät kommen, haben Eltern damit manchmal Probleme.

i Viele Eltern freuen sich, wenn ihre Kinder eine eigene Meinung haben.

j Oft haben auch die Eltern selbst Probleme und sind gestresst.

1c Lesen Sie noch einmal den letzten Abschnitt. Schreiben Sie eine Bewertung der Tipps von 1 (am hilfreichsten) bis 3 (am wenigsten hilfreich) und diskutieren Sie Ihre Wahl mit einem Partner/einer Partnerin.

Tipp

Making effective use of vocabulary and complex structures II

It is important to use a wide range of vocabulary and complex structures in both your spoken and written work. You can do this by:

- using a variety of verbs
- using phrases and idioms
- avoiding over-using certain words and phrases.

A Which other words can you find in the text for *verstehen, nicht gelingen, schlecht* and *nicht hören?*

- Use fillers or particles (*Füllwörter*) such as *denn* or *so* to make your language sound more expressive and to increase the authenticity of your German.

B List all the fillers you can find in the text.

- Use a variety of complex structures and verb forms, such as:
  - subordinate and relative clauses
  - the passive   – the conditional
  - the subjunctive in indirect speech.

C Write three more *Hilfe-Tipps* like the ones in the text. Incorporate the ideas above.

11 Freunde

1a Machen Sie einen Test über sich selbst als Freund bzw. Freundin. Welche Eigenschaften besitzen Sie? Ordnen Sie die folgende Liste nach Ihren persönlichen Prioritäten.

- Zuverlässigkeit
- Sinn für Humor
- jede Menge Zeit für andere
- gegenseitige Hilfe
- denselben Geschmack bei Musik und Klamotten
- Vertrauen und Diskretion
- Mut und Unternehmungsgeist
- Abenteuerlust
- ähnliche Einstellung zu Geld
- politisches Engagement
- ähnliche Hobbys
- gemeinsamer Spaß
- zuhören können
- Großzügigkeit

1b Vergleichen Sie Ihre Ergebnisse mit dem Rest der Klasse.

117

11 Mit guten Freunden ist das Leben schön

▶ *Wie wichtig ist Freundschaft für deutsche Jugendliche?*

1 Lesen Sie die Sätze. Welche drei beschreiben Freundschaft für Sie am besten? Warum?

> Ein guter Freund ist jemand, der dich versteht.
>
> Jeder sollte einen besten Freund oder eine beste Freundin haben.
>
> Mit einem guten Freund ist man nie allein.
>
> Nichts ist schöner, als mit Freunden zusammenzusein.
>
> Niemand sollte ohne Freunde sein.
>
> Keiner ist gern allein – mit Freunden ist das Leben schöner!
>
> Eine Freundschaft ist etwas, das jeder braucht.

2a Wie wichtig sind Freunde für Sie? Beantworten Sie die folgenden Fragen.

a Wie oft sehen Sie Ihre Freunde in der Woche?

b Wie viele Stunden am Tag chatten oder telefonieren Sie mit Freunden?

c Welche Themen besprechen Sie mit Ihren Freunden?

d Was unternehmen Sie mit Ihren Freunden?

e Möchten Sie mit Ihren Freunden später in eine WG (Wohngemeinschaft) ziehen?

f Wie bleiben Sie mit Freunden von früher, zum Beispiel aus der Grundschule, in Verbindung?

2b Vergleichen Sie Ihre Antworten mit einem Partner/einer Partnerin.

Hilfe

Ich sehe/treffe meine Freunde/Freundinnen/Clique jeden Tag/täglich/regelmäßig/nur am ...
Wir besprechen Themen wie ...
Wir diskutieren über ...
Ich bleibe per Internet/Facebook/Telefon in Verbindung.

Meine beste Freundin Jana und ich – wir kennen uns seit zehn Jahren. Wir machen alles zusammen und wir teilen alles: Klamotten, Make-up ... Wir versuchen, immer zusammen zu sein – und wenn das nicht geht, dann telefonieren wir oder texten uns! Ich kann meiner besten Freundin total vertrauen. Sie versteht mich und sie hilft mir bei meinen Problemen – in der Schule oder mit meinen Eltern zum Beispiel. Natürlich habe ich auch andere Freundinnen, aber keine ist für mich so wichtig wie Jana. Natürlich haben wir manchmal auch Krach – das gehört zu einer guten Freundschaft dazu! Das Wichtigste ist, dass wir uns immer wieder vertragen.

Kathi, 16

Ich habe viele gute Freunde, mit denen ich mich super verstehe. Ich habe eigentlich keinen besten Freund – diese Position teilen sich alle meine Freunde! In einer Gruppe hat man einfach mehr Spaß, und da ist immer etwas los. Wir streiten uns nie – das ist super! Ich mache auch mit verschiedenen Freunden verschiedene Sachen: mit manchen Freunden fahre ich Skateboard, mit anderen gehe ich ins Kino oder schaue Filme auf dem Computer an, mit wieder anderen gehe ich zu Heavy Metal-Konzerten. Das funktioniert prima. Also, ich bin voll zufrieden, dass ich so viele tolle Freunde habe. Mit nur einem besten Freund wäre das Leben langweiliger und trister, denke ich.

David, 15

3a Finden Sie folgende Wörter in den Texten auf Seite 118. Schreiben Sie sie auf.

  a to be friends again

  b dull

  c to trust

  d to be part of something

  e argument

  f to be going on

3b Lesen Sie die Aussagen unten. Schreiben Sie **R**, wenn die Aussage richtig ist, **F**, wenn die Aussage falsch ist, oder **NA**, wenn die Information nicht im Text steht.

  a Jana und Kathi wurden mit zehn Jahren Freundinnen.

  b Sie haben ständig Kontakt miteinander.

  c Jana hat einen festen Freund.

  d Jana und Kathi streiten sich nie.

  e David hat viele beste Freunde.

  f Er findet es besser, mit mehreren Freunden zusammenzusein.

  g Seine Freunde wohnen alle in seinem Stadtteil.

  h Seine Freunde haben alle dieselben Interessen.

4 Was finden Sie besser: nur einen besten Freund/eine beste Freundin oder mehrere gute Freunde/Freundinnen? Diskutieren Sie Ihre Meinung mit einem Partner/einer Partnerin.

5 Schreiben Sie einen kurzen Abschnitt über die Bedeutung von Freundschaft für die heutige Jugend. Versuchen Sie, Ihre Feststellungen zu begründen (etwa 100 Wörter).

6 Hören Sie sich sechs Meinungen zum Thema „Ein guter Freund/eine gute Freundin" an. Schreiben Sie den passenden Namen (Bea, Tom, Ines, David, Kathi, Uwe) zu jeder Aussage.

  a _____ hat dieselben Hobbys und wir lachen viel.

  b _____ passt auf dich auf, wenn es Probleme gibt.

  c _____ ist diskret und treu.

  d _____ lässt dich ausreden und nimmt dich wichtig.

  e _____ sagt immer die Wahrheit und ist nie böse.

  f _____ hilft dir, wenn du nicht glücklich bist.

Grammatik   ➡163 ➡W38

Indefinite and interrogative pronouns

- These indefinite pronouns never change:

man	one, 'they', nominative only
etwas	something, anything
nichts	nothing

- These take endings in the accusative and dative:

niemand/-en/-em   *no one, nobody*
jemand/-en/-em   *someone, somebody, anyone, anybody*

- These take the same endings as *dieser* (page 159):

einer/-en/-em   *one, one of a group*
keiner/-en/-em   *no-one, nobody*
jeder/-en/-em   *each, every, everyone*

- Some pronouns are question words. These are known as interrogative pronouns.

wer?	who?
was?	what?
wen?	whom?
wessen?	whose?

A Translate the sentences from activity 1 on page 118 into English.

B Fill in the correct indefinite pronouns.

  a _____ langweilt sich ohne Freunde.

  b Mit guten Freunden gibt es immer _____ zu tun.

  c Ein Freund ist _____ , der immer Zeit hat.

  d _____ der Kinder hat gar keine Freunde.

  e Gestern habe ich _____ getroffen, der 1100 Facebook-Freunde hat!

  f _____ kann die beste Freundin ersetzen.

C Translate these sentences into German.

  a Everybody needs somebody to love.

  b Whose friend is that?

  c There was nothing for teenagers to do.

  d They always have time for you.

  e What are you looking for in a friend?

D Write four sentences or questions using indefinite and interrogative pronouns.

Krach in der Clique

▸ *Welche Probleme können zwischen Freunden entstehen?*
▸ *Wie kann man sie lösen?*

1a Lesen Sie die zwei Briefe. Welcher Titel passt zu welchem Brief? Vorsicht! Zwei Überschriften passen nicht!

    a Wie schaffe ich es, aus meiner Clique rauszukommen?

    b Meine Klassenkameraden haben kein Verständnis für meine Lage.

    c Wie kann man dem Druck vonseiten Gleichaltriger widerstehen?

    d Hilfe! Meine Eltern klammern!

1b Suchen Sie die folgenden Synonyme in den Texten.

    a Wir singen so laut, dass wir fast nicht mehr sprechen können.

    b Wir reden viel.

    c Vor Kurzem haben wir bemerkt, …

    d nicht mehr mitmachen dürfen

    e Ich bin verantwortlich für meine kleinen Brüder und Schwestern.

    f Man verspottet mich.

    g jemand, der eine ansteckende Krankheit hat

2a  Hören Sie sich diese Ratschläge eines Jugendpsychologen zu den Problemen in den Briefen an. Machen Sie sich Notizen dazu auf Englisch.

1
  • Why did Dorothee feel happy in her group?
  • What is her main fear?
  • Should she give in?
  • What should she do?
  • Why should she do this?

2
  • How does the psychologist feel about Sascha?
  • What can he not believe?
  • How does he suggest Sascha should view his classmates?
  • What are the qualities Sascha has developed?
  • What could Sascha do to see friends and help his mother at the same time?

2b Welche Eigenschaften der Freundschaft werden in den beiden Antworten erwähnt? Machen Sie eine Liste für Dorothee und Sascha.

---

1 Hilfe! Ich habe ein Problem! Seit zwei Jahren bin ich in einer tollen Clique, und bis jetzt war es einmalig. Oft wird bei jemanden eine Fete gefeiert oder wir gehen in Rockkonzerte und schreien uns vor Begeisterung heiser. Fast alle von uns gehen in dieselbe Schule, also sehen wir uns auch da, im Unterricht, in den Pausen oder auch oft bei einem von uns am Nachmittag, und da wird dann viel diskutiert.

An Silvester sind aber zwei Neue dazugekommen, die vorher in einer anderen Stadt gewohnt haben. Am Anfang schienen sie ganz nett zu sein, aber vor ein paar Wochen ist uns klar geworden, dass beide regelmäßig kiffen, also Haschisch rauchen, und jetzt wird von denen Druck auf den Rest von uns ausgeübt, dass wir da mitmachen. Ein paar von uns kiffen jetzt auch, aber ich nicht, und ich bin jetzt ziemlich verzweifelt. Soll ich auch Drogen nehmen? Ich habe Angst, von der Gruppe ausgeschlossen zu werden. Was soll ich nur tun?

Dorothee

2 Ich bin so einsam! Was soll ich nur tun, damit ich nicht immer allein gelassen werde? Ich bin der älteste von fünf Geschwistern. Weil meine Mutter vor vier Jahren von meinem Vater verlassen wurde, muss ich zu Hause immer auf meine jüngeren Geschwister aufpassen. Meine Mutter ist Krankenschwester. Damit die Familie genug Geld hat, macht sie oft Nachtschicht. Das wird nämlich besser bezahlt. Deshalb muss ich zu Hause bleiben und kann fast nie mit den anderen ausgehen. Und wenn ich mal einen Abend frei habe, werde ich von niemandem eingeladen. Oft werde ich von meinen Mitschülern gehänselt: ‚Muttersöhnchen' wird mir nachgerufen. Keiner versteht, wie schwierig das für mich ist. Ich hab's satt, dass ich wie ein Aussätziger behandelt werde. Was kann ich nur tun, um von den anderen akzeptiert zu werden?

Sascha

Freundschaft und Liebe – geht das zusammen?

Ich finde, man kann sowohl einen festen Freund als auch andere Freundinnen haben. Meine Freundinnen verstehen, dass ich Zeit mit meinem Freund verbringen will – aber nicht jeden Nachmittag oder Abend! Und auch wenn ich mit meinem Freund zusammen bin, wird der Kontakt mit meiner Clique nicht abgebrochen: ich texte, oder wir chatten kurz auf Facebook.
Verena

Ich habe seit sechs Monaten eine feste Freundin und habe jetzt nicht mehr so viel Zeit für meine Clique. Die meisten meiner Kumpels verstehen das, aber von einigen werde ich blöd angemacht: du machst ja nur das, was Katja dir sagt, heißt es dann. Aber die sind nur eifersüchtig, denke ich, weil sie selber keine Freundin haben.
Andreas

Wenn man einen festen Freund hat, werden andere Freundschaften vernachlässigt – das ist normal, denke ich. Ich will dann meine gesamte Zeit mit meinem Freund verbringen, und er mit mir. So wird ihm gezeigt, dass er oder sie das Wichtigste im Leben ist.
Hannah

3a Lesen Sie die Texte und die Sätze. Wer sagt was? Schreiben Sie den passenden Namen (Verena, Andreas oder Hanna) auf.

a Meine Clique ist jetzt nicht mehr so wichtig für mich.

b Ich werde von einigen aus meiner Clique nicht richtig verstanden.

c Die Clique ist genauso wichtig wie eine feste Freundschaft.

3b Finden Sie die folgenden Wörter in den Texten. Schreiben Sie sie auf.

a not to break off relations

b to neglect

c to give a hard time

d to spend time with someone

e to combine

4 🎧 Hören Sie sich den Bericht aus dem Jugendradio an. Ergänzen Sie die Sätze mit den Wörtern aus dem Kasten.

a Man muss nicht auf seine beste Freundin _____, wenn sie einen Freund hat.

b Beide _____ sind _____.

c Es ist gut, mit der Freundin über deine _____ zu sprechen.

d Ihr könnt einen _____ machen und euch an verschiedenen Tagen _____.

e Ihr könnt auch zu _____ etwas unternehmen.

f Du kannst dich mal mit anderen _____ treffen.

Grammatik ➡171 ➡W64

The passive voice
- At AS level you need only recognize the passive, not actively produce it yourself.

Ⓐ In each of these sentences, the subject does not carry out the action, but is on the receiving end. How would you translate them into English?

a Katja wird verspottet.

b Der Artikel wird gelesen.

c Ich werde oft ausgelacht.

d Die Freundinnen werden nicht eingeladen.

- The passive voice is formed by using the appropriate tense of *werden* and the past participle.

Ⓑ List other examples of the passive you have spotted in the two letters on page 120. Translate these sentences into English.

- To avoid using the passive, begin your sentence with *man*.

Ⓒ Change the sentences in activity A from passive to active by using *man*.

Example: Man verspottet Katja.

---

dritt Freundschaften treffen Gefühle wichtig
Freundinnen verzichten Terminplan

---

5 Schreiben Sie einen Brief über ein Problem mit Freunden an den Psychologen einer Zeitschrift. Es kann sich um ein tatsächliches/erfundenes Problem handeln.

Sind Freunde aus der Kindheit Freunde für's Leben?

▶ *Wie sich Freundschaften im Lauf der Jahre verändern*

1a Mit wie vielen Freundinnen und Freunden aus Ihrer Kindheit sind Sie auch heute noch befreundet? Warum (nicht mehr)? Schreiben Sie eine Liste mit Namen auf, und schreiben Sie auch die Gründe auf.

1b 🖼 Vergleichen Sie Ihre Liste mit einem Partner/einer Partnerin.

2a Lesen Sie Kajas Tagebuch von 1995 und beantworten Sie die Fragen auf Deutsch.

   a Wie alt ist Kaja, als sie ihr Tagebuch schreibt?

   b Wer ist Lena?

   c Was sagt Kaja über Lenas Aussehen?

   d Was haben sie in der Pause gemacht?

   e Was haben sie nach der Schule gemacht?

   f Warum mag sie Lena?

2b Jetzt lesen Sie Kajas Tagebuch von 2002. Schreiben Sie **R**, wenn die Aussage unten richtig ist, **F**, wenn die Aussage falsch ist, oder **NA**, wenn die Information nicht im Tagebuch steht.

   a Lena ist nicht mehr Kajas beste Freundin.

   b Lena und Kaja haben dieselben Hobbys.

   c Kaja hat seit einiger Zeit einen festen Freund.

   d Lena ist ganz anders als Kaja.

   e Kaja hatte gestern Streit mit ihrem Bruder.

   f Kaja findet es nicht toll, dass Tanja selten für sie da ist.

   g Tanja ist ein Jahr älter als Kaja.

   h Mit Tanjas Hilfe kann sie alles schaffen, glaubt Kaja.

A

3. Mai 1995

Ich habe eine neue beste Freundin! Sie heißt Lena und sie ist auch acht Jahre alt. Sie ist neu in meiner Klasse, und sie sitzt neben mir. Lena ist sehr hübsch. Sie hat lange schwarze Haare und braune Augen. Ich hätte SO gern auch schwarze Haare und braune Augen! In der Pause haben wir zusammen unsere Schulbrote gegessen. Lena hat mir ihre Limonade gegeben. Danach haben wir zusammen Ball gespielt. Und wir sind nach der Schule zusammen nach Hause gegangen. Sie wohnt ganz in der Nähe. Ich mag Lena, weil sie nett ist und das macht, was ich will.

B

15. September 2002

Ich habe heute Morgen Lena im Bus getroffen! Ich kann mir gar nicht vorstellen, dass sie früher meine beste Freundin war ... wir sind total verschieden und haben total andere Interessen: sie möchte später studieren, aber ich möchte nach der 10. Klasse mit der Schule aufhören und Geld verdienen. Sie interessiert sich für Computer und liest gern, und ich interessiere mich für Musik und Mode. Sie ist sehr zurückhaltend und schüchtern, und ich bin – naja, ziemlich laut und lustig, wie Papa immer sagt! Wir hatten uns nach einigen Minuten gar nichts mehr zu sagen, und ich war richtig froh, als ich aussteigen konnte.

17. September 2002

Niemand versteht mich – nur Tanja! Ich bin so froh, dass sie meine beste Freundin ist. Ich hab' gestern Mama und Papa gesagt, dass ich von der Schule abgehen will und Fotomodell werden will. Es gab sofort Krach! „Das kommt nicht in Frage – du machst Abitur!" und „Das ist doch nur ein dummer Mädchentraum!" hieß es dann sofort. Ich hab' sofort Tanja angerufen und sie hat mich getröstet. SIE glaubt an mich und hat mir wieder Selbstvertrauen gegeben. Das ist so toll, wie sie mir hilft. Ich kann mit ihr über alles reden, und sie nimmt mich immer ernst. Für sie bin ich einfach immer super – und das macht mich stark.

2c Finden Sie diese Wörter in den Tagebuch-Auszügen und schreiben Sie sie auf.

a self-confidence

b to have nothing to say to each other

c strong

d to imagine

e to earn

f different

g to leave

h to be out of the question

3a 🗣 Hören Sie sich das Interview mit Kaja an. Ergänzen Sie die folgenden Sätze mit den Wörtern aus dem Kasten.

a Tanja ist immer noch Kajas beste _____ Freundin.

b Sie hat Kaja immer _____ und ist immer für sie da.

c Als Tanja einen _____ hatte, hatten die beiden nur wenig Kontakt.

d Kaja findet Tanja total _____ und _____.

e Kajas andere _____ sind auch Models.

f Kaja _____ es besonders, dass Tanja so _____ ist.

> gefällt   Freundinnen   normal   unterstützt
>
> lieb   deutsche   Freund   toll

3b 🗣 Hören Sie noch einmal zu und beantworten Sie die Fragen auf Deutsch.

a Wo wohnt Kaja jetzt?

b Wie hat sich ihre Freundschaft im Laufe der Jahre verändert?

c Wie bleiben Kaja und Tanja in Kontakt?

d Wie hat Kaja Tanja nach der Trennung von ihrem Freund geholfen?

e Was ist das Schöne an ihrer Freundschaft?

3c 🔵 Sie hören folgende Wörter in Übung 3a. Wie viele davon kennen Sie schon? Schreiben Sie sie auf und schlagen Sie die anderen im Wörterbuch nach.

a to have changed

b a successful model

c to support

d to stay in touch

e that hurt

f to hit rock bottom

g to think of something

h next door

4 Schreiben Sie ein Tagebuch für sich selber so wie auf Seite 122. Beschreiben Sie:

● Ihren besten Freund/Ihre beste Freundin in der Kindheit

● Ihren besten Freund/Ihre beste Freundin heute.

Tipp

Dealing with cloze tests

Familiarize yourself with the gap-fill text to get an idea of the kind of vocabulary you will hear or are looking for.

Use your knowledge of grammar to narrow the range of options for each gap – decide whether the missing word is a verb or an adjective.

● Verbs need to agree with the subject, but also check which tense and verb form (passive, active, infinitive) is needed.

● Adjectives need a correct ending. Check whether the noun they go with is:

– singular or plural

– masculine, feminine or neuter (singular nouns)

– in the nominative, genitive, dative or accusative case.

Ⓐ Complete the gaps below with the correct form of the adjectives or verbs.

a Sabine und ich _____ gestern zusammen nach Hause _____. (*gehen*)

b Meine Freundin Meike ist ein total _____ Mädchen. (*nett*)

c Meine Mutter _____ nächstes Jahr ihren Freund _____. (*heiraten*)

d Als Jugendliche _____ ich viele Freundinnen. (*haben*)

e Ich habe einen _____ Freund – er heißt Rick. (*toll*)

Grammatik aktuell

1 Indefinite pronouns

Indefinite pronouns stand in place of a noun, but do not refer to anything definite (e.g. 'someone', 'nobody'). Using them will improve your spoken and written work by making it more emphatic and persuasive.

Ⓐ Choose the correct pronoun in each sentence.

a Meine Freundin ist *kein/jemand/etwas*, der gut zuhören kann.

b Hat *etwas/einer/nichts* von euch eine feste Freundin?

c Während der Ferien hat *nichts/etwas/man* mehr Zeit für Freunde.

d Der Film ‚Beste Freunde' hat *nichts/niemandem/jemand* gefallen.

e *Keiner/Etwas/Einem* will ohne Freunde sein.

f Im Internet mit Freunden chatten, ist *kein/man/etwas* für Jugendliche.

Ⓑ Complete the sentences with an indefinite pronoun.

a Ich habe _____ Schönes von meiner Freundin bekommen.

b _____ glaubt, dass ein Leben ohne Freunde besser ist.

c An dem Film ‚Beste Freunde' hat mir _____ gefallen.

d _____ muss als guter Freund zuverlässig sein.

e In meiner Freundesgruppe hat _____ einen festen Freund – nur ich nicht.

f _____ hat mich heute in der Schule ausgelacht.

2 Interrogative pronouns

The interrogative pronouns 'who/what' – *wer* for people and *was* for things – are used like this:

nom	wer	was
acc.	wen	was or wo(r) + *preposition* wodurch, woran
dat.	wem	was or wo(r) + *preposition* womit, worauf
gen.	wessen	wessen

Wen hast du getroffen?	*Who did you meet?*
Womit hast du bezahlt?	*What did you pay with?*

Ⓐ Translate these questions into German.

a Who is that?

b Whose daughter is this?

c What's important for you?

d Who does this book belong to?

3 The passive voice

The passive exists in all tenses, just like the active voice. It is formed by using all forms of *werden* and the past participle which goes to the end of the sentence.

The passive is used when the subject of the sentence is not carrying out an action, but is on the receiving end. At AS-level, you only need to recognize and understand the passive.

Ⓐ Translate the following sentences into English.

a Von ihnen wird Druck auf uns ausgeübt.

b Ich werde vielleicht von der Gruppe ausgeschlossen.

c Kaja wird von vielen bewundert.

d Ich werde wie ein Aussätziger behandelt.

Ⓑ Decide which tense these sentences are in before translating them. The tenses are listed in the box below.

a Mir wurde von meinen Freundinnen geholfen.

b Unsere Freundschaft wird es auch in zehn Jahren noch geben.

c Ich bin von meinen Eltern nie gelobt worden.

d Susi war von ihren Freundinnen ausgelacht worden.

future	pluperfect	imperfect	perfect tense

Ⓒ Write sentences starting with *Man* for these passive sentences.
Example: In meiner Clique wird viel geraucht.
Man raucht in meiner Clique viel.

a Ich werde oft auf der Straße angesprochen.

b Facebook wird zur Freundessuche benutzt.

c Ich werde überall bewundert.

d Mein Gesicht wird oft fotografiert.

e Meine Fotos werden in allen Zeitschriften abgebildet.

Vokabeln

Mit guten Freunden ist das Leben schön
pages 118–119

das Geheimnis	*secret*
der Krach	*argument*
teilen	*to share*
trösten	*to comfort*
verteidigen	*to defend*
vertragen	*to make up*
vertrauen	*to trust*
ehrlich	*honest*
zufrieden	*content*
zuverlässig	*reliable*

Krach in der Clique
pages 120–121

die Clique	*clique*
der Druck	*pressure*
ablenken	*to distract*
auslachen	*to laugh at*
ausschließen	*to exclude*
ausüben	*to exert*
hänseln	*to tease*
lösen	*to solve*
verlassen	*to leave*
verspotten	*to mock*
verzichten	*to do without*
eifersüchtig	*jealous*
einsam	*alone*
fest	*steady*

Sind Freunde aus der Kindheit Freunde für's Leben?
pages 122–123

die Kindheit	*childhood*
das Selbstvertrauen	*self-confidence*
trennen	*to split up*
sich etwas vorstellen	*to imagine*
froh	*happy*
hübsch	*pretty*
stark	*strong*
verschieden	*different*

Sie sind dran!

A Ergänzen Sie die Sätze mit Wörtern aus den Vokabellisten.

a Ein guter Freund _____ dich, wenn du Kummer hast, und er _____ dich, wenn andere dich ärgern.

b Das _____ einer guten Freundschaft ist, sich auch nach einem Streit wieder zu _____.

c Ich kann meiner Freundin total _____ – sie behält meine Probleme für sich.

d Ich bin total _____, weil ich keine _____ habe.

e Die anderen _____ und _____ mich, weil ich eine Brille trage.

f Meine Clique _____ _____ auf mich _____, weil ich nicht rauchen will.

g Kaja Körner ist ein sehr _____ Fotomodell, das immer lustig und _____ ist.

h Meine beste Freundin unterstützt mich – das gibt mir _____.

i Ich kenne meine Freundin seit meiner _____, aber wir sind sehr _____ – wir haben ganz unterschiedliche Interessen.

B Schreiben Sie weitere Lückensätze mit Wörtern aus den Vokabellisten. Tauschen Sie Ihre Sätze mit einem Partner/einer Partnerin und ergänzen Sie sie.

Freundschaft

Weißt du, wie wichtig Freundschaft ist?
Oft weißt du's erst, wenn du sie vermisst.
Hast du einen Freund, dann halt ihn dir warm,
denn ohne Freunde bist du arm.

Einem Freund kannst du vertrauen.
Auf einen Freund kannst du bauen.
Er hält stets zu dir und macht dir Mut.
Ein wahrer Freund, der kennt dich gut.

Er tröstet dich, wenn du traurig bist.
Er lacht mit dir, wenn du glücklich bist.
Er legt großen Wert auf das, was du sagst,
und antwortet dir, wenn du ihn fragst.

Er ist für dich da, auch noch morgen,
und teilt mit dir all' deine Sorgen.
Machst du Fehler, er ist's der verzeiht,
auch dazu ist ein Freund bereit.

Die Freundschaft ist von großem Wert,
darum hüte sie, dass nichts sie zerstört.
Sei ehrlich, lüg deinen Freund niemals an,
willst du, dass er dir vertrauen kann.

© 2005 Medienwerkstatt Mühlacker
Verlagsgesellschaft mbH

1a 🗣 Lesen Sie das Gedicht und finden Sie die passende Überschrift. Diskutieren Sie Ihre Wahl mit einem Partner/einer Partnerin.

a Freundschaft kann auch weh tun.

b Freundschaft ist das Wichtigste im Leben.

c Was tun, wenn man keine Freunde hat?

1b Lesen Sie das Gedicht noch einmal. Welche Ergänzung passt am besten zum Inhalt des Gedichtes?

1 Ein Leben ohne einen guten Freund ist
   a traurig und trist   **b** ein wärmendes Gefühl.

2 Ein guter Freund
   a hilft dir manchmal   **b** glaubt immer an dich.

3 In einer guten Freundschaft wirst du
   a immer unterstützt   **b** oft verletzt.

4 Du kannst mit ihm
   a immer Spaß haben   **b** alle Gefühle teilen.

5 Ein guter Freund
   a kann gut zuhören   **b** will nur über seine Probleme sprechen.

6 Eine gute Freundschaft
   a beginnt im Kindesalter   **b** kann viele Jahre halten.

7 Wenn du etwas falsch machst, dann
   a lacht er dich aus   **b** hilft er dir.

8 Man muss daran arbeiten, dass eine Freundschaft
   a nicht kaputt geht   **b** sich nicht ändert.

Tipp

Writing in different styles

To get a high grade you need to develop the skill of writing in different styles. Below are some of the styles you have met so far, with some characteristics to help you identify them.

- formal letter (begin with *Sehr geehrter Herr/Sehr geehrte Frau* + surname, end with *Vielen Dank im Voraus* and use the polite form *Sie*)
- newspaper article (this is factual and doesn't contain slang; it describes past events in the imperfect tense and may use the passive voice)
- magazine article (this tends to be more informal and may contain some slang)
- instructions (use the imperative when giving commands and the infinitive when giving 'less strict' instructions – in recipes, for example)
- literary text (imaginary as opposed to factual)
- informal letter (start with *Hallo* or *Lieber/Liebe* + name, end with *Tschüs/Viele Grüße* and use *du*)

Ⓐ How do you know the text here is a poem? Note down at least two characteristics.

Ⓑ There is one other writing style in this unit. What is it and what are its characteristics?

Ⓒ Write an informal letter to a friend (200–250 words). Imagine you have had a difference of opinion, but you are keen to continue the friendship.

- Explain your feelings about the problem.
- Say why your friendship is important and what is good about it.
- Make suggestions as to how you can get over the problem and continue to be friends.

12 Verliebt, verlobt, verheiratet?

1a Schauen Sie sich die Karikatur an und machen Sie sich Notizen zu den Fragen.

- Worum geht es hier?
- Welche Stereotypen werden hier gezeigt?
- Was sind die Vor- und Nachteile dieses Familienlebens?
- Würden Sie später gern solch eine Familie haben?

1b Diskutieren Sie Ihre Antworten mit einem Partner/einer Partnerin.

2a Wie viele Arten von Familie kennen Sie? Wie viele Arten des Zusammenlebens gibt es? Machen Sie ein Brainstorming.

2b Stellen Sie sich vor, Sie leben in einer der Familien/Partnerschaften, die Sie in Übung 2a genannt haben. Beschreiben Sie Ihr Leben (schreiben Sie zwei bis drei Sätze).

▸ *Werden andere Formen der Partnerschaft immer beliebter?*

1a Stellen Sie sich Ihre Zukunft vor. Wie sehen Sie sich in zehn Jahren? Verheiratet? In einer Partnerschaft lebend? Oder als sorgenfreier Single in einer Großstadt? Machen Sie sich zu diesem Thema ein paar Stichpunkte.

1b Vergleichen Sie Ihre Stichpunkte mit denen von zwei anderen Klassenkameraden. Jeder von Ihnen soll seinen Standpunkt begründen.

2a Ⓓ Lesen Sie sorgfältig den Text. Was bedeuten die fett gedruckten Wörter? Versuchen Sie, zuerst deren Bedeutung zu erraten, und schauen Sie dann im Wörterbuch nach.

Zusammenleben im dritten Jahrtausend

1 Es lässt sich nicht leugnen: Der Mensch ist ein soziales Wesen. Schon seit Menschengedenken gibt es Formen des Zusammenlebens, ob in Großgruppen, Sippen oder in Kleinfamilien. **Eheähnliche** Gemeinschaften gibt es schon seit Jahrtausenden. Durch die Emanzipation der Frau im 20. Jahrhundert, die zuverlässige **Geburtenkontrolle** und die daraus resultierende Gleichstellung von Mann und Frau, zumindest dem Gesetz nach, hat sich alles verändert.

2 Spätestens in der zweiten Hälfte des 20. Jahrhunderts hat sich eine zunehmende Skepsis gegenüber der traditionellen Rollenverteilung zwischen Mann und Frau und damit auch im Bezug auf die Ehe breitgemacht. Während früher Frauen kaum Zugang zu leitenden Positionen und damit hohen Gehältern hatten, sind heute bereits über die Hälfte aller studierenden Frauen. Damit können sie heutzutage finanzielle Unabhängigkeit erreichen und brauchen nicht mehr in einer unbefriedigenden, lieblosen Ehe **auszuharren.**

3 Seit Anfang der Neunzigerjahre nimmt die Zahl der Eheschließungen nicht nur in Deutschland, sondern auch in der Schweiz und in Österreich kontinuierlich ab. Während sich im Jahre 2004 396.000 deutsche Paare **das Jawort** gaben, waren es 2005 8000 oder 1,9% weniger. Gelegentlich lässt sich ein leichter Anstieg beobachten, wie zum Beispiel im Fußballweltmeisterschaftsjahr 2006, aber insgesamt ist die Tendenz fallend.

4 Was ist der Grund für diese **ehefeindliche** Einstellung? Zum einen ist es sicherlich der hohe Prozentsatz an Scheidungen. In den letzten drei Jahrzehnten ist er praktisch in keinem Jahr gefallen. Momentan kommen im Westen Deutschlands, laut Bundeszentrale für politische Bildung, auf 100 geschlossene Ehen 43,6 Scheidungen pro Jahr, während im Osten Deutschlands die Ziffer mit 37,1% etwas niedriger ist. Bei solchen Zahlen kann niemand optimistisch in die Zukunft sehen.

5 Also, geheiratet wird nicht, oder nur wenig; dafür gibt es immer mehr Alternativen zur Ehe: eheähnliche Partnerschaften, Gemeinschaften auf Zeit und sogar **gleichgeschlechtliche** Partnerschaften. Während in den deutschsprachigen Ländern die sogenannte Homo-Ehe noch nicht anerkannt wird, schützt das Gesetz solche Gemeinschaften jedoch ausdrücklich. Die Zahl der Singles nimmt allerdings nicht ab und macht in deutschen Großstädten wie Berlin und München schon fast die Hälfte aller Haushalte aus.

6 Nirgends haben sich Ehe und Familie so stark verändert wie in Deutschland. Suchen wir also keine Geborgenheit, Wärme und kein Verständnis in unseren Beziehungen mehr? Sicher ist die Sehnsucht nach diesen Gefühlen nach wie vor wichtig, doch viele von uns wollen beruflichen Aufstieg, bei dem ein Ortswechsel häufig nicht **vermeidbar** ist, und wir wollen unsere kostspieligen Freizeitbeschäftigungen nicht aufgeben. Also: **Selbstentfaltung** hat Vorrang, die Gemeinsamkeit kann warten!

2b Finden Sie die richtigen Überschriften für die Paragraphen 1–6.

a Beruf und Freizeit ersetzen Beziehungen

b Anstieg der Scheidungsrate

c neue Entwicklungen durch die veränderte Stellung der Frau

d alternative Partnerschaften

e Abnahme der Eheschließungen seit 1990

f familienähnliche Gruppen bis zum 20. Jahrhundert

2c Erklären Sie die folgenden Ziffern aus dem Text.

a 43,6 **d** 50%+

b 37,1 **e** 2006

c 396.000

3a Lesen Sie diese Liste von Wörtern und schauen Sie deren Bedeutung im Wörterbuch nach.

a kirchliche Trauung **f** Hobbys

b Brautkleid **g** Freiheit

c Wohngemeinschaft **h** Scheidung

d beruflich aufsteigen **i** Freundschaften

e guter Verdienst **j** Nachwuchs

3b Hören Sie jetzt gut zu. Drei junge Menschen sprechen über ihre Zukunft. Entscheiden Sie, welche Wörter in Übung 3a jeweils zu jeder Person passen.

3c Ergänzen Sie die Sätze mit passenden negativen Ausdrücken, sodass sie dem Hörtext entsprechen. Sie finden Hilfe im Grammatikabschnitt.

a Benjamin will heiraten, weil er die richtige Frau getroffen hat.

b Er möchte seine Unabhängigkeit für jemanden aufgeben.

c Sandra wäre glücklich, wenn sie einen netten Mann heiratete.

d Sandra und ihr Freund können sich eine Zukunft ohne Trauschein vorstellen.

e Hannes findet, dass ihm eine Zweierbeziehung genügt.

f Er hat vor, in Zukunft seine Freunde weniger häufig zu sehen.

Grammatik ➡174 ➡W67

Negatives

- The main negative adverbs are:

nicht	not
nie	never
nicht mehr	not any more, no longer

- The main negative pronouns are:

nirgends	nowhere
niemand	no one
nichts	nothing
keiner, keine, keins	none, not one, not any

A List all the negatives on page 128.

B Listen again to activity 3b. Complete the sentences with negative pronouns.

a _____ aus meinem Bekanntenkreis würde mir so viel Freiheit bieten.

b Für mich kommt nur eine kirchliche Trauung in Frage, sonst _____.

c _____ kann man so viel Spaß zusammen haben wie in einer WG.

- *Keiner, keine, kein(e)s* follows the same pattern as *einer, eine, ein(e)s*. For the correct endings see page 154.
- *Niemand* adds an *-en* in the accusative and an *-em* in the dative.
- *Nichts* does not decline.

C Fill in the correct negative form.

a Für _____ hat sich die Rolle so verändert wie für die Frauen.

b Fast _____ in Europa gibt es mehr Scheidungen als in Deutschland.

c _____ möchte ganz ohne Partner alt werden.

d Es gibt _____ Besseres für Kinder als eine intakte Ehe.

e _____ der modernen Frauen würde ganz auf eine Karriere verzichten wollen.

4 Hat die Ehe noch eine Zukunft? Schreiben Sie insgesamt etwa 160 Wörter.

5 Heiraten – ja oder nein? Veranstalten Sie eine Debatte in der Klasse.

Heirat – für immer und ewig?

▸ *Warum enden so viele Ehen in Scheidung bzw. Trennung?*

A Ulrike, 41

Ich bin seit drei Jahren geschieden. Mein Ex-Ehemann und ich hatten uns während des Studiums kennen gelernt und hatten schon zehn Jahre zusammengelebt, bevor wir im Jahr 2000 geheiratet haben. Im Jahr darauf habe ich unser erstes Kind bekommen – einen Jungen –, und zwei Jahre später kam unsere Tochter zur Welt. Schon bald nach ihrer Geburt fingen die Probleme an: davor hatte ich noch gearbeitet, doch dann bin ich zu Hause bei den Kindern geblieben. Früher hatte ich mein eigenes Geld verdient – nun war ich völlig von meinem Mann abhängig. Wir hatten ständig Streit und sagten eines Tages: „So geht's nicht mehr!" Bevor wir uns scheiden ließen, hatten wir sogar schon ein Jahr in verschiedenen Wohnungen gelebt. Seit der Scheidung verstehen wir uns viel besser! Mein Mann ist ein guter Vater und kümmert sich jedes zweite Wochenende um die Kinder. Und mir geht's auch besser, denn ich fange wieder an zu arbeiten, wenn meine Tochter in die Schule kommt.

B Holger, 29

Ich war vier Jahre mit meiner Ex-Freundin Sabine zusammen, aber wir haben uns vor sechs Monaten getrennt. Der Grund: ich hatte vor einem Jahr eine neue Kollegin bekommen, mit der ich mich immer besser verstand. Ich habe eines Tages gemerkt, dass ich mich in Katrin – so heißt sie – verliebt habe. Bevor ich das meiner Freundin sagen konnte, hatte sie aber schon einige SMS von der Kollegin auf meinem Handy gefunden ... Es gab einen furchtbaren Streit, und ich bin am nächsten Tag ausgezogen und bei Katrin eingezogen. Ich glaube, Sabine leidet immer noch unter der Trennung. Früher hatte sie alles in der Wohnung selber gemacht – kleine Reparaturen zum Beispiel, aber jetzt ruft sie oft an und sagt, dass sie Hilfe braucht. Ich fühle mich dann schuldig und fahre zu ihr. Das findet Katrin natürlich nicht so toll ... aber sie weiß, dass ich sie liebe – wegen ihr habe ich mich schließlich von Sabine getrennt.

1 Lesen Sie die persönlichen Berichte und beantworten Sie die Fragen auf Deutsch.

a Wann haben Ulrikes Eheprobleme angefangen?

b Was für Probleme waren das?

c Was sagt Ulrike über ihren Mann?

d Warum geht es ihr jetzt besser?

e Warum hat sich Holger von Sabine getrennt?

f Was passierte, bevor er Sabine von Katrin erzählen konnte?

g Warum ruft Sabine immer noch bei ihm an?

h Warum braucht sich Katrin keine Sorgen zu machen?

2a Was passt zusammen?

1	die Ehe	**a**	breast cancer
2	die Alleinerziehende	**b**	to fall apart
3	eingeschränkt	**c**	to bring up
4	die Kita	**d**	single mother
5	Brustkrebs	**e**	natural
6	auseinander brechen	**f**	short for *Kindertagesstätte* or nursery
7	leiblich	**g**	restricted
8	erziehen, erzog, erzogen	**h**	marriage

2b 🎧 Hören Sie jetzt gut zu. Daniel, Jochen und Anna sprechen über ihre Familien bzw. Lebensformen. Wen hören Sie sprechen? Schauen Sie sich die Fotos an (Seite 131) und schreiben Sie die richtigen Namen auf.

2c 🎧 Hören Sie noch einmal zu. Welche Ausdrücke passen zu welcher Person? Kopieren Sie die Liste und schreiben Sie den jeweils passenden Namen zu jedem Ausdruck.

- alleinerziehende Mutter
- tödliche Krankheit
- Erwerbstätigkeit
- Geschäftsreise
- Stiefgeschwister
- Wiederheirat
- Eltern geschieden

Anna

Daniel

Jochen

2d Hören Sie noch einmal zu (wenn nötig). Lesen Sie die Teilsätze 1–4 unten und wählen Sie jeweils die Ergänzung (a–d), die am besten zum Inhalt der Interviews passt.

1 Meine Eltern haben sich scheiden lassen,

2 Meine Mutter hatte mich allein erzogen,

3 Wir nehmen unseren kleinen Sohn überall hin mit,

4 Obwohl mein Vater allein wirklich leckere Speisen zubereiten kann,

a weil wir so oft wie möglich unsere Freunde sehen wollen.

b freut er sich über meine Hilfe bei der Hausarbeit.

c nachdem mein Vater eine andere Frau kennen gelernt hatte.

d bevor sie meinen Stiefvater kennen gelernt hat.

Grammatik ➡168 ➡W56

The pluperfect

The pluperfect tense shows what **had** happened. It is formed with the imperfect tense of *haben* or *sein* and the past participle of the verb:

ich hatte gesehen — *I had seen*
sie war gegangen — *she had gone*

A Find eight examples of the pluperfect tense in the texts on page 130 and note them down.

B Put these sentences into the pluperfect.

a Ich bin nach der Scheidung nach Hannover gezogen.

b Mein Ex-Mann hat sich nie um die Kinder gekümmert.

c Sabine hat sehr unter der Trennung gelitten.

d Wir haben uns schon vor der Heirat gestritten.

e Holger hat sich immer besser mit Katrin verstanden.

f Ich bin seit einem Jahr geschieden.

C Translate these pluperfect sentences into German.

a I had seen him with his new girlfriend.

b She had gone on holiday by herself.

c We had lived in a 'patchwork family'.

d My mother had left us.

e I had found a new boyfriend.

„Ich bin Single!"

▸ *Was sind die Vor- und Nachteile vom Singlesein?*

Allein unter Erziehenden

In Berlin leben 340.000 Mütter und jede Dritte ist alleinerziehend. Lena Petersen ist eine von ihnen. Sie will, dass man sieht, dass sie Alleinerziehende ist. Deshalb hat sie einen Code erfunden: ein grünes Band am Kinderwagen ihres Sohnes. Dieses Band signalisiert: „Ich bin Alleinstehende – und einem Flirt nicht abgeneigt!"

Mit ihrer Idee hat Petersen, 29, und seit vier Monaten Mutter des kleinen Bo, das Bild der Alleinerziehenden revolutioniert. „Ich habe meine Idee vor Kurzem im Berliner Stadtmagazin *zitty* vorgestellt. Seitdem bekomme ich jeden Tag Mails von Frauen und Männern, die mir erzählen, wie schwierig es ist, jemanden kennen zu lernen." Die meisten freuten sich darüber, dass da endlich mal eine kommt, die dem Begriff der Alleinerziehenden das negative Image nimmt. Eine hübsche, gut gelaunte, entspannte Mutter, die sagt: „Hey, ich habe ein Kind, ich bin glücklich und ich darf flirten."

Dass sie mit ihrem offenen Umgang als Single-Mutter an ein Tabu rührte, wurde Petersen erst durch die Reaktionen anderer Leute bewusst. Zwei Gefühle wecken Alleinerziehende besonders häufig, merkte sie: Mitleid und Unverständnis.

Mit dem Vater ihres Kindes versteht sich Petersen gut. Sie sind kein Paar geworden, sondern Eltern. Er übernimmt Verantwortung für seinen Sohn, kommt häufig zu Besuch nach Berlin. „Es gibt keine bösen Gefühle", sagt sie.

Auch das passt nicht ins Klischee der armen verlassenen Frau. „Wenn man schon keinen Mann hat, dann soll man gefälligst traurig oder total gestresst sein", sagt Petersen. „Aber wehe, du bist gut gelaunt und nimmst das Ganze sogar noch mit Humor."

Petersen will andere Frauen ermutigen. „Viele denken, sie finden mit Kind keinen Partner mehr." Natürlich haben Mütter mehr Schwierigkeiten, jemanden kennen zu lernen. „Schließlich können sich die wenigsten Alleinerziehenden regelmäßig einen Babysitter leisten, um abends durch die Bars zu ziehen. Aber das Gute ist: das grüne Band kann auf dem Spielplatz eine dezente Signalisierung sein, dass man offen für eine Beziehung oder auch nur einen Flirt ist!"

1a Lesen Sie den Artikel. Schreiben Sie **R**, wenn die Aussage unten richtig ist, **F**, wenn die Aussage falsch ist, oder **NA** (nicht angegeben), wenn die Information nicht im Artikel steht.

  a Lena Petersen ist eine alleinerziehende Mutter aus Berlin.

  b Sie sucht einen Mann, den sie heiraten kann.

  c Nur wenige Alleinerziehende haben Probleme, neue Partner zu finden.

  d Lena Petersen arbeitet als Friseurin und Make-up-Stylistin.

  e Alleinerziehende werden genauso wie andere Menschen akzeptiert.

  f Lena hat ein gutes Verhältnis zum Vater ihres Sohnes.

  g Sie wünscht, dass sie mehr Geld für sich und ihren Sohn hätte.

  h Sie will anderen Alleinerziehenden helfen, einen neuen Partner zu finden.

1b Lesen Sie noch einmal den Artikel und finden Sie die passenden deutschen Ausdrücke.

  a good-tempered and relaxed

  b open treatment

  c to touch a taboo

  d pity and lack of understanding

  e bad feelings

  f to take in good humour

  g to encourage

  h discreet

2a 🎧 Hören Sie sich das Radiointerview mit der Psychologin Susanne Jäggi an. Was passt zusammen?

a weniger als 15%
b 17%
c fast ein Drittel
d 15%
e 18%

1 so viele deutsche Männer ohne Partner gibt es
2 die Anzahl der Schweizer Alleinstehenden
3 so viele Single-Frauen gibt es in Österreich
4 die Anzahl der alleinstehenden Frauen in Deutschland
5 so viele alleinstehende Männer gibt es in Österrcich

2b 🎧 Hören Sie noch einmal zu und beantworten Sie die Fragen auf Deutsch.

a Welche Arten von Alleinstehenden gibt es?
b Warum sind so viele Frauen alleinstehend?
c Was ist für Frau Jäggi das größte Problem für Singles?
d Wo können Singles Hilfe finden?
e Welches andere Problem nennt Frau Jäggi?
f Was sind die Gründe für gesundheitlichc Probleme bei älteren Singles?

3 Stellen Sie sich vor, Sie wären zehn Jahre älter. Was meinen Sie: sind Sie verheiratet oder in einer Partnerschaft, oder möchten Sie lieber Single sein? Warum (nicht)? Schreiben Sie einen Aufsatz (200–250 Wörter).

Tipp

Using a monolingual dictionary

Use a monolingual dictionary to find synonyms for words you already know. If you have already described your job as *schwierig*, look it up and you might find the alternatives *anstrengend*, *hart* and *kompliziert*. If you are not sure of the exact meaning of these words, check them in a bilingual dictionary before using them.

A **D** Look up these words from the text on page 132 in a monolingual dictionary and find at least one suitable alternative for each.

a erfinden
b abgeneigt sein
c vorstellen
d der Begriff
e die Verantwortung
f gefälligst

Grammatik　→156　→W6

Adjectival nouns

Nouns derived from adjectives are very common in German:

deutsch	*German*
der Deutsche	*the German*
gut	*good*
das Gute	*the good thing*
alleinstehend	*single*
der Alleinstehende	*the single person*

These nouns take the same endings as normal adjectives.
Der Alte wohnt in diesem Haus.
Ich habe **den** Alt**en** gestern gesehen.

A Find other examples of adjectival nouns in the text on page 132.

B Add the correct endings to these adjectival nouns.

a Ich bin eng mit einem Deutsch__ in meiner Klasse befreundet.
b Bei dem Unfall gab es nur einen Verletzt__.
c Das Best__ am Singlesein ist, dass man machen kann, was man will.

Weak nouns

A small group of masculine nouns are known as weak nouns and add an *-n/-en* ending, except with the nominative:

der Assistent	der Nachbar
der Junge	der Präsident
der Kollege	der Psychologe
der Mensch	

A Translate these sentences into German.

a I have a very nice colleague.
b I would like to work with people.
c The boy lives in a house with the other assistants.
d I saw the French president on TV.
e The psychologist studied in Germany.
f I like our new neighbour.
g That room belongs to the English student.
h The new supermarket has lots of customers.

1 Negatives

Most negatives can be used anywhere in the sentence. However, *nicht* is frequently placed quite near the end.

nicht	*not*	nirgends	*nowhere*
nie	*never*	niemand	*no one*
nichts	*nothing*		

Ⓐ Fill the gaps with negatives.

a _____ werden so wenige Kinder geboren wie im Osten Deutschlands.

b Bald werden die Erwerbstätigen die Renten der älteren Generation _____ mehr tragen können.

c Seit der Scheidung seiner Eltern will er _____ vertrauen.

d Ich hätte _____ gedacht, dass ich den Mann meines Lebens finden könnte.

e Er wollte _____ außer einer guten Stelle und einer intakten Beziehung.

Ⓑ Translate these sentences into German.

a No one likes to be alone.

b I have never been in love.

c It's not too bad that I'm divorced.

d Nowhere can you find more single mothers than in Berlin.

e Nothing is more important than love.

f My husband is not looking after our children.

2 The pluperfect tense

This tense talks about what you **had** done and is formed using the imperfect of *haben* or *sein* plus the past participle. If you already know your past participles well, this is an easy tense to use. (See page 168.)

Ⓐ Change these sentences from the perfect to the pluperfect tense.

a Ich habe nach der Scheidung wieder gearbeitet.

b Sie hat kein eigenes Geld verdient.

c Wir haben uns auseinandergelebt.

d Ich bin nach der Trennung in den Urlaub gefahren.

Ⓑ Now put the verbs in these sentences into the pluperfect tense.

a Holger _____ oft zu Sabine _____. *(fahren)*

b Es _____ einen furchtbaren Streit _____. *(geben)*

c Ich _____ von ihrer Trennung _____. *(hören)*

d Mein Ex-Mann _____ mit den Kindern in den Zoo _____. *(gehen)*

e Wir _____ 1992 _____. *(heiraten)*

f Ulrike _____ sich um die Kinder _____. *(kümmern)*

3 Weak and adjectival nouns

Although there are not many weak and adjectival nouns, it is important to know which they are and also which is which.

Ⓐ From the list below, identify which is a weak noun, which is an adjectival noun and which is neither.

a der Junge

b der Nachbar

c der Krankenpfleger

d der Alleinerziehende

e der Fremde

f der Franzose

g der Lehrer

h der Mensch

i der Mann

j der Kollege

Ⓑ Fill in the gaps with the correct adjectival nouns.

a Das _____ (schlecht) ist, dass meine Mutter sich nicht um meine Kinder kümmern kann.

b Mein Mann hat mir heute etwas _____ (interessant) erzählt.

c Das _____ (am besten) im Leben ist die Liebe.

d Beim _____ (italienisch) an der Ecke kann man sehr gut essen.

e Meine Verlobte hat mir etwas _____ (schön) zum Geburtstag geschenkt.

Ⓒ Now write a sentence using each of the weak and adjectival nouns you have identified in activity 3A.

Vokabeln

Zusammenleben heute	pages 128–129
die Beziehung	relationship
die Eheschließung	marriage/wedding ceremony
die Geborgenheit	security
die Gleichstellung	equalisation
die Partnerschaft	partnership
die Rollenverteilung	division of roles
die Sehnsucht	longing
die Selbstentfaltung	self-development
schliessen	to tie
eheähnlich	similar to marriage
ehefeindlich	opposed to marriage
gleichgeschlechtlich	same-sex

Heirat – für immer und ewig?	pages 130–131
die Wiederheirat	re-marriage
auseinanderbrechen	to break apart
leiden	to suffer
verlieben	to fall in love
zusammen sein	to be together
abhängig	dependent
geschieden	divorced
leiblich	biological
schuldig	guilty

„Ich bin Single!"	pages 132–133
die Herzkrankheit	heart disease
der Notfall	emergency
die Verantwortung	responsibility
der Verzicht	giving up
der Witwer	widower
ablehnen	to reject
verlassen	to leave
alleinerziehend	single parent
alleinstehend	single
arm	poor
bewusst	conscious
freiwillig	voluntary
unfreiwillig	involuntary
vielfältig	diverse

Sie sind dran!

A Ergänzen Sie die Sätze mit Wörtern aus den Vokabellisten.

a Die Ehe ist eine _____ zwischen zwei Menschen, die sich lieben.

b Es gibt noch andere _____ Beziehungsformen: Homosexuelle, zum Beispiel, leben in _____ Beziehungen.

c Die _____ ist in vielen _____ immer noch traditionell: der Mann arbeitet und die Frau kümmert sich um die Kinder.

d Ich bin _____, weil meine Frau sich in einen anderen Mann _____ hat.

e Vor allem die Kinder _____, wenn eine Ehe _____.

f Ich habe bei meiner _____ meine beiden _____ Kinder mit in die Ehe gebracht.

g Herr Sauer ist _____: seine Frau ist vor einem Jahr gestorben.

h Ich bin _____ Mutter, denn mein Mann hat uns vor sechs Montaten _____.

i Monika hat die alleinige _____ für ihre Kinder.

B Schreiben Sie weitere Lückensätze mit Wörtern aus den Vokabellisten. Tauschen Sie Ihre Sätze mit einem Partner/einer Partnerin und ergänzen Sie sie.

Das Lieben verlernt?
Franzi Schulz

1 Man sagt, dass wenn ein Herz bricht, es ähnlich ist wie bei einem Glas. Man kann es reparieren, jedoch wird es nie wieder so werden wie es war. Wie lange muss man es wohl festhalten, damit es nicht sofort wieder in sich zusammenfällt? Wie viel Einwirkzeit sollte man dem Kleber zwischen den Bruchteilen des Glases geben?

2 Und wenn die Glasscherben wieder aneinander ohne Hilfe halten, wie funktionsfähig ist ein geflicktes Glas? Wie oft kann man ein Glas reparieren? Wie oft hält ein Herz es aus, gebrochen zu werden? Sterben Nerven irgendwann ab und wir können keine Liebe mehr annehmen?

3 Sind wir irgendwann unfähig Menschen, die neu in unser Leben treten, zu lieben? Und wenn wir denken, dass wir sie lieben, lieben wir sie genauso leidenschaftlich, genauso stark wie die Menschen, die wir vor einigen Jahren kennen und lieben gelernt haben?

4 Wenn das alles nicht so ist, wann vergeht der Schmerz? Wann können wir wieder einen Menschen lieben, wie wir es als Kinder getan haben, mit voller Vertrauen, voller Hingebung und den Blick in die Zukunft gerichtet?

Tipp

Responding to a literary text

- When you first read a literary text, you want to know what happens.

A **Copy and complete the English summary.**
   This extract is about a woman who …
   She wonders whether …
   She is looking forward to …

- You also need to look at the language used and decide what atmosphere the author is trying to convey.

B **Make a list of the words and phrases which reflect the following things.**

   a a broken heart
   b the comparison between past and present relationships
   c the ability to love again

C **Describe your reaction (in English) to the literary extract in terms of:**
   – the content (*der Inhalt*)
   – the main themes and ideas that Franzi Schulz wants to convey (*die Ideen und Themen*)
   – the way in which she creates a particular atmosphere (*die Atmosphäre*).

D **Say whether or not you liked the story and give reasons for your answer.**

1a **Lesen Sie die Kurzgeschichte. Finden Sie den passenden Satz für jeden Abschnitt.**

   a Es kann sein, dass unsere Fähigkeit zu lieben abnimmt.
   b Wir möchten gern wieder eine intensive Liebe erleben.
   c Man weiß nicht, wie viele Trennungen man verkraftet.
   d Eine Trennung verändert uns für immer.

1b **Lesen Sie die Geschichte noch einmal und beantworten Sie die Fragen auf Deutsch.**

   a Womit vergleicht die Autorin ihr gebrochenes Herz?
   b Was sagt sie über die „Reparaturversuche" des Herzens?
   c Was, glaubt sie, wird uns irgendwann vielleicht nicht mehr gelingen?
   d Wie vergleicht sie die Liebe heute mit der Liebe gestern?
   e Wie beschreibt sie die ideale Liebe?

Wiederholung

The following four practice tests are each to be completed after a group of three units in *Zeitgeist 1*. Each group represents the material you need to cover for one topic from the AQA AS German exam:

▸ **Media** TV, advertising, communication technology
▸ **Culture** cinema, music, fashion
▸ **Health** sport and exercise, health, holidays
▸ **Marriage and partnerships** family, friendships, marriage and partnerships

Each test contains examples of all the things you will have to do in your exam:

▸ Reading comprehension, including a cloze grammar test
▸ Listening comprehension
▸ A choice of essays to write
▸ A speaking card to discuss
▸ Sample oral questions

How do these tests compare with the exam?

These tests will give you practice of all the skills which will be tested in your exam, but the reading and listening sections are a bit shorter than in the real exam. The essay question is just like in the exam, but the oral is a bit shorter because you will discuss only two sub-topics, not four. The tests are designed to encourage you to revise the topics as you go and not leave all the learning until the last minute!

What do the test marks mean?

AQA Unit 1 (Reading, Listening and Writing) exam papers have a total of 110 marks. It's easy to convert your practice test mark to an equivalent exam mark:

● double your scores for the Reading (out of 18) and subtract one mark, then double your marks for the Grammar test (out of 5) and the Listening (out of 15), and
● add those marks to your total for the Essay, which will be marked according to the AQA criteria (out of 35) and
● that will give you a mark out of 110.

AQA Unit 2 (Oral) exams have a total of 50 marks, according to AQA criteria.

Your teacher will advise you about what your Unit 1 and Unit 2 Exam Practice totals mean in terms of a final grade for the A2 exam.

How to revise

● Look over the reading and listening activities you have done in class and learn from your mistakes.
● Learn as much vocabulary for each topic as you can. Individual words are useful, but so too are phrases.
● Revise past essays, noting comments about planning and content and making sure you understand any grammatical errors you have made.
● Practise talking about each topic in turn. You could do this with a partner or perhaps record yourself answering a list of questions. Try to make two or three points for each question, giving examples and opinions and backing them up with reasons.

Ja, ich habe alles gelernt

What next?

When you have worked through *Zeitgeist 1* and done the practice tests as you go, you will be well prepared to tackle AQA past papers. For those, your teacher can tell you exactly what grade your mark would get you by looking up the grade boundaries on the AQA website.
Alles Gute! Viel Glück!

Media
Reading

1 Lesen Sie den Text. Dann lesen Sie die Aussagen. Welche **sechs** Sätze stimmen mit dem Inhalt des Textes überein? Schreiben Sie die richtigen Buchstaben auf. *(6 marks)*

Fernsehzeiten

Das Thema Fernsehzeiten löst Streit in fast jeder Familie aus. Zwar sind sich die Eltern zumeist einig, dass ihre Kinder nicht mehr als zwei Stunden am Tag vor dem Bildschirm verbringen sollten. Doch in der Praxis sieht es manchmal anders aus. Eine aktuelle Studie aus den USA berichtet, dass Kinder in der Altersgruppe von sechs bis 13 Jahren heute durchschnittlich über drei Stunden am Tag vor der Glotze hängen.

Die Inhalte von vielen Sendungen sind häufig für Kinder in dieser Altersgruppe ungeeignet. Weitere Folgen von zu viel Fernsehen sind Bewegungsmangel und Fehlernährung und sie können im späteren Leben zu gesundheitlichen Problemen führen. Andererseits werden bestimmte Fernseh-Soaps zunehmend zum zentralen Gesprächsstoff in der Schule.

In den USA hat ein durchschnittlicher Haushalt heute bereits vier Fernseher. Bei zwei Dritteln der befragten Kinder steht ein Fernseher im Kinderzimmer und bei der Hälfte der Familien steht ein Fernseher im Esszimmer oder in der Küche.

A Kinder verbringen mehr Zeit vor dem Fernseher, als die Eltern es sich wünschen.

B Es wäre besser, wenn Eltern mit ihren Kindern zusammen fernsehen würden.

C Die amerikanische Studie wurde vor vielen Jahren gemacht.

D Sehr viele Kinder sehen Sendungen mit unpassenden Themen.

E Kindersendungen haben manchmal grausame Themen.

F Die Folgen von zu hohem Fernsehkonsum wird man vielleicht erst erkennen, wenn die Kinder älter sind.

G Wenn Kinder zu viel fernsehen, kann das für die Augen schädlich sein.

H Kinder sprechen sehr oft mit ihren Freunden über die neuesten Fernsehsendungen.

I Viele Sendungen können Kindern bei ihren Schularbeiten helfen.

J Eine typische amerikanische Familie hat vier Fernsehgeräte.

K 80% der befragten Kinder hatten ein Fernsehgerät im eigenen Zimmer.

L 50% der Familien konnten bei einer Mahlzeit gleichzeitig fernsehen.

2 Lesen Sie den Text. Dann lesen Sie die Aussagen. Für jede Lücke schreiben Sie ein Wort, damit die Aussagen mit dem Inhalt des Textes übereinstimmen. Sie dürfen wenn möglich Wörter aus dem Text benutzen.

(6 marks)

Werbung: gut oder schlecht?

Täglich wird man mit Werbung konfrontiert, sei es auf dem Weg zur Arbeit oder zur Schule, beim Einkaufsbummel in der Stadt, im Radio und Fernsehen oder in Zeitschriften. Die Werbung soll vor allem von Sonderangeboten und neuen Produkten benachrichtigen. So wird man durch Beilagen in Zeitungen, im Radio oder Fernsehen aber auch durch Lautsprecherdurchsagen in den Kaufhäusern auf äußerst preiswerte Angebote aufmerksam gemacht.

Werbung dient auch dazu, Sponsoren bekannt zu machen. Große Firmen sind oft bereit, einen Verein mit Geld- oder Sachspenden zu unterstützen. Als Beispiele können Adidas oder Nike genannt werden, die häufig mehrere Clubs und Sportler sponsern.

Die Werbung zieht natürlich auch Nachteile nach sich. Schon die Unterbrechungen in einem abendlichen Spielfilm, die manchmal sogar länger als zehn Minuten dauern, verärgern das Fernsehpublikum.

Jugendliche werden dazu noch unter speziellen Druck gesetzt. Wer ganz bestimmte Klamotten oder Schuhe nicht kauft, ist auf dem Schulhof und in der Freizeit „out". So wird man manipuliert, etwas zu kaufen, wie zum Beispiel eine Designerhose, die 200 Euro kostet, eher als eine, die genauso aussieht, aber keine Markenhose ist und nur 80 Euro kostet.

Andererseits bringt Werbung auch Vorteile mit sich. Denn wenn es Werbung nicht gäbe, müssten viele private Fernsehanstalten, wie SAT. 1 und RTL, die sich nur durch Werbung finanzieren, schließen.

Außerdem bietet Werbung einem die Möglichkeit, Preise in verschiedenen Geschäften zu vergleichen und sich daraufhin die billigere Ware zu kaufen.

a Durch Werbung werden die Käufer von den neuesten _____ informiert.

b Damit ihr Name bekannt wird, _____ viele große Firmen Sportvereine mit Geld.

c Viele Leute finden es schrecklich, dass _____ durch Werbespots unterbrochen werden.

d Jugendliche werden oft durch Werbung _____, teure Kleidung zu kaufen.

e Es gibt viele _____, die von der Werbung abhängig sind.

f Wenn man Werbeprospekte von mehreren Firmen sammelt, kann man die Preise _____.

3 Lesen Sie die folgenden Äußerungen. Schreiben Sie zu jeder Aussage den passenden Namen (Kai, Ökyü, Natascha, Anna, Patrick, Caroline). *(6 marks)*

Die Medien-Generation

Kai Ich habe mein Handy immer dabei, telefoniere aber nur im Notfall, da reicht mir zweimal im Jahr eine neue Prepaidkarte für 20 Euro.

Ökyü Mit dem IM (Instant Messenger) kann ich vor allem mit mehreren Leuten Termine absprechen. Das geht viel schneller, als viele Freunde anzurufen. Aber wenn ich wirklich etwas zu erzählen habe, rufe ich an.

Natascha Der PC läuft mit Flatrate von nachmittags bis abends, aber ich sitze natürlich nicht die ganze Zeit davor. Das Handy ist dauernd an. Meins hat fast schon ein eigenes Kissen im Bett neben mir ...

Anna Wir haben leider keine Flatrate, deshalb darf ich höchstens zwei Stunden am Tag ins Internet. Das nutze ich abends vor dem Schlafengehen, denn da sind die meisten meiner Freunde online.

Patrick Manche Leute meinen, wenn man online ist, braucht man gar nicht mehr aus dem Haus zu gehen. Aber ich treffe mich fast jeden Tag mit Freunden. Ein persönliches Treffen ist einfach etwas anderes.

Caroline Mich kontaktieren über den IM auch immer wieder Wildfremde, die irgendwoher meine E-Mail-Adresse oder meinen Nickname haben, manchmal Männer aus dem Ausland, die kein Wort Deutsch sprechen ...

a Ich benutze den Computer nur bevor ich ins Bett gehe. Sonst wäre das zu teuer.

b Das ist eine sehr nützliche Methode, viele Leute gleichzeitig zu kontaktieren.

c Ich rufe nur an, wenn es wirklich wichtig ist.

d Ich bekomme oft Nachrichten von Leuten, die ich überhaupt nicht kenne.

e Der Computer ist die ganze Zeit an, aber ich telefoniere lieber.

f Persönliche Kontakte sind mir viel lieber als eine E-Mail oder SMS.

4 Ergänzen Sie die folgenden Sätze mit der richtigen Form der Adjektive oder Verben. Schreiben Sie das Wort ab. *(5 marks)*

a Hast du _____, was diese Woche im Kino läuft? *(herausfinden)*

b Ich _____ nur zwei Stunden pro Tag im Internet verbringen. *(dürfen)*

c Ich _____ oft Musik aus dem Internet _____. *(herunterladen)*

d _____ Kinder sind oft ungesund. *(fernsehsüchtig)*

e Die _____ Werbespots sind wirklich lustig. *(neu)*

Listening

5 Sie hören drei Jugendliche, die ihre Meinung zum Thema Fernsehen geben. Lesen Sie die Aussagen und schreiben Sie den richtigen Namen (Felix, Johanna, Bastian) dazu. *(7 marks)*

Fernsehen bei den Jugendlichen

a Ich sehe gern Sendungen, bei denen ich etwas lernen kann.

b Ich habe oft Streit mit den Eltern über meine Fernsehgewohnheiten.

c Ich sehe fern, um mich zu entspannen.

d Ich finde es schlecht, wenn eine Sportsendung zu lange läuft und meine Lieblingssendung verschoben wird.

e Ich kann den Fernseher nicht ausschalten, bis ich weiß, wie der Film endet.

f Man muss wissen, welche Mannschaft am vorigen Abend gewonnen hat, damit man am Gespräch auf dem Schulhof teilnehmen kann.

g Soaps interessieren mich gar nicht.

6 Anna spricht über die neuen Medien. Lesen Sie die Aussagen unten. Schreiben Sie **R**, wenn die Aussage richtig ist, **F**, wenn die Aussage falsch ist, oder **NA**, wenn die Information nicht im Hörtext ist. *(8 marks)*

Die neuen Medien in der Familie

a Anna kann Werbespots widerstehen.

b Annas Freundin wird leicht von Werbung beeinflusst.

c Anna möchte mehr Taschengeld haben.

d Annas Mutter sieht keine Vorteile am Internet.

e Anna kauft viele Sachen online.

f Annas Vater ist zu Hause ein regelmäßiger Computernutzer.

g In Annas Familie gibt es mehr Handys als Personen.

h Annas Bruder hat sein Handy immer bei sich.

Writing

7 Answer one of the following questions in German. You must write a minimum of 200 words.

> Mein Sohn verbringt zu viel Zeit am Computer. Sofort nach dem Mittagessen geht er in sein Zimmer und ist den ganzen Nachmittag mit seinen Freunden in einem Chatroom online. Er vernachlässigt seine Hausaufgaben, und seine Noten in der Schule werden immer schlechter. Und dann will er abends nicht ins Bett, weil es eine „tolle Sendung" im Fernsehen gibt. Ich weiß nicht, was ich tun soll.

a Was würden Sie dieser Mutter raten? Schreiben Sie eine Antwort auf ihren Brief.

b Was sind die positiven und negativen Aspekte der Werbung? Schreiben Sie Ihre Meinung dazu.

c „Kinder und Jugendliche verbringen zu viel Zeit vor der Glotze." Schreiben Sie Ihre Meinung zu dieser Aussage. Erwähnen Sie die positiven und negativen Aspekte des Fernsehens.

Writing tips

- Read the question carefully.
- Produce a plan – always start your response with a clear introduction and end with a conclusion. Each paragraph should provide a strong point to support your argument. Make sure you don't repeat yourself and that the structure of your argument is logical.
- Check that your planned answer is relevant to the question.
- Back up your points with examples.
- Back up your opinions with justifications.
- Vary your vocabulary as much as you can.
- Use different tenses and grammatical structures.
- Ensure you end with a precise conclusion that briefly sums up your argument. You might want to include an insightful observation which shows your ability to reflect on the theme in a wider context.
- Carry out a final check for relevance and accuracy.
- Make sure you have written a minimum of 200 words – but don't write more than 250 or so.

Oral

8 Beantworten Sie die Fragen unten.

Nur Zeit für das Internet

Deutsche Teenager verbringen immer mehr Zeit vor dem Computer.

Nach der Schule setzen sich deutsche Schüler eher an den Computer als an den Mittagstisch.

Zu viel Zeit vor dem Computer hat einen negativen Einfluss auf die Gesundheit.

Kinder lernen nicht, mit anderen Kindern umzugehen.

„Nach der Schule muss ich immer als Erstes meine E-Mails lesen.“

- Worum geht es hier?
- Was für Probleme kann es geben, wenn man zu viel am Computer sitzt?
- Wie können Eltern kontrollieren, wie viel Zeit ihre Kinder am Computer verbringen?
- Was sind die Vorteile von Computern und dem Internet?
- Wie viel Zeit verbringen **Sie** jeden Tag am Computer? Wie denken Sie darüber?

9 Wählen Sie entweder Aufgabe A oder Aufgabe B und bereiten Sie Antworten auf die Fragen vor.

Aufgabe A Fernsehen

a Wie viel Zeit verbringen Sie mit Fernsehen?

b Was sind Ihre Lieblingssendungen im Fernsehen? Warum?

c Gibt es Fernsehsendungen, die kleine Kinder nicht sehen sollten? Warum?

d Was halten Sie von den Werbespots im Fernsehen?

e Sollten Kinder einen eigenen Fernsehapparat im Zimmer haben? Warum (nicht)?

f Kann das Fernsehen auch bei der Ausbildung helfen?

g Sollte eine Familie zusammen fernsehen?

h Möchten Sie an einer Reality-Show teilnehmen? Warum (nicht)?

i Was sind die Vor- und Nachteile von Casting-Shows?

j Sehen Sie lieber ein Fußballspiel im Fernsehen oder gehen Sie lieber ins Stadion? Warum?

Aufgabe B Werbung

a Was ist der Zweck von Werbung?

b Was sind die Vor- und Nachteile von Werbung?

c Haben Sie je etwas gekauft, weil Sie eine Werbung dafür gesehen oder gelesen haben?

d Was gehört zu einem guten Werbespot?

e Sollte man während einer Sportsendung Werbung zeigen?

f Beschreiben Sie einen Werbespot, den Sie gut finden.

g Meinen Sie, dass es zu viel Werbung in unserer Gesellschaft gibt?

h Was für Werbung sollte verboten werden?

i Wie wäre unsere Gesellschaft *ohne* Werbung?

j Warum machen erfolgreiche Firmen immer noch Werbung?

Popular culture
Reading

1 Lesen Sie den Text. Welche Ergänzung passt am besten zum Inhalt des Textes? Schreiben Sie die richtigen Buchstaben auf. *(6 marks)*

Sarah Connor

Ein Interview mit Stefan Weber

Sarah Connor lebt jetzt in Berlin. Genauer gesagt im schicken Grunewald, gute fünf Kilometer von der City West entfernt. Warum? Sie lacht. Wegen der Kinder. Aber auch wegen ihrer selbst: in Berlin sitzen die Plattenfirmen. Hier schlägt das Herz der deutschen Popmusik.

In diesen Tagen wird ihr neues Album Real Love veröffentlicht. Das erste nach der Scheidung von Marc Terenzi, mit dem sie zwei gemeinsame Kinder hat.

Weber: Hast du manchmal Bedenken, dass Songs wie Back From Your Love zu viel von deinem Privatleben verraten?

Connor: Nein. Musik ist die Sprache, in der ich antworten kann, ohne mich fürchten zu müssen. Nun schreibe ich ja auch nicht alle Texte selber, zwei, drei Songs sind es auf dieser Platte. Die restlichen suche ich aus und schaue, ob sie mir entsprechen.

Weber: War es schwierig für dich mit deinem neuen Lebensstand zurechtzukommen?

Connor: Na ja, das war für mich nicht ganz neu. Ich komme selber aus einer Patchwork-Familie. Ich war das älteste von acht Geschwistern. Ich musste früh Verantwortung übernehmen.

1 In Berlin wohnt Sarah Connor …
- **A** in einem vornehmen Vorort
- **B** direkt in der Stadtmitte
- **C** im Westen der Stadt.

2 Sie ist nach Berlin gezogen, weil …
- **A** sie meint, ihre Kinder bekommen dort eine bessere Erziehung
- **B** sie nicht mehr auf dem Land wohnen wollte
- **C** Berlin das Zentrum der deutschen Musikszene ist.

3 Sarah Connor …
- **A** ist mit Marc Terenzi verheiratet
- **B** erwartet im Moment ihr drittes Kind
- **C** hat sich von ihrem Mann getrennt.

4 Sarah Connor findet …
- **A** es schwierig, über ihr Privatleben zu singen
- **B** sie kann sich durch ihre Musik gut ausdrücken
- **C** dass Musik ihr dabei hilft, ihre Probleme zu vergessen.

5 Sarah Connor …
- **A** schreibt alle ihre Songs selbst
- **B** benutzt auch die Songs von anderen Komponisten
- **C** findet es schwierig, die Songs von anderen Leuten zu singen.

6 Sarah Connor …
- **A** kommt selbst aus einer kleinen Familie
- **B** war das jüngste Kind in der Familie
- **C** hat auch die Trennung ihrer Eltern erlebt.

2 Lesen Sie den Text. Dann lesen Sie die Aussagen. Welche sechs Sätze stimmen mit dem Inhalt des Textes überein? Schreiben Sie die richtigen Buchstaben auf. *(6 marks)*

Filmkritik: Netto

Seitdem seine Eltern sich getrennt haben, lebt der 15-jährige Sebastian bei seiner Mutter in Berlin. Doch als diese zu ihrem neuen Freund ziehen will, von dem sie mittlerweile schwanger ist, hat der Junge genug. Er haut ab und zieht kurz entschlossen zu seinem Vater Marcel, einem Loser, der in einer schäbigen Bude in Prenzlauer Berg wohnt.

Marcel ist allerdings nicht gerade begeistert, als der Sohn so plötzlich in seiner Wohnung auftaucht, denn er hat eine ganze Menge eigener Probleme: die Jobsuche in der Security-Branche will nicht so recht klappen. Auch Marcels Hang zu endlosen Monologen in der Kneipe um die Ecke ergibt ein klägliches Bild – er ist kein Vater, den man bewundern kann.

Dem intelligenten und in der Schule erfolgreichen Sohn ist es peinlich, als er das ruinierte Leben seines Vaters mit ansehen muss. Also fängt der Sohn an, seinem Vater zu zeigen, wie er sich bei einem Interview benehmen muss. Und mit der tatkräftigen Hilfe des Sohnes scheint nun endlich auch ein Job in Aussicht zu sein. Doch als Sebastian seine Freundin, Nora, mit nach Hause bringt, droht Unheil. Denn irgendwie hatte sie sich den Vater ihres Freundes viel cooler vorgestellt ...

Netto gehört zu den deutschen Überraschungsfilmen des Kinojahres. In gerade mal 17 Tagen ohne großes Budget und mit Mini-DV-Kamera hat der Potsdamer Filmstudent Robert Thalheim einen wundervoll melancholisch-komischen Film gedreht.

A Sebastians Eltern wohnen nicht mehr zusammen.

B Sebastians Mutter erwartet ein Kind.

C Sebastians Vater wohnt in einer vornehmen Wohnung.

D Sebastians Vater ist froh, seinen Sohn zu sehen.

E Sebastians Vater findet es schwierig, Arbeit zu finden.

F Sebastians Vater verbringt viel Zeit allein in der Gaststätte.

G Sebastian bekommt schlechte Noten in der Schule.

H Sebastian versucht, seinem Vater zu helfen.

I Es sieht nicht so aus, als ob Sebastians Vater einen Job finden wird.

J Sebastians Freundin mag seinen Vater nicht.

K Man hat sehr viel Geld in den Film investiert.

L Der Filmkritiker hat den Film nicht gemocht.

3 Lesen Sie den Text. Beantworten Sie dann die Fragen auf Deutsch. *(6 marks)*

Sind Stars echte Vorbilder?

Sind Stars echte Vorbilder? Alina Pritzel hat dazu Frank Ströbele interviewt, der mit Künstlern und Bands zusammenarbeitet.

Alina Pritzel: Wie finden Sie es, dass Jugendliche sich Stars als Vorbilder nehmen?

Frank Ströbele: Ich finde das gut, denn Stars sind ja Menschen, die etwas besonders gut machen können. Es ist toll, wenn jemand das als Vorbild sieht.

Alina: Müssen die Künstler aufpassen, was sie in der Öffentlichkeit tun?

Frank: Ja, genauso wie jeder andere Mensch darauf achten sollte, was er tut, sollten Stars kein schlechtes Vorbild sein und sich in der Öffentlichkeit betrinken, Drogen nehmen oder ähnliche Dinge.

Alina: Haben Sie schon einmal Probleme mit aufdringlichen Fans gehabt?

Frank: Ja, eine Band von mir aus Holland, Within Temptation, hatte mal zwei Mädels, die ständig in die Garderobe der Band wollten. Als die Band noch nicht so erfolgreich war, war das noch in Ordnung, aber irgendwann brauchen die Künstler auch ihre Ruhe. Wir haben versucht, dies den Fans zu erklären, doch die konnten das einfach nicht nachvollziehen.

a Warum werden Stars als Vorbilder betrachtet?

b Was sollen die Stars nicht tun? *(2 marks)*

c Was wollten die zwei Mädchen tun?

d Warum war das am Anfang in Ordnung?

e Was konnten die Fans nicht verstehen?

4 Ergänzen Sie die folgenden Sätze mit der richtigen Form der Adjektive oder Verben. Schreiben Sie das Wort ab. *(5 marks)*

a Es _____ _____, dass du morgen kommen kannst. *(sich freuen)*

b Sarah Connor _____ neulich nach Berlin _____. *(umziehen)*

c Ich sehe _____ Krimis als Horrorfilme. *(gern)*

d Ich _____ am Wochenende mit meinen Freunden einen Film sehen, aber ich musste arbeiten. *(wollen)*

e Die letzten Harry-Potter-Filme sind _____ als die ersten. *(lang)*

Listening

5 🎧 Listen to the following extract from a radio programme. Then answer the questions in **English**. *(9 marks)*

Filme sehen: aber wo?

a Why do many people like to go to the cinema?

b When do DVDs normally come out?

c What has the speaker noticed recently about DVDs?

d Name one disadvantage of the cinema she mentions.

e Name one advantage of a DVD she mentions.

f What might you be missing if you watch a DVD?

g What is the third way of watching films which the speaker mentions?

h What sort of films can you watch here?

i What does the speaker say is the biggest advantage of watching films in this way?

6 🎧 Sie hören Interviews mit drei Jugendlichen zum Thema Musik. Lesen Sie die Aussagen und schreiben Sie für jede Textlücke den richtigen Namen (Anna, Carina, Benedikt). *(6 marks)*

Jugendliche und Musik

a ___ geht nicht aus dem Haus, ohne Musik bei sich zu haben.

b ___ hat Konflikte mit den Eltern wegen der Lieblingsmusik.

c ___ hört manchmal klassische Musik.

d ___ hört manchmal Musik mit anderen Leuten.

e ___ mag Musik, die laut ist.

f ___ muss Ruhe haben, um zu arbeiten.

Writing

7 Answer one of the following questions in German. You must write a minimum of 200 words.

Megastars verdienen 20 Millionen Dollar pro Film.

Schauspieler spendet Geld für kranke Kinder.

Warum verdienen Fußballspieler so viel Geld?

Stars adoptieren Kinder aus dem Ausland.

Warum scheinen vor allem Promis & Stars den Drogen zu verfallen?

Superreiche aus den USA spenden die Hälfte ihres Vermögens.

a Geld spielt eine große Rolle im Leben der Prominenten. Aber was machen sie mit ihrem Geld? Wie reagieren Sie auf Schlagzeilen wie diese?

b „Mit Geräten wie iPods und MP3-Spielern kann man heute überall Musik hören." Schreiben Sie Ihre Meinung zu dieser Aussage. Erwähnen Sie die positiven und negativen Aspekte solcher Geräte.

c Sollte man Jugendlichen Horror- und Gewaltfilme verbieten? Was meinen Sie?

Writing tips

- Read the question carefully.
- Produce a plan – always start your response with a clear introduction and end with a conclusion. Each paragraph should provide a strong point to support your argument. Make sure you don't repeat yourself and that the structure of your argument is logical from paragraph to paragraph.
- Check that your planned answer is relevant to the question.
- Back up your points with examples.
- Back up your opinions with justifications.
- Vary your vocabulary as much as you can.
- Use different tenses and grammatical structures.
- End with a precise conclusion that briefly sums up your argument. You might want to include an insightful observation which shows your ability to reflect on the theme in a wider context.
- Carry out a final check for relevance and accuracy.
- Make sure you have written a minimum of 200 words – but don't write more than 250 or so.

Oral

8 Beantworten Sie die Fragen unten.

Kleidung oder Persönlichkeit?

Was ist für junge Leute bei der Partnersuche wichtig?

„Schöne Kleider sind immer ein Zeichen von einer netten Person."

„Es ist mir ziemlich egal, was mein Partner anzieht. Die Persönlichkeit ist mir wichtiger."

„Kleider machen Leute?" – oder nicht?

- Worum geht es hier?
- Wie wichtig ist Image für Teenager?
- Was denken Sie über die Aussagen der Teenager auf den Fotos?
- Was ist für **Sie** wichtig, wenn Sie einen Freund/ eine Freundin wählen?
- Was für Kleidung ziehen **Sie** an, wenn Sie ausgehen?

9 Wählen Sie entweder Aufgabe A oder Aufgabe B und bereiten Sie Antworten auf die Fragen vor.

Aufgabe A Kino

a Was für Filme sehen Sie am liebsten? Warum?

b Sehen Sie lieber Filme im Kino oder auf DVD? Warum?

c Immer mehr Leute gehen heutzutage ins Kino. Wie kann man das erklären?

d Sehen Sie gern Filme mit Untertiteln? Warum (nicht)?

e Erzählen Sie von einem Film, den Sie vor Kurzem gesehen haben. Was halten Sie von dem Film?

f Finden Sie es gut, dass die Filmstars so viel Geld verdienen? Warum (nicht)?

g „Ein Kinobesuch ist heutzutage ein teurer Spaß." Sind Sie mit dieser Meinung einverstanden? Warum (nicht)?

h Wie sollte, Ihrer Meinung nach, ein guter Film sein?

i Wer ist Ihr Lieblingsschauspieler/Ihre Lieblingsschauspielerin? Warum?

j Viele Bücher werden oft verfilmt. Was halten Sie von solchen Verfilmungen? Geben Sie Beispiele.

Aufgabe B Musik

a Wie wichtig ist Musik in Ihrem Leben?

b Was für Musik hören Sie (nicht) gern? Warum?

c Gehen Sie oft ins Konzert? Warum (nicht)?

d Meinen Sie, dass Musik mit dem Image einer Person zusammenhängt? Warum (nicht)?

e Viele deutsche Sänger singen auf Englisch. Was meinen Sie dazu?

f Erzählen Sie von einem deutschen Sänger/einer deutschen Sängerin, den/die Sie gut kennen.

g Was ist bei einem Song wichtiger: der Text oder die Musik? Warum?

h Was halten Sie von klassischer Musik? Warum?

i Finden Sie es wichtig, dass junge Leute ein Instrument spielen lernen? Warum sind Sie dieser Meinung?

j Was halten Sie von Karaoke? Warum?

Healthy living/ lifestyle
Reading

1 Lesen Sie den Text. Beantworten Sie dann die Fragen auf Deutsch. *(6 marks)*

Nordic Walking: Fit mit Stock

Nordic Walking bringt jedermann sanft auf Touren

Am Stock gehen nur ältere Damen und Herren? Von wegen! Nordic Walking, der Trendsport aus Finnland, ist das ideale Training für alle, die ebenso natürlich wie effizient fit werden wollen.

Besser als im Fitnessstudio ist Bewegung an der frischen Luft und genau hier kommen die Stöcke zum Einsatz. Anders als beim Jogging trainiert der Stockeinsatz den Oberkörper und die Koordination. Gesellig ist das Ganze ebenfalls, da man sich selbst in Aktion noch unterhalten kann.

Eine wissenschaftliche Studie belegt die positiven Effekte von Nordic Walking. Aber es genügt nicht mit „irgendwelchen" Stöcken „irgendwie" zu walken! Wer die Grundtechnik beherrscht, trainiert 90% der Gesamtmuskulatur, demnach rund 600 Muskeln. Mit dem richtigen Stockeinsatz ist das Training fast doppelt so effektiv wie einfaches Walking.

a Woran denken viele Leute, wenn sie vom „Gehen mit Stock" hören?

b Warum ist Nordic Walking besser, als ins Fitnessstudio zu gehen?

c Auf welche Weise helfen die Stöcke beim Nordic Walking?

d Warum ist es gut, in einer Gruppe Nordic Walking zu machen?

e Warum muss man die richtige Technik lernen?

f Was ist der Unterschied zwischen Nordic Walking und normalem Gehen?

2 Welche Antwort (1–6) passt zu welcher Frage (a–f)? Schreiben Sie die Nummer auf. *(6 marks)*

Problemseite

Man stellt Fragen ...

a *Wie erkenne ich, dass mein Kind drogenabhängig ist?*

b *Was kann ich tun, wenn ich jemanden sehe, der Drogen verkauft oder wenn mein Kind von jemandem Drogen gekauft hat?*

c *Mein Sohn/Meine Tochter sagt, dass alle in ihrer Clique kiffen. Welche Grenzen und Verbote sind heute noch angemessen?*

d *Was kann ich tun, wenn ich erfahre, dass mein Kind Drogen nimmt oder drogenabhängig ist?*

e *Mein Vater ist Alkoholiker. Ich halte es kaum noch zu Hause aus. Was kann ich tun, damit er endlich aufhört zu trinken?*

f *Ist Alkohol eine Einstiegsdroge?*

Dr. Schneider antwortet ...

1 Als jüngeres Familienmitglied, Sohn oder Tochter, ist es wichtig, sich Gesprächspartner(innen) zu suchen, zu denen man Vertrauen hat und die Verständnis haben. Das können Lehrer(in), Nachbar(in), die Mutter einer Freundin oder andere Vertrauenspersonen sein, mit denen man gut klar kommt.

2 Rote Augen sind bei Cannabis ein Merkmal – sie können aber auch andere Ursachen haben. Bei harten Drogen ist die Kontaktfähigkeit gestört, die Motorik verändert sich, beispielsweise der Gleichgewichtssinn.

3 Untersuchungen zeigen, dass Jugendliche meist mit den legalen Drogen wie Nikotin und Alkohol beginnen, bevor sie zu illegalen Drogen greifen. Alkohol kann eine Einstiegsdroge für Missbrauch und Abhängigkeit sein.

4 Sie sollten sich an eine Beratungsstelle wenden. Wenn Ihr Kind Drogen nimmt und/oder abhängig ist, brauchen Sie Hilfe, um mit dieser belastenden Situation zurecht zu kommen.

5 Es gehört für viele zum jugendtypischen Verhalten, neben Tabak und Alkohol auch Cannabis auszuprobieren. Bei den meisten Jugendlichen ist Cannabiskonsum eine vorübergehende Erscheinung. Sie sollten sich als Eltern ihre eigene persönliche Haltung erarbeiten und diese Ihren Kindern vermitteln.

6 Sie können – und sollten – eine Anzeige bei der Polizei erstatten.

3 Lesen Sie die folgenden Meinungen. Lesen Sie dann die Aussagen rechts. Schreiben Sie zu jeder Aussage den passenden Namen (Alex, Ben, Corinna, Daniel, Eva). *(6 marks)*

Last Minute Urlaub: wirklich ein Sonderangebot?

Alex
Meiner Meinung spricht nichts gegen einen Last Minute Urlaub. Im TV werden natürlich nur die krassen Negativbeispiele gezeigt, alles andere wäre für den Zuschauer langweilig. Allerdings sollte man bei der Hotelbeschreibung auch zwischen den Zeilen lesen. Dass man in der Umgebung viel unternehmen kann, kann z.B. heißen, dass es dort recht laut ist.

Ben
Wir sind schon häufiger last minute in den Urlaub geflogen. Die meisten Reisen haben wir im Internet gefunden. Und wir haben immer Glück gehabt. Obwohl wir meistens sehr kurzfristig gebucht haben, hat alles immer super geklappt. Und wenn das gewünschte Hotel mal nicht mehr zu bekommen war, wurden uns andere Hotels vorgeschlagen. Ich würde jederzeit wieder so buchen.

Corinna
Was die Sterne angeht: ein 2–3 Sterne Hotel in Deutschland kannst du leider absolut nicht mit einem 2–3 Sterne Hotel in Griechenland, Spanien oder sonstwo vergleichen. Wenn du wirklich Komfort haben möchtest, buchst du am besten in einem 4-Sterne Hotel.

Daniel
Die Bewertungen der Besucher sind eigentlich recht hilfreich. Nur aufpassen vor allzu hochlobenden Bewertungen, die zum Teil auch „gefälscht" sind, das heißt vom Hotel selbst geschrieben.

Eva
Was das Online-Buchen angeht, kenne ich niemanden, der bisher Probleme hatte, allerdings habe ich mal im TV gesehen, dass man im Reisebüro sogar billiger wegkommt. Du kannst dir ja mal Angebote machen lassen, dann nach Hause gehen, im Internet die Preise vergleichen, Hotelbewertungen angucken und dann evtl. übers Reisebüro buchen.

a Eine Online-Reservierung kann manchmal teurer sein.

b Manchmal hat man uns andere Unterkünfte angeboten.

c Die Fernsehsendungen zeigen nur die negativen Seiten von Last Minute Urlaub, weil die Zuschauer das sehen wollen.

d Der Standard von den verschiedenen Hotels wird in anderen Ländern anders bezeichnet.

e Ich habe überhaupt keine schlechten Erfahrungen beim Last Minute Urlaub gemacht.

f Manchmal stammt eine gute Kritik nicht von den Gästen, sondern vom Hotelpersonal.

4 Ergänzen Sie die folgenden Sätze mit der richtigen Form der Verben oder des Artikels. Schreiben Sie das Wort ab. *(5 marks)*

a Herr Schneider, _____ _____ nicht so viel Alkohol! *(trinken)*

b Was _____ du an meiner Stelle tun? *(werden)*

c Ich _____ gern etwas mehr Zeit für Sport. *(haben)*

d Es _____ für die Umwelt besser, wenn man im eigenen Land Urlaub machen würde. *(sein)*

e Bei der Wahl _____ Urlaubsorts spielt für mich das Wetter eine große Rolle. *(der)*

Listening

5 🎧 Sie hören vier Frauen, die über das Thema Fitness sprechen. Lesen Sie die Aussagen und schreiben Sie den richtigen Namen (Karin, Maria, Claudia, Rita) zu jedem Satz. *(6 marks)*

Wie ich fit bleibe

a _____ hatte einen Konflikt zwischen Sport und einem anderen Hobby.

b _____ ist in der letzten Zeit fitter geworden.

c _____ hat früher einen Trendsport gemacht.

d _____ verbringt jeden Tag eine kurze Zeit im Schwimmbad.

e _____ meint, sie bleibt fit durch die Aktivitäten im Haushalt.

f _____ hat mit ihrer Familie Sport gemacht.

6 🎧 Sie hören ein Interview mit dem Urlaubveranstalter, Ben Keene. Lesen Sie die Aussagen. Schreiben Sie **R**, wenn die Aussage richtig ist, **F**, wenn die Aussage falsch ist, oder **NA** (nicht angegeben), wenn die Information nicht im Interview ist. *(9 marks)*

Urlaub mal anders

a Ben Keene hat vor ein paar Jahren mit diesem Projekt begonnen.

b Die Touristen müssen bei der Zubereitung der Mahlzeiten mithelfen.

c Die Unterkunft ist bequem und luxuriös.

d Die meisten Besucher machen Urlaub von ihrer täglichen Arbeit.

e Ein Urlaub am John Obey Beach kostet um die tausend Euro.

f Typische touristische Aktivitäten sind verboten.

g John Obey Beach kann ohne Schwierigkeiten erreicht werden.

h Ben Keene findet John Obey Beach landschaftlich außerordentlich schön.

i Ben Keene will den Rest seines Lebens an diesem Ort verbringen.

Writing

7 Answer one of the following questions in German. You must write a minimum of 200 words.

SPORTTAUCHEN Die Welt unter Wasser

MOUNTAINBIKEN Durch Wald und Flur

PARAGLIDING Nur vom Wind getragen

TRENDSPORT BOGENSCHIEßEN Mit Pfeil und Bogen unterwegs

SNOWBOARDEN Trendsport im Winterurlaub

a Solche Aktivitäten sind in den letzten Jahren beliebter geworden. Was sind aber die Vor- und Nachteile von solchen Sportarten? Was ist Ihre Meinung?

b Alkohol, Zigaretten und Drogen sind heute für junge Leute ein sehr großes Problem. Was für eine Rolle können Eltern, Schulen und Freunde/Freundinnen in Bezug auf diese gefährlichen Substanzen spielen?

c „Dieses Jahr wollen wir unseren Urlaub im Heimatland verbringen." Wie würden Sie auf diesen Vorschlag von Ihren Eltern reagieren? Was sind die Vor- und Nachteile vom Inlandstourismus?

Writing tips

- Read the question carefully.
- Produce a plan with a clear introduction and a conclusion.
- Check that your planned answer is relevant to the question.
- Back up your points with examples.
- Back up your opinions with justifications.
- Vary your vocabulary as much as you can.
- Use different tenses and grammatical structures.
- End with a precise conclusion that briefly sums up your argument.
- Make sure you have written a minimum of 200 words – but don't write more than 250 or so.

Oral

8 Beantworten Sie die Fragen unten.

Teamsport oder Einzelsport?
Was bringt mehr?

Mit anderen Leuten ein gemeinsames Ziel erreichen oder sich nur mit der eigenen Gesundheit beschäftigen?

Allein in Deutschland gibt es sechs Millionen Menschen, die in einem Fußballverein sind.

7,2 Prozent der Deutschen gehen regelmäßig in Fitnessclubs. Fast sechs Millionen Menschen stemmen Gewichte oder trainieren auf dem Laufband oder Rudergerät.

- Worum geht es hier?
- Was sind die Vorteile von Mannschaftssportarten?
- Und was sind die Nachteile?
- Wie wichtig ist es überhaupt, dass man fit bleibt?
- Sind **Sie** eher Teamsportler(in) oder Einzelsportler(in)?

9 Wählen Sie entweder Aufgabe A oder Aufgabe B und bereiten Sie Antworten auf die Fragen vor.

Aufgabe A Gesundheit

a Was kann man machen, damit junge Leute weniger trinken?

b Was ist Ihrer Meinung nach das richtige Verhältnis von Beruf und Freizeit?

c Man sieht viele Fotos von Topmodels, die sehr schlank sind. Wie reagieren Sie darauf?

d Was halten Sie vom Doping im Sport?

e Was halten Sie vom Rauchverbot in britischen Kneipen?

f Warum greifen so viele junge Leute zu Drogen oder Alkohol?

g Was sind die Folgen vom Drogenmissbrauch?

h Was machen Sie, wenn Sie gestresst sind?

i Ist es gut, dass Supermärkte alkoholische Getränke zu spottbilligen Preisen anbieten? Was meinen Sie?

j In Amerika darf man erst ab 21 Alkohol trinken. Wie stehen Sie dazu? Ab welchem Alter soll man Alkohol trinken dürfen?

Aufgabe B Urlaub

a Was erwarten Sie von einem guten Urlaub?

b Was verstehen Sie unter Ökotourismus?

c Viele Leute nehmen ihr Handy mit oder lesen ihre E-Mails, wenn sie im Urlaub sind. Wie stehen Sie dazu?

d Kann Tourismus Nachteile für ein Land haben?

e Welche Auswirkungen haben lange Flugreisen auf die Umwelt?

f Welches Transportmittel ziehen Sie vor, wenn Sie in den Urlaub fahren?

g Was halten Sie vom Inlandstourismus?

h „Es ist nicht gut für eine einsame Gegend, wenn sie zum Touristenziel wird." Wie stehen Sie zu dieser Äußerung?

i Wie ist der Urlaub heutzutage anders als vor 50 Jahren?

j Urlaub kann auch stressig sein. Stimmt das?

Family/Relationships

Reading

1 Lesen Sie den Text. Dann lesen Sie die Sätze. Wie viel Prozent meinen das? Schreiben Sie die richtige Zahl auf. *(6 marks)*

Gute Eltern überfordert

Kinder sind in deutschen Familien das Wichtigste. Die Eltern wollen sie richtig erziehen und diskutieren lieber, anstatt Regeln aufzustellen. Aber das bereitet vielen Eltern Probleme. Das ergab eine Umfrage, die am Mittwoch in Berlin vorgestellt wurde. Bei der Umfrage gaben 71 Prozent der Eltern an, ihr wichtigstes Erziehungsziel sei, dass ihre Kinder lernen, sich durchzusetzen. 78 Prozent legten Wert auf die Entfaltung der persönlichen Fähigkeiten ihrer Kinder.

Neben den Zielen änderten sich auch die Erziehungsmethoden. Die Forscher befragten die Teilnehmer, wie sie selbst von ihren Eltern behandelt wurden. Während bei über 60-Jährigen die Hälfte mit Ohrfeigen aufwuchs, waren es bei den unter 30-Jährigen nur noch 23 Prozent.

Dafür wird immer mehr diskutiert, wenn die Kinder sich nicht richtig benehmen: bei zwei Dritteln der unter 30-Jährigen sprachen die Eltern mit ihnen darüber. Bei der älteren Generation waren es nur 34 Prozent.

Das größte Problem bei der Erziehung ist laut der Studie, dass Kinder die Freiheiten, die ihre Eltern ihnen zugestehen, offensichtlich dafür nutzen, zu viel vor dem Fernseher und Computer zu sitzen – das finden 85 Prozent der Befragten.

Auch Alkoholkonsum, Bewegungsmangel und Übergewicht wurden als weit verbreitete Erziehungsprobleme genannt. Und so sind auch die guten, modernen Eltern manchmal einfach nur ermüdet vom Erziehen. Zwei Drittel der Väter und Mütter gaben an, Erziehungsarbeit sei „anstrengend" – auch wenn Kindererziehung das eigene Leben bereichere.

62 Prozent der befragten Eltern beklagten, die Arbeit, die sie bei der Erziehung ihrer Kinder leisten, werde gesellschaftlich nicht ausreichend anerkannt. Deswegen wünschen sie sich auch mehr Unterstützung von außen. Eltern von Kindern, die im Kindergarten sind, waren noch relativ zufrieden. Nur 19% kritisierten die Erziehungsleistung dort. Anders sieht es bei den Schulen aus: über die Hälfte der Eltern von Schulkindern gab an, es gäbe Defizite.

Die Erziehung hat sich also offensichtlich verändert. Autoritäre Eltern gibt es heute weniger. Eltern versuchen, intensiv mit den Kindern zu diskutieren, warum sie etwas nicht wollen. Das ist aber keine leichte Aufgabe.

a Es ist für mich am wichtigsten, dass mein Kind lernt, sich allein zurechtzufinden.

b Meine Eltern haben mich manchmal geschlagen. Aber das war vor 50 Jahren.

c Als junger Vater versuche ich, das schlechte Benehmen meines Kindes mit ihm zu besprechen.

d Mein Kind sieht einfach viel zu viel fern.

e Es ist heute keine leichte Aufgabe, Vater oder Mutter zu sein.

f Ich meine, die Schulen könnten mehr tun, um Eltern bei der Kindererziehung zu helfen.

2 Lesen Sie den Text. Beantworten Sie dann die Fragen auf Deutsch. *(8 marks)*

Was bedeutet Freundschaft?

Freundschaften spielen während des ganzen Lebens eine wichtige Rolle.

Schulkinder wählen ihre Freunde aufgrund gemeinsamer Interessen und Aktivitäten. Es ist kein Zufall, dass Kinder häufig die Absicht mit einem anderen Kind zu spielen an die Frage knüpfen: „Willst du mein Freund sein?"

Ein wesentlicher Unterschied zwischen Familienbeziehungen und Freundschaften ist, dass Freundschaften auf freiwilliger Basis beruhen; Eltern oder Geschwister kann man sich nicht aussuchen. Es ist für Kinder und Jugendliche schwieriger, Familienmitgliedern bei Streitigkeiten aus dem Weg zu gehen, da in der Regel die Familie unter einem Dach lebt. Bei Konflikten mit Freunden ist es einfacher, sich für einige Zeit zu meiden oder – in besonderen Fällen – die Freundschaft zu beenden.

Für Jugendliche steht die gemeinsame Aktivität im Vordergrund. Bei einer Umfrage sagten 86 Prozent der Jugendlichen, dass sie mit ihren Freunden häufig gemeinsam Dinge unternehmen, die beiden Partnern Spaß machen.

In Familien mit Jugendlichen werden die Freunde der Kinder sehr häufig zu einem wichtigen Gesprächsthema und zuweilen zu einem Konfliktpotenzial. Eltern sind besorgt, dass ihre Kinder mit den „richtigen" Gleichaltrigen Umgang haben und nicht einem „schlechten Einfluss" ausgesetzt sind.

Für die Jugendlichen sind die Freunde der wichtigste Ansprechpartner bei der Gestaltung der Freizeit und bei der Bewältigung von persönlichen Problemen. Konflikte mit der Familie besprechen die Jugendlichen gleichermaßen mit der Familie selbst und mit ihren Freunden. Aber wenn es um den späteren Beruf geht, dann sind die Eltern die wichtigsten Gesprächspartner.

a Was bedeutet bei kleinen Kindern die Frage: „Willst du mein Freund sein?"

b Was ist der Hauptunterschied zwischen Familie und Freunden?

c Warum kann man nach Konflikten andere Familienmitglieder nicht vermeiden?

d Welche Lösung wird vorgeschlagen, wenn es Streit in einer Freundschaft gibt?

e Was steht häufig im Mittelpunkt einer Freundschaft?

f Warum machen sich Eltern manchmal Sorgen darüber, mit wem ihre Kinder befreundet sind?

g Worüber sprechen junge Leute am meisten mit ihren Freunden?

h Welches Thema besprechen Jungendliche hauptsächlich mit ihren Eltern?

3 Lesen Sie den Text. Dann lesen Sie die Aussagen. Welche **vier** Sätze stimmen mit dem Inhalt des Textes überein? Schreiben Sie die richtigen Buchstaben auf.   *(4 marks)*

Ein Trauschein ist nicht nötig

Die Entscheidung, nicht zu heiraten, haben Johannes Krätschell und Gundula Trebs bewusst gefällt. „Was nützt ein Versprechen vor dem Standesbeamten?" fragt er.

Dass die zwei zusammenbleiben wollen, ist ja klar. Als Tochter Emilia vor 14 Monaten geboren wurde, haben sie sich auf das gemeinsame Sorgerecht festgelegt.

„Bei Unverheirateten liegt das Sorgerecht ja erst einmal bei der Mutter", sagt der junge Vater. Wenn der Vater auch Rechte haben will, muss die Mutter ihm diese abtreten.

Das hat Gundula Trebs gemacht. Für Johannes Krätschell und seine „Freundin", wie er sie nennt, ist das gemeinsame Sorgerecht viel wichtiger als ein Eheversprechen. Sie wollen auf jeden Fall auch noch ein zweites Kind.

Dass unverheiratete Paare von den Gesetzen benachteiligt werden, wissen die beiden natürlich. Das finden sie etwas weltfremd, weil die meisten jungen Menschen mit Kind gar nicht mehr verheiratet sind. Zumindest in Berlin und anderen Großstädten nicht. Das jedenfalls leiten sie aus ihren Freundeskreisen ab, in denen „richtige" Familien kaum noch vorkommen.

Für beide sind die rechtlichen Nachteile einer nichtehelichen Partnerschaft kein Grund, sich für einen Trauschein zu entscheiden. „Der sagt ja nichts darüber aus, ob es auf Dauer wirklich gut geht."

Das Paar kennt sich seit dreieinhalb Jahren und wohnt gemeinsam in Berlin-Pankow. Die kleine Emilia trägt den Namen ihres Vaters. Das war für ihn wichtiger als für Gundula. Die wird manchmal auch mit seinem Nachnamen angesprochen – beim Kinderarzt zum Beispiel. Das stört sie allerdings weniger. „Ein gemeinsamer Familienname, das wäre vielleicht ein Punkt, der uns irgendwann dazu bringen könnte, zu heiraten", sagen sie.

A Gundula und Johannes wollten eigentlich heiraten.

B Das Kind ist gerade zwei Jahre alt geworden.

C Johannes hat keine Rechte über sein Kind.

D Gundula und Johannes planen, weitere Kinder zu haben.

E Gundula und Johannes haben viele Freunde, die zusammenwohnen und nicht verheiratet sind.

F Gundula und Johannes meinen, ein Trauschein ist ein Zeichen, dass man zusammen bleiben wird.

G Das Kind hat den Familiennamen Krätschell.

H Gundula wird manchmal von anderen Leuten „Frau Krätschell" genannt.

4 Ergänzen Sie die folgenden Sätze mit der richtigen Form von dem Wort in Klammern. Schreiben Sie das Wort ab.   *(5 marks)*

a Es gibt oft Streit zwischen Kindern und _____ Eltern. *(ihr)*

b In der Zukunft werde ich mit _____ Freundin zusammenleben. *(mein)*

c Man sagt, die _____ seien sehr fleißig. *(Deutsche)*

d Ich suche mir immer _____ als Freund aus, der dieselben Interessen hat wie ich. *(jemand)*

e Er war sehr traurig, weil seine Freundin ihn verlassen _____. *(haben)*

Listening

5 🎧 Listen to the radio interview about arguments between parents and their children and provide the information required in **English**. *(7 marks)*

Streit in der Familie

a According to Professor Hoppig, what topics cause arguments between (i) fathers and daughters and (ii) fathers and sons?

b Which subject do both boys and girls argue with their mother most about?

c What surprising finding does Professor Hoppig report?

d What does Professor Hoppig say about the intensity of the arguments between parents and their children?

e To what extent is age a factor in arguments between parents and their children?

f What does Professor Hoppig report about the outcome of arguments between children and their parents?

6 🎧 Sie hören Interviews mit drei Frauen zum Thema „Single sein". Lesen Sie die Aussagen und schreiben Sie den richtigen Namen (Anja, Beate, Chloe) zu jedem Satz. *(8 marks)*

Wie findest du es, Single zu sein?

a _____ hätte gern einen Partner.

b _____ ist vor Kurzem mit ihrem Freund zusammengezogen.

c _____ ist mit dem Single-Leben zufrieden.

d _____ meint, sie könnte Geld sparen, wenn sie mit einem Partner zusammenwohnen würde.

e _____ kommt leicht mit anderen Leuten ins Gespräch.

f _____ denkt, es ist besser, wenn zwei Personen die Wohnung putzen.

g _____ ärgert sich über die Angewohnheiten des Partners.

h _____ telefoniert oft mit ihren Freundinnen.

Writing

7 Answer one of the following questions in German. You must write a minimum of 200 words.

> Hallo!
>
> Meine beste Freundin, die ich seit dem Kindergarten kenne, hat einen neuen Freund. Sie sind total verliebt. Sie sieht ihn jeden Abend und immer am Wochenende. Früher sind wir immer zusammen tanzen oder ins Kino gegangen, aber jetzt hat sie keine Zeit für mich. Ich weiß nicht, was ich tun soll.
>
> Wer kann mir helfen?
>
> Verena

a Schreiben Sie eine Antwort auf Verenas Brief. Was kann sie tun? Gibt es so etwas wie „ein Freund für's Leben"?

b Etwa 200.000 Ehepaare lassen sich jedes Jahr in Deutschland scheiden. Was meinen Sie? Warum ist das so? Sind andere Formen des Zusammenlebens heutzutage besser?

c Heute besteht eine Familie nicht immer aus Vater, Mutter und zwei Kindern. Welche anderen Familienformen gibt es? Funktionieren sie ebenso gut wie die typische Kernfamilie? Was meinen Sie?

Writing tips

- Read the question carefully.
- Produce a plan – always start your response with a clear introduction and end with a conclusion. Each paragraph should provide a strong point to support your argument.
- Check that your planned answer is relevant to the question.
- Back up your points with examples.
- Back up your opinions with justifications.
- Vary your vocabulary as much as you can.
- Use different tenses and grammatical structures.
- End with a precise conclusion that briefly sums up your argument. You might want to include an insightful observation which shows your ability to reflect on the theme in a wider context.
- Carry out a final check for relevance and accuracy.
- Make sure you have written a minimum of 200 words – but don't write more than 250 or so.

Oral

8 Beantworten Sie die Fragen unten.

Familie ist Frauensache, oder?

Eine Umfrage hat gezeigt, dass 87% aller Väter eine Vollzeitstelle haben.

71% der Väter lassen sich nach der Geburt des Kindes von der Arbeit beurlauben.

Immer öfter sieht man sie: Väter, die die Kinderwagen schieben. Mama verdient das Geld.

- Worum geht es hier?
- Was zeigt uns, dass sich das typische Familienbild verändert?
- Was kann ein Vater tun, um bei der Erziehung des Kindes zu helfen?
- Wie sieht es mit der Rollenverteilung in Ihrer Familie aus?
- Was würden Sie von Ihrem zukünftigen Mann/ Ihrer zukünftigen Frau in dieser Hinsicht erwarten?

9 Wählen Sie entweder Aufgabe A oder Aufgabe B und bereiten Sie Antworten auf die Fragen vor.

Aufgabe A Familie

a Worüber wird in vielen Familien gestritten?

b Wie kommen Sie mit Ihren Eltern aus?

c Was sind Ihrer Meinung nach „gute Eltern"?

d Sollen Eltern immer mit ihren Kindern diskutieren, oder müssen sie manchmal auch autoritär sein?

e Was für Regeln gibt es in Ihrer Familie?

f Was sind die Probleme alleinstehender Mütter?

g Die Geburtenraten gehen zurück. Was für eine Bedeutung wird das für die zukünftige Gesellschaft haben?

h Was für Probleme gibt es in sogenannten Patchwork-Familien?

i Welche Probleme gibt es für Eltern heute?

j Wie werden Sie später Ihre eigenen Kinder erziehen?

Aufgabe B Freundschaft

a Wie wichtig sind Freunde für Sie?

b Worüber diskutieren Sie mit Ihren Freunden/ Freundinnen?

c Haben Sie je Streit mit Ihren Freunden/ Freundinnen gehabt?

d Wie lösen Sie Konflikte mit Ihren Freunden/ Freundinnen?

e Was suchen Sie bei einem guten Freund/einer guten Freundin?

f In welchen Sachen werden Sie von Ihren Freunden/Freundinnen beeinflusst?

g Üben Freunde/Freundinnen manchmal einen negativen Einfluss aus?

h Haben Sie dieselben Freunde/Freundinnen wie vor zehn Jahren?

i Was ist Ihnen wichtiger: Ihre Familie oder Ihre Freunde/Freundinnen?

j Ab welchem Alter sollen Jugendliche einen festen Freund/eine feste Freundin haben?

Grammar

1 Nouns and articles

1.1 Gender

Every German noun has a gender, masculine (**der Tisch**), feminine (**die Familie**) or neuter (**das Zeugnis**). Some patterns make learning the correct gender easier.

● 1.1.1 Nouns which refer to masculine or feminine people will have the expected gender:

der Mann, der Arzt, der Großvater
die Frau, die Ärztin, die Tante

But: **das Kind** and **das Mädchen** are both neuter.

● 1.1.2 Nouns which end as follows are usually masculine:

-ant	der Demonstrant, der Passant
-er	der Computer, der Keller, der Ärger
-ich	der Teppich
-ig	der Honig, der König
-ing	der Lehrling
-ismus	der Sozialismus, der Tourismus
-ist	der Polizist, der Tourist
-or	der Diktator, der Doktor

● 1.1.3 Nouns which end as follows are usually feminine:

-e	die Karte, die Grenze, die Szene
-heit	die Schönheit, die Mehrheit
-ik	die Politik, die Hektik, die Panik
-in	die Freundin, die Polizistin
-ion	die Nation, die Explosion
-keit	die Freundlichkeit, die Arbeitslosigkeit
-schaft	die Mannschaft, die Landschaft, die Gesellschaft
-ung	die Meinung, die Kleidung, die Umgebung

● 1.1.4 Nouns which end as follows are usually neuter:

-chen	das Mädchen, das Hähnchen
-lein	das Fräulein, das Büchlein
-um	das Gymnasium, das Datum, das Studium

◆ Words which have come into German from other languages are also often neuter: das Hotel, das Taxi, das Telefon, das Handy

● 1.1.5 The gender of any compound noun is always the gender of the last noun in it:

der Zug	→	der Charakterzug, der Schnellzug
die Karte	→	die Eintrittskarte, die Ansichtskarte
das Geld	→	das Trinkgeld, das Taschengeld

1.2 Definite and indefinite articles

● 1.2.1 The definite article in English has one form: 'the'. In German the form varies with gender and case and number (see 1.1 and 2.1).

	masc	fem	neut	pl
nom	der	die	das	die
acc	den	die	das	die
dat	dem	der	dem	den
gen	des	der	des	der

● 1.2.2 The indefinite article in English is 'a' or 'an'. In German it is:

	masc	fem	neut
nom	ein	eine	ein
acc	einen	eine	ein
dat	einem	einer	einem
gen	eines	einer	eines

● 1.2.3 The equivalent of 'not a' or 'no' in German is **kein**, and this varies in the same way. It takes the same endings as **ein**, with the addition of the plural endings:

nom	keine
acc	keine
dat	keinen
gen	keiner

Das ist **kein** netter Mensch! *He/She is not a nice person!*
Das ist **keine** gute Idee! *That's not a good idea!*
Du bist ja **kein** Kind mehr! *You're not a child any more!*
Bitte, **keine** Fragen! *No questions, please!*

1.2.4 In a number of places German uses the definite article where English does not:

◆ **for abstract nouns:**

Das Leben ohne Internet ist langweilig! *Life without the Internet is boring!*

Die Ehe ist eine altmodische Institution. *Marriage is an old-fashioned institution.*

◆ **with parts of the body in constructions where English uses the possessive adjective:**

Sie wäscht sich **die** Haare. *She is washing her hair.*

Sie zerbrechen sich **den** Kopf darüber. *They're racking **their** brains over it.*

Beim Skifahren hat er sich **das** Bein gebrochen. *He broke his leg skiing.*

◆ **with countries which are feminine:**

die Schweiz *Switzerland*

die Türkei *Turkey*

die Bundesrepublik Deutschland *the federal Republic of Germany*

die (ehemalige) DDR *the (former) GDR*

◆ **with proper nouns preceded by an adjective:**

der alte Fritz *old Frederick (Frederick the Great)*

das moderne Deutschland *modern Germany*

◆ **in expressions of cost and quantity where English uses the indefinite article:**

Die Pizza sieht lecker aus. Was kostet **das** Stück? *The pizza looks delicious. How much is **a** slice?*

◆ **with meals and in certain set phrases:**

nach **dem** Frühstück *after breakfast*

in **der** Schule *at school*

in **der** Regel *as a rule*

auf **die** Uni gehen *to go to university*

1.2.5 In some places where English often uses the indefinite article, German has no article:

◆ **before professions, status or nationality:**

Sie ist Zahnärztin. *She is **a** dentist.*

Ihr Vater ist Franzose. *Her father is **a** Frenchman.*

Ich bin Engländerin. *I am English (female).*

◆ **in certain set phrases:**

Hast du Fieber? *Have you got **a** temperature?*

Ich habe Husten und Schnupfen. *I've got **a** cough and **a** cold.*

1.3 Forming plurals

To form the plural of most English nouns you add 's'. German nouns form their plurals in various ways and it is best to learn the plural with the noun and its gender. But some patterns are worth learning.

1.3.1 Most feminine nouns add -n or -en to form the plural.

die Schwester – die Schwester**n**

die Meinung – die Meinung**en**

1.3.2 Feminine nouns ending in -in add -nen to form the plural.

die Freundin – die Freundin**nen**

die Schülerin – die Schülerin**nen**

1.3.3 Many masculine nouns form their plural by adding an umlaut to the main vowel and -e to the end of the word.

der Stuhl – die St**ü**hl**e**

der Fluss – die Fl**ü**ss**e**

der Baum – die B**äu**m**e**

1.3.4 Many masculine or neuter nouns which end in -el, -en, -er, -chen or -lein do not change in the plural. A few add umlauts, but no ending.

das Unternehmen – die Unternehmen

der Einwohner – die Einwohner

das Mädchen – die Mädchen

der Garten – die G**ä**rten

1.3.5 To make the plural of a neuter word ending in -um, remove -um and replace with -en.

das Datum – die Dat**en**

das Museum – die Muse**en**

Grammar

- **1.3.6** Many neuter words of foreign origin add **-s** to form the plural.

das Hotel	– die Hotel**s**
das Auto	– die Auto**s**
das Handy	– die Handy**s**

- **1.3.7** Most other neuter nouns form their plural by adding an umlaut to the main vowel and **-er** to the end.

das Buch	– die B**ü**ch**er**
das Land	– die L**ä**nd**er**
das Schloss	– die Schl**ö**ss**er**

1.4 Adjectival nouns

Nouns can be formed from adjectives:

arm – der Arme   deutsch – die Deutschen

Like other German nouns, adjectival nouns have a capital letter, but they take the same endings as adjectives do, according to the word that precedes them (see 3.3.2):

	masc	fem	neut	pl
nom	der Deutsche	die Deutsche	das Deutsche	die Deutsch**en**
acc	den Deutsch**en**	die Deutsche	das Deutsche	die Deutsch**en**
dat	dem Deutsch**en**	der Deutsch**en**	dem Deutsch**en**	die Deutsch**en**
gen	des Deutsch**en**	der Deutsch**en**	des Deutsch**en**	den Deutsch**en**
nom	ein Deutsch**er**	eine Deutsche	ein Deutsch**es**	Deutsche
acc	einen Deutsch**en**	eine Deutsche	ein Deutsch**es**	Deutsche
dat	einem Deutsch**en**	einer Deutsch**en**	einem Deutsch**en**	Deutsch**en**
gen	eines Deutsch**en**	einer Deutsch**en**	eines Deutsch**en**	Deutsch**er**

nom	**Ein Bekannter** von mir wird uns abholen. *An acquaintance of mine will pick us up.*
acc	Er begrüßt den Fremden. *He greets the stranger.*
dat	Wir haben noch nicht mit **den Deutschen** gesprochen. *We haven't spoken to the Germans yet.*
gen	Der Ausweis **des Alten** war nicht mehr gültig. *The old man's ID was no longer valid.*

1.5 Weak nouns

A small group of masculine nouns are known as weak nouns. They end in **-n** or **-en** in all cases except the nominative singular.

	sing	pl
nom	der Junge	die Jungen
acc	den Jungen	die Jungen
dat	dem Jungen	den Jungen
gen	des Jungen	der Jungen

- They include:

der Assistent	*the assistant*
der Franzose	*the Frenchman*
der Held	*the hero*
der Junge	*the boy*
der Kollege	*the colleague*
der Kunde	*the customer*
der Mensch	*the person*
der Nachbar	*the neighbour*
der Präsident	*the president*
der Soldat	*the soldier*
der Student	*the student*

nom	Ihr Vater ist **Franzose**. *Her father is French.*
acc	Ich sehe **meinen Nachbarn**, Georg, selten. *I rarely see my neighbour, George.*
dat	Das müssen Sie alles mit **Ihren Kollegen** besprechen. *You must discuss all that with your colleagues.*
gen	Hier ist das Grab **des** unbekannten **Soldaten**. *Here is the tomb of the unknown soldier.*

1.6 Mixed nouns

A few masculine nouns and one neuter noun add **-(e)n** like weak nouns, but also add **-s** in the genitive (2.6):

	sing	pl
nom	der Name	die Nam**en**
acc	den Nam**en**	die Nam**en**
dat	dem Nam**en**	den Nam**en**
gen	des Nam**ens**	der Nam**en**

◆ Others include:

der Buchstabe *letter*	der Friede *peace*
der Gedanke *thought*	der Glaube *belief*
der Wille *will*	das Herz *heart*
	NB: acc: das Herz

2 Prepositions and cases

2.1 The German case system

In German, four cases – nominative, accusative, dative and genitive – help show how a sentence fits together. You can tell the case by the endings or forms of articles, adjectives, pronouns and weak, mixed and adjectival nouns (see the relevant sections). There are also changes to some regular nouns in the genitive and dative (see below).

2.2 The nominative case

- **2.2.1** The nominative case is used for the subject of a sentence. Often the subject comes first, before the verb and object:
  Dieser Mann muss immer Recht haben. *This man always has to be right.*
  Der Junge liebt Computerspiele über alles. *The boy loves computer games more than anything else.*

  But it can come later, and the use of the nominative shows **it is the subject of the sentence**:
  Ein großes Haus, viel Geld, tollen Urlaub, jede Menge Freizeit – das alles wünscht sich **mein Freund**! *A big house, a lot of money, great holidays and endless leisure time – **my boyfriend** wants all that!*

- **2.2.2** The nominative case is always used after verbs like **sein**, **werden**, **bleiben** and **scheinen**:
  Er **ist ein guter Lehrer**. *He is a good teacher.*
  Er **wurde ein reicher Unternehmer**. *He became a rich businessman.*
  Blieb er immer **ein treuer Ehemann**? *Did he always remain a faithful husband?*

2.3 The accusative case

The accusative case has three main uses.

- **2.3.1** It is used for the object of a sentence:
  Kauft er **den Wagen**? *Is he buying **the car**?*
  Ich habe **keine Ahnung**! *I have **no idea**!*
  Er muss **einen Bewerbungsbrief schreiben**. *He needs to write a letter of application.*
  Sie nimmt **keine** Drogen. *She does not take drugs.*

- **2.3.2** It is used after these prepositions:

bis	*until, to, as far as*
durch	*through, by*
entlang	*along (usually follows the noun; see example)*
für	*for*
gegen	*against, towards*
ohne	*without*
um	*round*

  Die Jugendlichen joggen **durch den Wald**. *The young people are jogging through the wood.*
  Was hast du **gegen diesen Lehrer**? *What have you got against this teacher?*
  Er hat keine Zeit **für seinen Stiefsohn**. *He has no time for his stepson.*
  Sie gehen gern diese Straße **entlang**. *They like walking along this street.*

- **2.3.3** It is used in certain expressions of time and for length of time:
  Ich fahre **jeden Samstag** in die Stadt. *I go into town every Saturday.*
  Wo warst du **letzten Monat**? *Where were you last month?*
  Er war **eine Woche** in der Schweiz. *He was in Switzerland for a week.*

2.4 The dative case

Add **-n** to all plural nouns in the dative case, unless they already end in **-n** or **-s**.

zwei Jahre	→	nach zwei Jahre**n**
die Brüder	→	mit meinen Brüder**n**
die Klassen	→	die Schüler von zwei Klassen
die Hotels	→	in den Hotels

Grammar

The dative case has two main uses.

- **2.4.1** The dative is used for the indirect object of a sentence, often translated into English as 'to'. Sometimes the 'to' is optional in English.

  Ich gebe **den Kindern** Süßigkeiten. *I give **the children** sweets. I give sweets **to the children**.*

  Erklärst du **dem Lehrer** dein Problem? *Are you explaining your problem **to the teacher**?*

  Wem sagen Sie das? ***To whom** are you saying that?* Wir müssen **dem Kind** alles zeigen. *We must show **the child** everything.*

- **2.4.2** The dative is used after these prepositions:

aus	*out of/from*
außer	*except for*
bei	*'at' someone's (like **chez** in French) (bei + dem → beim)*
dank	*thanks to*
gegenüber	*opposite (follows a pronoun and can follow a noun)*
mit	*with*
nach	*after, according to*
seit	*since (see 6.1.1)*
von	*from (von + dem → vom)*
zu	*to (zu + dem → zum; zu + der → zur)*

  Wollen wir uns **nach der Schule** treffen? *Do you want to meet after school?*

  Am Samstag steigt eine Fête **bei meiner Freundin** Susanne. *There is going to be a party at my friend Susanne's on Saturday.*

2.5 Dual-case prepositions

Nine prepositions take either the accusative case or the dative, depending on the circumstances. They are:

an	*on (vertically, e.g. hanging on a wall) at (an + dem → am; an + das → ans)*
auf	*on*
hinter	*behind*
in	*in (in + dem → im; in + das → ins)*
neben	*near, next to, beside*
über	*over*
unter	*under, below*
vor	*in front of, before*
zwischen	*between*

- **2.5.1** When these prepositions indicate the location of a thing or an action, they are followed by the dative case.

  Er arbeitet **im** Ausland. *He works abroad.*

  Das Poster hängt **an der** Wand. *The poster is hanging on the wall.*

  Wir warten auf euch **vor dem** Kino. *We are waiting for you outside the cinema.*

- **2.5.2** When they indicate the direction of a movement, they are followed by the accusative case.

  Er fährt **ins** Ausland. *He is going abroad.*

  Häng das Poster bitte **an die** Wand. *Please hang the poster on the wall.*

2.6 The genitive case

Masculine and neuter singular nouns add **-s** or **-es** in the genitive case:

der Titel **des** Buch**es** *the title of the book*
die Frau **des** Jahr**es** *the woman of the year*
am Ende **des** Krieg**es** *at the end of the war*
die Filme **des** Jahrhundert**s** *the films of the century*

One-syllable words usually add **-es** and longer words simply add an **-s**.

The genitive case has two main uses.

- **2.6.1** The genitive is used to show possession and is usually translated into English by 'of the' or an apostrophe 's' ('s).

- **2.6.2** The genitive is used after certain prepositions, including:

außerhalb	*outside*	trotz	*in spite of*
innerhalb	*inside*	während	*during*
statt	*instead of*	wegen	*because of*

  Sie sehen sich selten **außerhalb der Schule**. *They seldom meet outside school.*

  Was machst du **während der Pause**? *What are you doing during break?*

  Wegen des schlechten Wetters bleiben wir lieber zu Hause. *We prefer to stay at home because of the bad weather.*

  Trotz seines guten Rufes hat er wenig Erfolg. *In spite of his good reputation he has little success.*

2.7 Nouns in apposition

Sometimes a noun, or more usually a name, is followed immediately by a second noun referring to the same person or thing. The second noun is 'in apposition', and is in the same case as the first one.

Das ist Herr Schulz, **mein Englischlehrer**. *That is Herr Schulz, my English teacher.*

Kennst du meinen Nachbarn, **den berühmten Chefkoch?** *Do you know my neighbour, the famous chef?*

Wir sprachen mit Frau Sauer, **der Lehrerin** meines Freundes. *We talked to Frau Sauer, my friend's teacher.*

Das Auto gehört Herrn Neumann, **unserem Hausmeister**. *The car belongs to Mr Neumann, our caretaker.*

3 Adjectives and adverbs

3.1 Possessive adjectives

Possessive adjectives are the words for 'my', 'your', 'his', etc.

Ich	mein	my
du	dein	your
er	sein	his/its
sie	ihr	her/its
es	sein	its
man♦	sein	one's (etc.)
wir	unser	our
ihr	euer	your
sie	ihr	their
Sie	Ihr	your

♦ and other indefinite pronouns (see 4.6)

Possessive adjectives take the same endings as **kein**:

	masc	fem	neu	pl
nom	mein	meine	mein	meine
acc	meinen	meine	mein	meine
dat	meinem	meiner	meinem	meinen
gen	meines	meiner	meines	meiner

Ist das **seine** Mutter? *Is that his mother?*

Gib mir bitte **deinen** Kuli. *Give me your pen, please.*

Was macht sie mit **ihrem** Geld? *What does she do with her money?*

Das ist der Wagen **meines** Onkels. *That is my uncle's car.*

Sie haben nichts von **ihren** Kindern gehört. *They have heard nothing from their children.*

3.2 Demonstrative and interrogative adjectives

Demonstrative adjectives include:

dieser	this
jener	that
jeder	each, every

There is one interrogative adjective, used for asking questions:

| welcher | which |

All four words follow the same pattern as the definite article.

	masc	fem	neu	pl
nom	dieser	diese	dieses	diese
acc	diesen	diese	dieses	diese
dat	diesem	dieser	diesem	diesen
gen	dieses	dieser	dieses	dieser

Diese Stofftasche ist so praktisch! *This cloth bag is so practical!*

Wirf das Grünglas in **jenen** Container. *Put the green glass in **that** container.*

Welcher Gemeinde gehört er an? *Which local authority does he belong to?*

Die Rolle **dieser** Organisationen ist sehr wichtig. *The role of these organisations is very important.*

3.3 Adjective endings

● 3.3.1 Adjectives not in front of a noun do not add any endings:

Sie sind **konservativ**. *They are conservative.*

Ich möchte **reich und berühmt** sein. *I'd like to be rich and famous.*

Grammar

- **3.3.2** When an adjective is used before a noun it has particular endings. These depend on the word before the adjective, and on the gender, case and number of the noun.

  There are three sets of adjective endings to learn:

  Table A

  Adjective endings after the definite article, **alle, dieser, jeder, jener, welcher:**

	masc	fem	neut	pl
nom	e	e	e	en
acc	en	e	e	en
dat	en	en	en	en
gen	en	en	en	en

  Ich sprach mit dem jung**en** Mann. *I spoke to the young man.*

  Table B

  Adjective endings after the indefinite article, **kein** and the possessive adjectives.

	masc	fem	neut	pl
nom	er	e	es	en
acc	en	e	es	en
dat	en	en	en	en
gen	en	en	en	en

  Sie ist ein nett**er** Mensch! *She is a nice person!*

  Table C

  Adjectives used without an article or other defining word, e.g. after a number:

	masc	fem	neut	pl
nom	er	e	es	e
acc	en	e	es	e
dat	em	er	em	en
gen	en	er	en	er

  Er mag deutsch**en** Wein. *He likes German wine.*

3.4 Adverbs

Adverbs tell you **how** something is done – well, efficiently, badly, etc. In English they usually end in '-ly', although there are exceptions such as 'well' and 'fast'.

- **3.4.1** In German any adjective can be used as an adverb. No alteration is needed:

  langsam *slow* → Er fuhr **langsam**. *He drove slowly.*

  glücklich *happy* → „Ach, ja", sagte sie **glücklich**. *'Ah yes,' she said happily.*

- **3.4.2** There are also adverbs of place, telling you where something happens:

hier	*here*	oben	*up there*
dort	*there*	unten	*down there*

- **3.4.3** Adverbs of time tell you when something happens:

häufig/oft	*often*	selten	*seldom*
regelmäßig	*regularly*	sofort	*at once*
nie	*never*		

- **3.4.4** There are also adverbial phrases such as:

in Eile	*quickly*
ohne Hast	*without haste*

3.5 Adjectives in comparisons

Comparatives are used to compare two things to say that, for example, something is bigger, *more* expensive or *better* quality than something else.

Superlatives are used to compare three or more things to say which is, for example, the bigg*est, most* expensive or *the best* quality.

- **3.5.1** To form the comparative of any regular adjective, add **-er** and the appropriate adjectival ending.

  lecker *tasty* → lecker**er** (als) *tastier (than)*

  Fertiggerichte sind lecker, aber Biokost ist lecker**er**. *Ready meals are tasty, but organic food is tastier.*

  Haben Sie einen klein**eren** Pullover? *Have you got a smaller jumper?*

  To compare two things, use **als** in German for English 'than'.

  Normales Gemüse ist **billiger als** Biogemüse. *Ordinary vegetables are cheaper than organic vegetables.*

- 3.5.2 To form the superlative of an adjective, add -(e)st followed by the normal adjective endings.

  billig *cheap* → **das** billig**ste** *the cheapest (singular, referring to a neuter noun)*

  schnell *quick* → **die** schnell**sten** Autos *the quickest cars (plural)*

- 3.5.3 A number of adjectives add an umlaut when forming the comparative and superlative:

adjective	comparative	superlative
lang	länger	am längsten
warm	wärmer	am wärmsten
groß	größer	am größten
gesund	gesünder	am gesündesten

- 3.5.4 Some comparative and superlative forms are irregular:

adjective	comparative	superlative
gut	besser	am besten
hoch	höher	am höchsten
nah	näher	am nächsten

- 3.5.5 To say 'just as ... as', use **(genau)so ... wie** or **ebenso ... wie** (do not use comparative forms here)

  Bananen sind **genauso gesund wie** Orangen. *Bananas are just as healthy as oranges.*

  To say 'not as ... as', use **nicht so ... wie**

  Hamburger sind **nicht so gesund wie** Hähnchen. *Hamburgers are not as healthy as chicken.*

3.6 Adverbs in comparisons

- 3.6.1 The comparative and superlative forms of adverbs follow a very similar pattern to those of adjectives:

schnell *quickly*	schnell**er** *more quickly*	**am** schnell**sten** *most quickly*
einfach *easily*	einfach**er** *more easily*	**am** einfach**sten** *most easily*

  Ich fahre **schneller** als meine Schwester, aber unsere Mutter fährt **am schnellsten**. *I drive faster than my sister but our mother drives the fastest.*

- 3.6.2 Irregular forms include:

adverb	comparative	superlative
gern	lieber	am liebsten
gut	besser	am besten
viel	mehr	am meisten
bald	eher	am ehesten

  Meine Lieblingslehrerin erklärt den Stoff **besser als** alle anderen! *My favourite teacher explains the work better than all the others!*

  Was machst du **am liebsten**? *What do you most like to do?*

4 Pronouns

4.1 Modes of address

- 4.1.1 Use **du** for people you know very well, your friends, other students and young people in general:

  Kommst **du** heute Abend mit ins Kino? *Will you come to the cinema with me tonight?*

  Was hältst **du** von diesem Vorschlag? *What do you think of this suggestion?*

- 4.1.2 Use **ihr** to address two or more people you know very well, e.g. your penfriend and his/her family:

  Es ist nett von euch, dass **ihr** mich vom Flughafen abholt. *It is nice of you to pick me up from the airport.*

- 4.1.3 Use **Sie** to address one or more people older than yourself and people in authority, such as your teacher or your boss:

  Könnten **Sie** mir bitte erklären, was an diesem Ausdruck falsch ist? *Could you please explain to me what is wrong with this expression?*

Grammar

4.2 Personal pronouns

The personal pronouns alter according to case.

	nom	acc	dat
I	ich	mich	mir
you (familiar – sing.)	du	dich	dir
he/it	er	ihn	ihm
she/it	sie	sie	ihr
it	es	es	ihm
we	wir	uns	uns
you (familiar – plural)	ihr	euch	euch
they	sie	sie	ihnen
you (polite)	Sie	Sie	Ihnen

nom/acc	Holst **du mich** bitte ab? *Will **you** pick **me** up?*
nom/dat	**Ich** schicke **ihr** jede Woche eine E-Mail. *I send **her** an e-mail every week.*
nom	Wo sind **sie**? *Where are **they**?* Wo sind **Sie**? *Where are **you**?*
nom/dat	**Ich** gebe es **euch** später. *I'll give it **to you** later.*

4.3 Reflexive pronouns

Reflexive pronouns are used with reflexive verbs (see 5.2) and to mean 'myself', 'yourself', 'himself' and so on. They are used in the accusative and the dative cases.

	acc	dat
ich	mich	mir
du	dich	dir
er/sie/es/man ◆	sich	sich
wir	uns	uns
ihr	euch	euch
sie	sich	sich
Sie	sich	sich

◆ and other indefinite pronouns (see 4.6)

Sie waschen **sich**. *They are getting washed.*

Ich muss **mir** bald die Haare waschen. *I must wash my hair soon.*

4.4 Relative pronouns

Relative pronouns mean 'who' or 'which/that' and are used to join simple sentences together:

This computer is the latest model. It is available at your dealer's. →*This computer, which is available at your dealer's, is the latest model.*

The German equivalent is:

Dieser Computer ist das neueste Modell. Er ist beim Fachhändler erhältlich. →Der Computer, der beim Fachhändler erhältlich ist, ist das neueste Modell.

- 4.4.1 There are relative pronouns for each gender and case.

	masc	fem	neut	pl
nom	der	die	das	die
acc	den	die	das	die
dat	dem	der	dem	denen
gen	dessen	deren	dessen	deren

The relative pronoun:

- ◆ agrees in number and gender with the noun to which it refers
- ◆ takes its case from its role within the relative clause
- ◆ must have a comma before it
- ◆ sends the verb to the end of the clause (8.5.1).

In a sentence beginning 'the man who ...', the relative pronoun must be masculine singular because it refers back to 'man'. But it could be in any of the four cases, depending on its role within its own clause:

Die Deutschen, **die** ihre Ferien im Inland verbringen, fahren gern an die Ostsee. *(nom. pl.) The Germans who spend their holidays in Germany, like going to the Baltic.*

Ich fahre am liebsten mit einem Freund weg, **den** ich schon gut kenne. *(masc. sg. acc.) I prefer to go away with a friend whom I know really well.*

Die Familie, mit **der** wir oft wegfahren, kennen wir schon lange. *(fem. sg. dat. after preposition) We have known the family we often go away with for a long time.*

Die Touristen, **deren** Auto gestern eine Panne hatte, wohnen in diesem Hotel. *(gen. pl.) The tourists whose car broke down yesterday, are staying in this hotel.*

- 4.4.2 The relative pronoun can be missed out in English, but not in German.

Das Haus, **das** wir gekauft hatten, war nicht groß genug.

Either: *The house we had bought was not big enough.*

Or: *The house **which** we had bought was not big enough.*

4.4.3 After **alles, viel, manches, nichts, allerlei** and superlatives, the relative pronoun **was** is used instead of **das**.

Er hat **alles** aufgegessen, **was** er auf dem Teller hatte. *He ate everything he had on his plate.*

Es gibt **nichts, was** ich lieber mag als faulenzen. *There is nothing I like better than lazing around.*

Der Skiurlaub war **das Beste, was** er je erlebt hatte. *The skiing holiday was the best he had ever experienced.*

4.4.4 If the relative pronoun refers to the whole of the other clause, **was** is used again:

Die meisten Deutschen fahren nach Spanien, **was** mich überhaupt nicht überrascht. *Most Germans go to Spain, which doesn't surprise me at all.*

4.4.5 For some other kinds of relative clause, see 8.5.

4.5 Possessive pronouns

Possessive adjectives (3.1) can be used as pronouns, i.e. without a noun. The forms are the same as for possessive adjectives, except that the masculine ends in **-er** in the nominative, and the nominative and accusative neuter end in **-es** (simple 's' can be added colloquially).

A possessive pronoun takes its gender from the noun to which it refers and its case from the part which it plays in the clause or sentence.

Dein Vater ist älter als **meiner**. *Your father is older than mine.*

Ich mag euer Haus lieber als **unseres!** *I like your house better than ours!*

4.6 Indefinite pronouns

Indefinite pronouns stand in place of nouns, but refer to something that is not definite (e.g. 'someone', 'no one').

jemand	*someone*
niemand	*no one*
einer	*one*
keiner	*no one*
jeder	*each, everyone*

4.6.1 Jemand and **niemand** add **-en** in the accusative and **-em** in the dative, while the other three decline like **dieser** (3.2).

Ich kenne **niemanden** hier. *I don't know anyone here.*

Es gibt für **jeden** etwas. *There is something for everyone.*

4.6.2 The indefinite pronoun **man** (one) is widely used, but mostly only in the nominative.

Man kann hier experimentelles Theater sehen. *You can see experimental theatre here.*

4.6.3 There are two more indefinite pronouns which are indeclinable, that is, they do not change whatever case they are used in. They are:

etwas	*something*
nichts	*nothing*

Es muss **etwas** geschehen! *Something must happen!*

Er weiß **nichts**! *He knows nothing!*

4.7 Interrogative pronouns

4.7.1 The interrogative pronoun **wer** (who) declines like this:

nom	wer
acc	wen
dat	wem
gen	wessen

Wer war dabei? *Who was there?*

Wen kennst du hier? *Who(m) do you know here?*

Von **wem** hat er das Geld ? *From whom does he have the money?/Who does he get the money from?*

Wessen Handschrift ist das? *Whose handwriting is that?*

4.7.2 These pronouns refer to people. When referring to things, use:

nom	was
acc	was or wo-/wor- + preposition, e.g. wodurch, woran
dat	wo-/wor- + preposition, e.g. womit, worauf
gen	wessen

Was ist dir wichtig? *What is important to you?*

Was hast du gesehen? *What did you see?*

Worüber denkst du nach? *What are you thinking about?*

Womit zahlst du? *What are you paying with?*

Wovon träumst du? *What are you dreaming of?*

5 Verbs – The basics

5.1 Weak, strong, mixed and auxiliary verbs

- **5.1.1** Weak verbs are regular and all tenses can be formed from the infinitive.

infinitive:	**mach**en
present tense:	ich **mach**e
imperfect tense:	ich **mach**te
perfect tense:	ich habe ge**mach**t

- **5.1.2** Strong verbs are irregular. They often have a vowel change in the different tenses, and they use different endings to weak verbs in the imperfect tense and the past participle.

infinitive:	**trink**en
present tense:	ich **trink**e
imperfect tense:	ich **trank**
perfect tense:	ich habe ge**trunk**en

- **5.1.3** Mixed verbs have a vowel change in some tenses and take endings of the weak verbs to form tenses.

infinitive:	**denk**en
present tense:	ich **denk**e
imperfect tense:	ich **dach**te
perfect tense	ich habe ge**dach**t

- **5.1.4** The auxiliary verbs **haben**, **sein** and **werden** can be used in their own right or to help form tenses. Their forms are listed under all the tenses below.

5.2 Reflexive verbs

Reflexive verbs are verbs used with the reflexive pronouns (4.3).

Many verbs are reflexive in German which are not in English, e.g.

sich waschen *to have a wash*

sich die Zähne putzen *to clean one's teeth*

Many are to do with actions done to the subject of the sentence, but this need not be the case, e.g.

sich etwas überlegen *to consider something*

sich weigern *to refuse*

Reflexive verbs normally take the accusative reflexive pronoun, but use the dative pronoun if there is another direct object in the sentence:

accusative:	ich wasche **mich**
dative:	ich bürste **mir** die Haare

5.3 Impersonal verbs and verbs with a dative object

- **5.3.1** Some verbs are often used with **es** as a kind of indefinite subject, and are known as impersonal verbs.

  Gefällt es dir hier? *Do you like it here?*

  Es gibt ... *There is/are ...*

  Es kommt darauf an, ob ... *It depends whether ...*

  Es geht ihm gut. *He is well.*

  Es geht ihr schlecht. *She is not well.*

  Hat es geschmeckt? *Did you enjoy it (the food)?*

  Es tut mir leid. *I am sorry.*

  Mir ist kalt. *I'm cold.*

  Es gelingt ihm, ... zu + *infinitive He succeeds in ...ing ....*

- **5.3.2** Many idiomatic verbs, including some impersonal expressions, take a dative object (see 4.2) rather than an accusative one. Sometimes that object would be the subject in the equivalent English expression, so take care with translation.

Er fehlt mir sehr. *I really miss him.*

Mein Bein tut mir weh. *My leg hurts.*

Das Kleid steht Ihnen gut. *The dress suits you.*

Die Hose passt ihm nicht. *The trousers don't fit him.*

Das Buch gehört der Schule. *The book belongs to the school.*

Das Bild gefällt ihm. *He likes the picture.*

5.4 Separable and inseparable verbs

- **5.4.1** A few prefixes in German are always inseparable and cannot be split up from the verb. These are:

be-	ent-	ge-	ver-
emp-	er-	miss-	zer-

The stress in these verbs is on the second syllable.

Meine Freundin und ich **be**halten Geheimnisse für uns. *My friend and I keep secrets to ourselves.*

Die Klasse **ent**scheidet selbst, welche wohltätige Organisation sie unterstützen will. *The class decide themselves what charity they want to support.*

Sie hat uns früher immer vom Krieg **er**zählt. *She always used to tell us about the war.*

Das Fernsehen **zer**stört meiner Meinung nach das Familienleben. *In my opinion, television destroys family life.*

- **5.4.2** Most other prefixes are separable and go to the end of the clause. In the infinitive the prefix is stressed.

auf   **auf**/stehen

In den Ferien stehen wir nie vor zehn Uhr **auf.** *During the holidays, we never get up before 10 o'clock.*

statt   **statt**/finden

Wo findet die nächste Fußballweltmeisterschaft **statt**?

Where will the next football world championship take place?

vor   **vor**/haben

Habt ihr heute Abend etwas Besonderes **vor**? *Are you planning anything special for tonight?*

- **5.4.3** A few prefixes are separable in some verbs and not in others. Learn each verb separately.

durch	um	unter	wider
über	voll	wieder	

Die Polizei durchsucht das Zimmer. *The police are searching the room.*

Meine Eltern sprechen ihre Probleme durch. *My parents are talking over their problems.*

5.5 Modal verbs

There are six modal verbs in German. They usually go with the infinitive of another verb, which goes to the end of the sentence.

dürfen *to be allowed to* **müssen** *to have to*
können *to be able to* **sollen** *to be supposed to*
mögen *to like* **wollen** *to want to*

Note:
ich **muss** nicht *I don't need to*
ich **darf** nicht *I must not*

Das Fernsehen **muss** rund um die Uhr laufen. *The TV has to be on round the clock.*

Die Zuschauer **können** zwischen Hunderten von Programmen wählen. *Viewers can choose from hundreds of programmes.*

Kinder **sollen** nicht zu viel fernsehen. *Children shouldn't watch too much TV.*

Ich **darf** nur zwei Stunden pro Tag fernsehen. *I am only allowed to watch two hours of TV a day.*

Jedes Jahr **wollen** immer mehr Deutsche mehr Kanäle. *Each year more and more Germans want more channels.*

6 The main tenses

6.1 The present tense

The present tense is used for actions happening in the present, or happening regularly now, or in the future (6.5).

Grammar

- **6.1.1** It is also frequently used for an action or state which started in the past and is still carrying on now. This is especially the case with an expression describing length of time with **seit** (2.4.2) or **lang**, and can happen in clauses with **seit(dem)** (8.4.2). Notice that this is different to English usage.

  Er **wohnt seit** drei Jahren in Norddeutschland. *He **has lived** in Northern Germany for three years.*

  Seine Großeltern **leben** schon **jahrelang** in Österreich. *His grandparents **have lived** in Austria for years.*

  Seitdem er beim Bund **ist, sieht** er die Welt mit anderen Augen. *Since he **has been** in the army he **has seen** the world differently.*

- **6.1.2** Most verbs of all groups have the same endings in the present tense.

  schreiben *to write*

ich schreib**e**	wir schreib**en**
du schreib**st**	ihr schreib**t**
er/sie schreib**t**	sie/Sie schreib**en**

- **6.1.3** With many strong verbs, the main vowel changes in the **du** and the **er/sie** forms: a → ä, e → i or ie:

fahren *to travel*	ich fahre, du f**ä**hrst, er/sie f**ä**hrt
essen *to eat*	ich esse, du **i**sst, er/sie **i**sst
lesen *to read*	ich lese, du l**ie**st, er/sie l**ie**st

- **6.1.4** The verb **wissen** (to know) is a special case:

ich weiß	wir wissen
du weißt	ihr wisst
er/sie weiß	sie/Sie wissen

- **6.1.5** Auxiliary verbs form their present tense like this:

sein	**haben**	**werden**
ich bin	ich habe	ich werde
du bist	du hast	du wirst
er/sie ist	er/sie hat	er/sie wird
wir sind	wir haben	wir werden
ihr seid	ihr habt	ihr werdet
sie/Sie sind	sie/Sie haben	sie/Sie werden

- **6.1.6** **Modal verbs** form their present tense as follows:

dürfen	**können**	**mögen**
ich darf	ich kann	ich mag
du darfst	du kannst	du magst
er/sie darf	er/sie kann	er/sie mag
wir dürfen	wir können	wir mögen
ihr dürft	ihr könnt	ihr mögt
sie/Sie dürfen	sie/Sie können	sie/Sie mögen
müssen	**sollen**	**wollen**
ich muss	ich soll	ich will
du musst	du sollst	du willst
er/sie muss	er/sie soll	er/sie will
wir müssen	wir sollen	wir wollen
ihr müsst	ihr sollt	ihr wollt
sie/Sie müssen	sie/Sie sollen	sie/Sie wollen

6.2 The perfect tense

The perfect tense is used in speech and in colloquial passages. It can be translated into English with either the simple past (*I did*) or the perfect (*I have done*).

- **6.2.1** Most **verbs**, including reflexives, form their perfect tense with the present tense of the auxiliary verb **haben** and a past participle – **haben** takes the normal position of the verb, and the past participle goes to the end of the sentence.

  ◆ For weak or regular verbs, the past participle is formed from the usual verb stem with the prefix **ge-** and the ending **-t** (**ge**mach**t**, **ge**kauf**t**). For mixed verbs and modal verbs (see 6.2.3), the stem is often different and has to be learnt, but the prefix and ending are the same as described above (**bringen** – **ge**brach**t**, **denken** – **ge**dach**t**).

  ◆ The past participles of strong verbs often have a changed stem and take the **ge-** prefix and an **-en** ending (**ge**gess**en**, **ge**sung**en**, **ge**trunk**en**).

  ◆ The past participles of the auxiliaries are:

sein:	gewesen
haben:	gehabt
werden:	geworden

◆ Verbs with *separable prefixes* insert **-ge-** after the prefix (**ein**ge**kauft, auf**ge**schrieben, nach**ge**dacht**) and verbs with *inseparable prefixes* do not use **ge-** at all (**bekommen, erreicht, missverstanden, verbracht**).

Meine Oma **hat** nie alleine **gewohnt**. *My grandmother has never lived alone.*

Jugendliche **haben** damals vor der Ehe nicht **zusammengelebt**. *In those days young people did not live together before marriage.*

Opa **hat** seit seiner Jugend sein eigenes Geld **verdient**.
Grandpa has earned his own money since his youth.

● **6.2.2 Certain verbs with no object use the auxiliary verb sein to form the perfect tense. These are:**

◆ Verbs expressing motion:

gehen:	ich **bin** gegangen	*I went*
fahren:	ich **bin** gefahren	*I travelled*
aufstehen:	ich **bin** aufgestanden	*I got up*

◆ Verbs expressing a change in state or condition:

aufwachen:	ich **bin** aufgewacht	*I woke up*
werden:	ich **bin** geworden	*I became*
wachsen:	ich **bin** gewachsen	*I grew*
einschlafen:	ich **bin** eingeschlafen	*I fell asleep*

◆ The following verbs:

bleiben	ich **bin** geblieben	*I stayed*
sein	ich **bin** gewesen	*I was/I have been*

● **6.2.3 Modal verbs have these past participles:**

dürfen:	gedurft	müssen:	gemusst
können:	gekonnt	sollen:	gesollt
mögen:	gemocht	wollen:	gewollt

Er hat zum Militär **gemusst**. *He had to do his military service.*

However, when modal verbs are used with another verb in the infinitive, the perfect tense is formed with the infinitive of the modal verb rather than the past participle.

Er hat sich bei den Behörden vorstellen **müssen**. *He had to present himself to the authorities.*

● **6.2.4** Certain other verbs behave like modal verbs **and** use the infinitive in the perfect tense if there is already another infinitive in the sentence. These are: verbs of perception (**sehen, hören**) and **lassen**.

Er hat seine Freunde **feiern hören**. *He heard his friends celebrating.*

Ich habe das Unglück **kommen sehen**. *I saw the disaster coming.*

Meine Eltern haben mich nicht allein **ausgehen lassen**. *My parents did not let me go out by myself.*

Sie hat ihr Auto schließlich **reparieren lassen**. *She finally had her car repaired.*

6.3 The imperfect tense

The imperfect tense tends to be used more in writing for narrative, reports and accounts. With certain verbs the imperfect tense is more commonly used than the perfect tense, even in speech, e.g. **sein – ich war, haben – ich hatte, wollen – ich wollte**.

● **6.3.1 Regular** or weak verbs form their imperfect tense by adding the following endings to the stem of the verb (the infinitive minus **-en** ending):

ich	-te	wir	-ten
du	-test	ihr	-tet
er/sie	-te	sie/Sie	-ten

telefonieren	**abholen**	**arbeiten**
to phone	*to collect*	*to work*
ich telefonier**te**	ich hol**te** ab	ich arbeit**ete**
du telefonier**test**	du hol**test** ab	du arbeit**etest**
er/sie telefonier**te**	er/sie hol**te** ab	er/sie arbeit**ete**
wir telefonier**ten**	wir hol**ten** ab	wir arbeit**eten**
ihr telefonier**tet**	ihr hol**tet** ab	ihr arbeit**etet**
sie/Sie telefonier**ten**	sie/Sie hol**ten** ab	Sie/sie arbeit**eten**
I telephoned	*I collected*	*I worked*

If the stem of the verb ends in **-t** (**arbeit-**) or several consonants (**trockn-**), an extra **-e** is added: **arbeitete, trocknete**.

Grammar

- **6.3.2** Strong verbs change their stem in order to form this tense. Each has to be learnt separately. The following endings are then added to this imperfect stem:

ich	(no ending)	wir	-en
du	-st	ihr	-t
er/sie	(no ending)	sie/Sie	-en

gehen	**trinken**	**lesen**
to go	*to drink*	*to read*
ich ging	ich trank	ich las
du gingst	du trankst	du last
er/sie ging	er/sie trank	er/sie las
wir gingen	wir tranken	wir lasen
ihr gingt	ihr trankt	ihr last
sie/Sie gingen	sie/Sie tranken	sie/Sie lasen
I went	*I drank*	*I read*

- **6.3.3** Mixed verbs change their stem, like strong verbs, but add the same endings as weak verbs.

  bringen: ich brachte
  nennen: ich nannte
  denken: ich dachte

- **6.3.4** Modal verbs also add the same endings as weak verbs, but mostly change their stem:

  dürfen: ich durfte   müssen: ich musste
  können: ich konnte   sollen: ich sollte
  mögen: ich mochte   wollen: ich wollte

- **6.3.5** The imperfect tense of the auxiliaries is:

sein	**haben**	**werden**
ich war	ich hatte	ich wurde
du warst	du hattest	du wurdest
er/sie war	er/sie hatte	er/sie wurde
wir waren	wir hatten	wir wurden
ihr wart	ihr hattet	ihr wurdet
sie/Sie waren	sie/Sie hatten	sie/Sie wurden

6.4 The pluperfect tense

The pluperfect tense is used, just as in English, to express that something *had* happened before something else. It is often used in **nachdem** clauses. It is formed from the past participle of the verb and the auxiliaries **haben** or **sein** in the imperfect tense.

sprechen *to speak*
ich **hatte** gesprochen *I had spoken*

fahren *to travel*
ich **war** gefahren *I had travelled* etc.

Nachdem sie sich so lange auf das Abitur vorbereitet hatten, konnten sie sich endlich entspannen. *After they had revised so hard for their A levels, they could at last relax.*

Man zeigte ihnen ihre Unterkunft, kurz **nachdem** sie im Studentenwohnheim **angekommen waren**. *They were shown their accommodation shortly after they **had arrived** at the Halls of Residence.*

6.5 The future tense

- **6.5.1** The present tense is often used to describe future events, especially if there is an expression of time that clearly indicates the future meaning.

  Meine Schwester **bekommt nächsten Monat** ihr Baby. *My sister is expecting her baby next month.*

  Use the future tense to be more precise or to give particular emphasis to the future aspect of a statement.

- **6.5.2** The future tense is formed from the present tense of **werden** (6.1.5), followed by the infinitive, which goes to the end of the sentence.

  Ich **werde** mich bei sechs verschiedenen Universitäten **bewerben**. *I shall apply to six different universities.*

7 Verbs – some extras

7.1 The conditional tense

The conditional tense is used to say what would happen in certain circumstances in conditional sentences (7.2). The imperfect subjunctive (7.3) is often used as an alternative, especially for modal and auxiliary verbs.

The conditional consists of a form of **werden** (actually the imperfect subjunctive – see 7.3) followed by an infinitive.

Ein Alkoholverbot bei Fußballspielen **würde** viele Probleme **lösen**. *A ban on alcohol during football matches would solve many problems.*

Wir **würden** mehr Zeit mit der Familie **verbringen.**
We would spend more time with our families.

7.2 Conditional sentences

Conditional sentences say what would happen under certain circumstances. They include clauses with **wenn** (= 'if'). In German two different verb forms can be used in conditional sentences, the conditional and the imperfect subjunctive.

Either the conditional tense or the imperfect subjunctive must be used in *both* parts of a conditional sentence in German (unlike in English).

Wenn Eltern ein bisschen konsequenter **wären, würden** Kinder nicht tagtäglich stundenlang vor dem Fernseher **hocken**. *If parents were a little more consistent, children would not sit in front of the TV for hours, day in day out.*
Wenn sie ein bisschen mehr Zeit für ihre Sprösslinge **hätten, würde** das einen positiven Einfluss auf das Familienleben **ausüben**. *If they had a little more time for their offspring, it would have a positive influence on family life.*

There are also conditional sentences with the conditional perfect tense (7.4).

7.3 The imperfect subjunctive

The imperfect subjunctive is used as an alternative to the conditional tense in conditional sentences. This occurs most commonly with modal and auxiliary verbs. It is also used in indirect speech (7.6).

- **7.3.1** The imperfect subjunctive of modal verbs is like the imperfect indicative except that the main vowel usually takes an umlaut:

dürfen: ich **dürfte** *I would be allowed to, I might*
können: ich **könnte** *I would be able to, I could*
mögen: ich **möchte** *I would like to*
müssen: ich **müsste** *I would have to*
sollen: ich **sollte** *I should*
wollen: ich **wollte** *I would want to*

- **7.3.2** The imperfect subjunctive of auxiliaries is also based on the imperfect indicative with the addition of umlauts and, for **sein**, the same endings as the other two verbs.

	sein	haben	werden
ich	wäre	hätte	würde
du	wärest	hättest	würdest
er/sie	wäre	hätte	würde
wir	wären	hätten	würden
ihr	wäret	hättet	würdet
sie/Sie	wären	hätten	würden

- **7.3.3** The imperfect subjunctive of weak or regular verbs is the same as the imperfect indicative, i.e. the ordinary imperfect tense of the verb:

arbeiten: ich **arbeitete** *I worked, I would work*
abholen: ich **holte ab** *I fetched, I would fetch*

- **7.3.4** The imperfect subjunctive of strong or irregular verbs is formed from the same stem as the imperfect indicative, but with similar endings to the weak verbs. The main vowel also takes an umlaut if possible.

gehen	fahren	kommen
to go	*to travel*	*to come*
ich ging**e**	ich führ**e**	ich käm**e**
du ging**est**	du führ**est**	du käm**est**
er/sie ging**e**	er/sie führ**e**	er/sie käm**e**
wir ging**en**	wir führ**en**	wir käm**en**
ihr ging**et**	ihr führ**et**	ihr käm**et**
sie ging**en**	sie führ**en**	sie käm**en**
Sie ging**en**	Sie führ**en**	Sie käm**en**
I would go	*I would travel*	*I would come*
etc.	*etc.*	*etc.*

- **7.3.5** The imperfect subjunctive of mixed verbs is also based on the normal imperfect, with some changes to the main vowel, e.g.:

bringen: ich **brächte** *I would bring*
denken: ich **dächte** *I would think*
wissen: ich **wüsste** *I would know*

7.4 The conditional perfect

The conditional perfect (or pluperfect subjunctive) is used in conditional sentences (7.2) and indirect speech (7.6).

- **7.4.1** The starting point for this verb form is the pluperfect tense (6.4). The auxiliary *haben* or *sein* is in the imperfect subjunctive (7.3).

Pluperfect:
ich **hatte** gemacht   *I had done*
ich **war** gefahren   *I had travelled*

Conditional perfect/pluperfect subjunctive:
ich **hätte** gemacht   *I would have done*
ich **wäre** gefahren   *I would have travelled*

- **7.4.2** The conditional perfect is used in **wenn** clauses referring to conditions that could have happened but didn't. Again, as in 7.2, the conditional form has to be used in both parts of the sentence.

Wenn wir mit dem Zug **gefahren wären, hätten** wir schneller unser Reiseziel **erreicht**. *If we had taken the train, we would have reached our destination faster.*

Hätte er nicht im Internet **gebucht,** so **hätte** er niemals so billige Flugtickets **bekommen**. *If he had not booked on the web, he would never have got such cheap flights.*

7.5 The future perfect tense

The future perfect is often used to express an assumption that something will have been done by a certain time. It is formed from the present tense of **werden** with the perfect infinitive (i.e. haben/sein + past participle). Note that at AS level, you only need to recognize the future perfect, not use it yourself.

Bald **werdet** ihr euch an die relative Freiheit in der Oberstufe **gewöhnt haben**. *Soon, you will have got used to the relative freedom of the Sixth Form.*

In ein paar Jahren **wird** man Videorekorder ganz vergessen haben. *In a few years' time, one will have quite forgotten about video recorders.*

7.6 The subjunctive in indirect speech

The subjunctive in German is also used when changing direct into reported speech. For this, the present and the perfect subjunctive are the most useful.

Note that at AS level, you only need to recognize the subjunctive in indirect speech, not use it yourself.

- **7.6.1** The present subjunctive is used to report direct speech that was in the present tense. It is formed by adding the endings as shown to the stem of the verb. The only exception is **sein**.

	machen	**fahren**	**nehmen**	**haben**	**sein**
ich	mach**e**	fahr**e**	nehm**e**	hab**e**	**sei**
du	mach**est**	fahr**est**	nehm**est**	hab**est**	**seiest**
er/sie	mach**e**	fahr**e**	nehm**e**	hab**e**	**sei**
wir	mach**en**	fahr**en**	nehm**en**	hab**en**	**seien**
ihr	mach**et**	fahr**et**	nehm**et**	hab**et**	**seiet**
sie/Sie	mach**en**	fahr**en**	nehm**en**	hab**en**	**seien**

Where these forms are the same as the indicative forms (i.e. normal present tense), the imperfect subjunctive (7.3) has to be used to ensure that the message is understood as reported speech.

In der Zeitung steht, das Verhör **finde** am folgenden Tag **statt**. *(present subjunctive) It said in the paper that the hearing was taking place the following day.*

Der Reporter meinte, den Sicherheitsbehörden **ständen** schwere Zeiten **bevor**. *(imperfect subjunctive because present subjunctive would be stehen) The reporter felt that the security services were facing difficult times.*

- **7.6.2** The perfect subjunctive is used to report direct speech that was in a past tense. It consists of the present subjunctive of **haben** or **sein** (7.6.1) and the past participle.

machen: ich **habe** gemacht   **gehen:** ich **sei** gegangen

If there is ambiguity (i.e. in the plural and **ich** forms of **haben**), the conditional perfect or pluperfect subjunctive (7.4) is used.

Man berichtete, ein Seebeben **habe** dem Tourismus auf der Insel wesentlich **geschadet**. (*perfect subjunctive*) *According to a report, the tsunami had adversely affected tourism on the island.*

In der Zeitung stand, die Deutschen **hätten** diesmal lieber im eigenen Land **Urlaub gemacht**, um die Umwelt zu schützen. (*pluperfect subjunctive*) *The newspaper said that the Germans had preferred holidaying at home this year to protect the environment.*

- **7.6.3** Reported speech is often introduced by *dass* (see 8.4.2 for word order). If *dass* is not used, normal main clause word order is maintained (8.1).

7.7 The passive voice

The passive is used when the subject of the sentence is not carrying out an action, but is on the receiving end of it. The 'doer' of the action is not emphasized and sometimes not even mentioned. Note that at AS level, you only need to recognize these forms, not use them yourself.

- **7.7.1** To form the passive, use the appropriate tense of **werden**, with the past participle, which goes to the end of the sentence.

Present:	ich **werde untersucht**	*I am being examined*
Imperfect:	er **wurde unterstützt**	*he was supported*
Perfect:	sie **ist gefragt worden**	*she has been asked*
Pluperfect:	ich **war gefahren worden**	*I had been driven*
Future:	wir **werden gesehen werden**	*we shall be seen*

In the perfect and pluperfect tense, **worden** is used instead of the usual past participle **geworden**.

- **7.7.2** When used in a passive sentence the English word 'by' can have three different translations in German.

von (person or agent):
Die Kinder wurden **von** der Großmutter betreut. *The children were taken care of by the grandmother.*

durch (inanimate):
Nur **durch** intensive Gespräche wurden die Probleme gelöst.
The problems were solved only through intensive talking.

mit (instrument):
Das Kleinkind wurde **mit** einem Babyalarm überwacht. *The small child was monitored with a baby alarm.*

- **7.7.3** All the modal verbs (**dürfen, können, mögen, müssen, sollen, wollen**) can be combined with a verb in the passive voice. The modals express the tenses and the other verb is in the passive infinitive (past participle and **werden**). Note the order of the various verb forms.

Present:
Das **kann besprochen werden**. *It can be discussed.*

Imperfect:
Es **musste bezahlt werden**. *It had to be paid.*

Conditional:
Es **dürfte gefunden werden**. *It might be found.*

Perfect:
Seine Eltern **haben auch gefragt werden wollen**. *His parents also wanted to be asked.*

Conditional perfect:
Die Arbeit **hätte abgegeben werden sollen**. *The work should have been handed in.*

- **7.7.4** The **es** form of the passive is quite common in German, particularly when the 'doer' is people in general and is not identified.

Es wird heutzutage nicht genug für alleinstehende Mütter getan. *Nowadays not enough is done for single mothers.*

If **es** is not the first word in the sentence, it is usually left out.

In Deutschland wird in der Faschingszeit viel gefeiert. *At carnival time there are lots of parties in Germany.*

Im Sommer wird viel gegrillt. *In summer there are plenty of barbecues.*

Grammar

- 7.7.5 In some circumstances, the passive can express an end result rather than an action. In this case, it is formed with **sein** + past participle. However, this is very much the exception and you need to consider carefully whether the *action* or a *state resulting* from the action is being emphasized. Compare the following examples:

Als wir ankamen, **wurde** das Baby gerade **gewickelt**. *When we arrived, the baby was being changed.*

Als wir ins Haus eintraten, **war** das Baby schon **gewickelt**. *When we entered the house, the baby had already been changed.*

7.8 The imperative

The imperative is the command form of the verb. There are different forms depending on who is being commanded. See 4.1, modes of address.

- 7.8.1 To make the **du**-form, start from the **du**-form present tense, omit **du** and take off the **-st** ending (just **-t** if the stem ends in **-s** (lesen) or **-z** (unterstützen)).

du schreibst	**schreib!**	*write!*
du stehst auf	**steh auf!**	*get up!*
du setzt dich	**setz dich!**	*sit down!*
du siehst	**sieh!**	*look!*
du isst	**iss!**	*eat!*
du benimmst dich	**benimm dich!**	*behave!*

However, strong verbs whose main vowel changes from **a** to **ä** in the **du**-form present tense, use **a** in the imperative.

laufen	**lauf!**	*run!*
abfahren	**fahr ab!**	*set off!*

- 7.8.2 For the **ihr**-form, simply omit **ihr** from the **ihr**-form present tense.

ihr steht auf	**steht auf!**	*get up!*
ihr seht	**seht!**	*look!*
ihr benehmt euch	**benehmt euch!**	*behave!*

- 7.8.3 For the Sie-form, take the **Sie**-form present tense and swap the order of **Sie** and the verb.

Sie laufen	**laufen Sie!**	*run!*
Sie stehen auf	**stehen Sie auf!**	*get up!*
Sie beeilen sich	**beeilen Sie sich!**	*do hurry up!*

- 7.8.4 Auxiliary verbs have irregular imperative forms:

	du	ihr	Sie
haben	hab!	habt!	haben Sie!
sein	sei!	seid!	seien Sie!
werden	werde!	werdet!	werden Sie!

- 7.8.5 The addition of **doch**, **schon** or **mal** softens the command and makes it sound more idiomatic.

Setzen Sie sich **doch** hin!   *Do sit down!*

Komm **mal** her! *Please come here!*

Nun sagt **doch** schon!   *Do tell!*

7.9 Infinitive constructions

- 7.9.1 Most verbs, apart from modals and a few others (6.2.4) take **zu** + infinitive, if they are followed by another verb.

Er beschloss, seine Arbeitserfahrung im Krankenhaus **zu leisten**. *He decided to do his work experience in a hospital.*

Sie hatte vor, nach dem Studium erst mal ins Ausland **zu gehen**. *She intended to go abroad after her degree.*

- 7.9.2 Impersonal expressions (5.3) are also followed by **zu** + infinitive.

Es tut gut, sich in die Sonne **zu legen** und entspannende Musik **zu hören**. *It feels good to lie in the sun and listen to relaxing music.*

- 7.9.3 The phrase **um ... zu** means 'in order to' and is used in the same way as other infinitive constructions.

Sie fuhr nach Leipzig, **um** sich ein Zimmer für das neue Semester **zu suchen**. *She went to Leipzig to find a room for the new semester.*

Wir gingen zur Hochschule, **um** uns für unsere Kurse **einzuschreiben**. *We went to the college to register for our courses.*

A few other constructions follow the same pattern.

(an)statt ... zu

Anstatt sich zu amüsieren, hockte er immer in seiner Bude herum. *Instead of enjoying himself, he just stayed in his room.*

außer ... zu

Ich wollte nichts machen, **außer** mein Schlafzimmer **aufzuräumen**. *I didn't want to do anything except tidy my bedroom.*

ohne ... zu

Er log mich an, **ohne** mit der Wimper **zu zucken**. *He lied to me without batting an eyelid.*

- **7.9.4** With separable verbs, **zu** is inserted between the prefix and the verb stem.

  Es macht Spaß, in den Ferien mal richtig **auszuspannen**. *It is fun to relax properly in the holidays.*

- **7.9.5** Modal verbs, and **sehen**, **hören** and **lassen** are followed by an infinitive without **zu**.

  Modal verbs:

  Junge Menschen **sollten sich** frühzeitig am kommunalen Leben **beteiligen**. *Young people should take part in the life of the community from an early age.*

  Man braucht nicht ins Kino zu gehen; man **kann** auch Filme vom Internet **herunterladen**. *You do not have to go to the cinema; you can download films from the internet.*

  Sehen, hören:

  Ich **sah** ihn **hereinkommen**. *I saw him coming in.*

  Er **hörte** die zwei Autos **zusammenstoßen**. *He heard the two cars collide.*

  Lassen:

  Meine Eltern **lassen** mich nur bis Mitternacht **ausgehen**. *My parents only let me go out until midnight.*

  Jeden Monat **ließ** sie sich von einem Starfriseur die Haare **schneiden**. *Every month she had her hair cut by a top stylist.*

8 Conjunctions and word order

8.1 Word order in main clauses

- **8.1.1** The *verb* must always be the second idea in a main clause. Often, clauses begin with the <u>subject</u>:

  <u>Sie</u> **sind** Geschichtslehrerin. *You are a history teacher.*

  However, it is also quite usual not to start the sentence with the subject, but with another element of the sentence, particularly if a special emphasis is to be achieved. If so, the verb should still be the second idea, and so the subject must follow it. This feature of German word order is also called *inversion* (i.e. the verb and the subject change places, or are inverted).

  Seit zwei Jahrzehnten **ist** <u>Deutschland</u> wieder ein vereinigtes Land. *Germany has been a united country for two decades.*

- **8.1.2** Any phrase describing time, manner or place may begin the sentence:

  Time:
  Nach dem Krieg wollten die Deutschen Freundschaft schließen. *After the war, the Germans wanted to make friends.*

  Manner:
  Gemeinsam mit anderen Ländern gründeten sie die EU. *Together with other countries they founded the EU.*

  Place:
  In Berlin steht die Mauer nicht mehr. *In Berlin there is no wall any more.*

  In all these sentences, it is important to keep the verb in the second place, followed by the subject.

  Elsewhere in the sentence, phrases have to be arranged in this order: time – manner – place, even if only two of the three types occur:

  Mozart starb **1756 fast allein in Wien**. *Mozart died in Vienna in 1756, almost alone.*

  Die Grenze wurde **1989 endlich** geöffnet. *The border was finally opened in 1989.*

Grammar

8.2 Negative sentences

- **8.2.1** The negative adverbs **nicht** and **nie** go as close as possible to the end of the sentence, though they must precede the following:

  Adjectives:

  Eine Abtreibung ist **nicht** ungefährlich. *Abortion is not risk-free.*

  Phrases of manner:

  Diesen Urlaub fahren wir mal **nicht** mit den Kindern.
  We are not going on holiday with the children this time.

  Phrases of place:

  Wir waren noch **nie** in Deutschland. *We have never been to Germany.*

  Infinitives:

  Ich darf dieses Wochenende wirklich **nicht** ausgehen. *I am really not allowed out this weekend.*

  Past participles:

  Er hat den Job **nicht** bekommen. *He did not get the job.*

  Separable prefixes:

  Wir gehen diesen Samstagabend **nicht** aus. *We are not going out this Saturday evening.*

- **8.2.2 Nicht** can also precede words when a particular emphasis is intended.

  Ich habe **nicht** seinen Vater gesehen, sondern seine Mutter. *I didn't see his father, but his mother.*
  (**Nicht** would not normally precede a direct object, but here **Vater** is contrasted with **Mutter**.)

  Note that, although **kein** (1.2.3) is used as the negative with nouns (rather than **nicht ein**), **nicht** is used with the definite article, and possessive or demonstrative adjectives.

  Er hatte **nicht** den Mut, seinen leiblichen Vater zu suchen. *He didn't have the courage to search for his real father.*

- **8.2.3** For other negative forms, see indefinite pronouns (4.6).

8.3 Questions

- **8.3.1** Questions in German are mainly expressed by inversion, i.e. swapping the subject with the verb.

Hat Mozart viele Opern komponiert? *Did Mozart compose many operas?*

Lebt Marlene Dietrich noch? *Is Marlene Dietrich still alive?*

- **8.3.2** This inversion also follows an interrogative adjective (3.2) or pronoun (4.7).

  Wie lange wohnen Sie schon in Amerika? *How long have you lived in America?*

  Seit wann sind seine Eltern geschieden? *Since when have his parents been divorced?*

  Warum kümmert er sich nicht mehr um seine Kinder? *Why doesn't he look after his children any more?*

- **8.3.3** In an indirect question, the verb goes to the end of the clause:

  Ich weiß nicht, **wie viele** Strafpunkte zum Verlust des Führerscheins **führen**. *I don't know how many points on your licence lead to the loss of it.*

  Ich habe ihn gefragt, **wen** ich zur Party mitbringen **darf**. *I asked him who I was allowed to bring along to the party.*

8.4 Conjunctions

- **8.4.1** The following conjunctions are co-ordinating conjunctions and do **not** change the word order when connecting two clauses: **aber, denn, oder, sondern, und**

  Die Eltern erlauben ihm nicht, von zu Hause auszuziehen, **und** sein Vater macht ihm ohnehin allerlei Vorschriften. *His parents won't let him leave home and his father imposes all kinds of rules on him in any case.*

  Sondern is usually used after a negative statement, particularly if it means 'on the contrary'.

  Ich möchte nicht mehr zu Hause wohnen, **sondern** so bald wie möglich ausziehen. *I don't want to live at home any more, but move out as soon as possible.*

  Aber is used to express 'on the other hand'.

  Ich kann mir im Moment noch keine eigene Wohnung leisten, **aber** mein Freund hat schon eine, denn er arbeitet. *I can't afford my own flat at the moment, but my boyfriend has one already, because he is working.*

● **8.4.2** There are a large number of subordinating conjunctions, which send the verb to the end of the clause. These are:

als	when, at the time when (single occasions in the past)
als ob	as if
(an)statt	instead of
bevor	before
bis	until
da	since, because, as (especially at the beginning of sentences instead of **weil**)
damit	so that (purpose, intention)
dass	that
falls	if, in case
nachdem	after
ob	if, whether
obgleich	although
obwohl	although
seit(dem)	since (see 6.1.1)
sobald	as soon as
sodass	so that (result)
solange	as long as
während	while
wenn	when (present, future), whenever, if
wie	as

Es macht Spaß, im Herbst München zu besuchen, **weil** dann das Oktoberfest **stattfindet**. *It is fun to visit Munich in autumn because the beer festival takes place then.*

Sie sparten ein ganzes Jahr lang, **damit** sie einen neuen Wagen kaufen konnten. *They saved up for a whole year so that they could buy a new car.*

◆ If the subordinate clause starts the sentence, the subject and the verb of the main clause have to be swapped round (inverted) to produce the *verb, verb* pattern so typical of more complex German sentences:

Da sein Vater fast das ganze Jahr lang arbeitslos **war, konnten** sie nicht in Urlaub fahren. *As his father had been unemployed for nearly the whole year, they could not go on holiday.*

Seitdem das neue Jugendzentrum in der Stadt eröffnet **ist, haben** die Fälle von Jugendkriminalität abgenommen. *Since the new youth centre opened in the town, cases of juvenile delinquency have decreased.*

● **8.4.3** Some adverbs are used to link sentences together. They are followed by the usual inversion:

also	therefore
darum	for this reason
deshalb	for this reason
deswegen	for this reason
folglich	consequently
und so	and so

Die Theater hatten am Sonntagabend zu, **deshalb** konnten sie nur ins Kino gehen. *The theatres were closed on Sunday evening, therefore they could only go to the cinema.*

Für Medizin ist überall der Numerus Clausus eingeführt, **folglich** kann man dieses Fach nur mit einem sehr guten Abiturzeugnis studieren. *There is an entrance restriction for medicine everywhere; consequently you can only study this subject with excellent A level grades.*

8.5 Relative clauses

● **8.5.1** Relative clauses are subordinate clauses introduced by a relative pronoun (see 4.4).

The verb in a relative clause is sent to the end of the clause. A relative clause has commas at each end to separate it from the rest of the sentence.

Der Strand, **den** wir gestern **besuchten**, war unglaublich schön. *The beach we visited yesterday was incredibly beautiful.*

● **8.5.2** If there is no specific person to link the relative pronoun to, **wer** can be used.

Wer sich nicht bei vielen Firmen um eine Teilzeitstelle bewirbt, wird sicher keinen Ferienjob bekommen. *Anyone who doesn't apply to many firms for part-time work will certainly not get a holiday job.*

● **8.5.3** If the relative pronoun refers to a whole clause or an object rather than a person and goes with a preposition, it can be replaced by **wo(r)-** added to the beginning of the preposition.

Ich weiß nicht, **wofür** er sich interessiert. *I am not sure what he is interested in.*

Ich weiß nicht, **womit** ich das verdient habe. *I don't know what I've done to deserve this.*

Worauf ich mich am meisten freue, ist die Freiheit auf der Universität. *What I most look forward to is the freedom one has during Higher Education.*

Grammar

Strong and irregular verbs

This is a selection of common strong and irregular verbs. Verbs with the same stem follow the same pattern, e.g. *anwenden* follows the same pattern as *wenden*.

◆ indicates use of *sein* as auxiliary in perfect and pluperfect. For *haben*, *sein*, *werden* and the modal auxiliary verbs, please see the relevant grammar section.

infinitive	er-form present	er-form imperfect	past participle	infinitive	er-form present	er-form imperfect	past participle
befehlen	befiehlt	befahl	befohlen	nennen	nennt	nannte	genannt
beginnen	beginnt	begann	begonnen	raten	rät	riet	geraten
bieten	bietet	bot	geboten	reißen	reißt	riss	gerissen
binden	bindet	band	gebunden	schaffen	schafft	schuf	geschaffen
bleiben	bleibt	blieb	geblieben ◆	scheiden	scheidet	schied	geschieden ◆
brechen	bricht	brach	gebrochen ◆	scheinen	scheint	schien	geschienen
brennen	brennt	brannte	gebrannt	schlafen	schläft	schlief	geschlafen
bringen	bringt	brachte	gebracht	schlagen	schlägt	schlug	geschlagen
denken	denkt	dachte	gedacht	schließen	schließt	schloss	geschlossen
empfehlen	empfiehlt	empfahl	empfohlen	schmelzen	schmilzt	schmolz	geschmolzen◆
essen	isst	aß	gegessen	schwimmen	schwimmt	schwamm	geschwommen ◆
fahren	fährt	fuhr	gefahren ◆	schneiden	schneidet	schnitt	geschnitten
fallen	fällt	fiel	gefallen ◆	schreiben	schreibt	schrieb	geschrieben
fangen	fängt	fing	gefangen	sehen	sieht	sah	gesehen
finden	findet	fand	gefunden	sitzen	sitzt	saß	gesessen
fliegen	fliegt	flog	geflogen ◆	sprechen	spricht	sprach	gesprochen
fliehen	flieht	floh	geflohen ◆	springen	springt	sprang	gesprungen ◆
fließen	fließt	floss	geflossen ◆	stehen	steht	stand	gestanden
geben	gibt	gab	gegeben	steigen	steigt	stieg	gestiegen ◆
gehen	geht	ging	gegangen ◆	sterben	stirbt	starb	gestorben ◆
gelingen	gelingt	gelang	gelungen ◆	tragen	trägt	trug	getragen
gelten	gilt	galt	gegolten	treffen	trifft	traf	getroffen
genießen	genießt	genoss	genossen	treiben	treibt	trieb	getrieben ◆
geschehen	geschieht	geschah	geschehen ◆	treten	tritt	trat	getreten ◆
gewinnen	gewinnt	gewann	gewonnen	trinken	trinkt	trank	getrunken
gleiten	gleitet	glitt	geglitten ◆	tun	tut	tat	getan
halten	hält	hielt	gehalten	verlieren	verliert	verlor	verloren
helfen	hilft	half	geholfen	vermeiden	vermeidet	vermied	vermieden
kennen	kennt	kannte	gekannt	weisen	weist	wies	gewiesen
kommen	kommt	kam	gekommen ◆	wenden	wendet	wendete	gewendet
laden	lädt	lud	geladen	werben	wirbt	warb	geworben
lassen	lässt	ließ	gelassen	werfen	wirft	warf	geworfen
leiden	leidet	litt	gelitten	wiegen	wiegt	wog	gewogen
lesen	liest	las	gelesen	wissen	weiß	wusste	gewusst
liegen	liegt	lag	gelegen	ziehen	zieht	zog	gezogen◆
lügen	lügt	log	gelogen	zwingen	zwingt	zwang	gezwungen
messen	misst	maß	gemessen				
nehmen	nimmt	nahm	genommen				